畅销全球三个世纪的教育经典

卡尔·威特教育圣经

〔德〕卡尔·威特/著　　张健威/译

中国长安出版社

图书在版编目(CIP)数据

卡尔·威特教育圣经/(德)卡尔·威特著;张健威译.
北京:中国长安出版社,2004.11
（成长书坊,第2辑）
ISBN 7－80175－339－9

Ⅰ.卡... Ⅱ①威...②张... Ⅲ.儿童教育：
家庭教育 Ⅳ.G78

中国版本图书馆 CIP 数据核字(2004)第 118985 号

卡尔·威特教育圣经

〔德〕卡尔·威特 著 张健威 译

出版:中国长安出版社
社址:北京市东城区北池子大街 14 号(100006)
发行:中国长安出版社 全国新华书店经销
印刷:北京蓝空印刷厂
开本:787×1092 1/16
印张:25
字数:700 千字
印数:10001—13000 册
版本:2007 年 2 月第 1 版 2007 年 2 月第 1 次印刷
书号:ISBN 7－80175－339－9/C·187
定价:32.00 元

天才是教育的结果
（代序）

　　这是一本关于儿童教育的书,堪称世界教育史上的奇书。相信所有关心孩子早期教育的父母和相关人士都会从书中得到独特的感受与深刻的启迪,从而为人类培养出更多优秀、杰出的人才。

　　如果说小卡尔·威特是19世纪德国的一位著名天才,那么他的父亲老卡尔·威特无疑就是一位奇特的教育天才,他把一个出生后被认为有些先天不足、痴呆的婴儿呕心沥血地培养成了一位举世瞩目的"神童",这不能不说是教育史上的奇迹。

　　小卡尔·威特8、9岁时就已通晓化学、物理学、动物学和植物学,尤其擅长数学,并且能自由运用德语、英语、法语、意大利语、希腊语和拉丁语等6国语言。他9岁时考入莱比锡大学,10岁进入哥廷根大学,年仅14岁就被授予哲学博士学位,16岁又获得了法学博士学位,并被任命为柏林大学的法学教授。小卡尔·威特13岁便出版了《三角术》一书;23岁时出版了《但丁的误解》一书,成为研究但丁的权威。而他所取得的这些惊人的成就,全都是他父亲老卡尔·威特悉心教育的结果。

　　作为哈勒附近一个叫洛赫的小村庄的普通牧师,老卡尔·威特有着独特而鲜明的教育观:"对于孩子的成长来说最重要的是教育而不是天赋。孩子最终成为天才还是庸才,不取决于天赋的大小,关键决定于他或她从生下来到5、6岁时的教育。诚然,孩子的天赋是有差异的,但这种差异毕竟有限。在我看来,别说那些生下来就具备非凡禀赋的孩子,即使仅具备一般禀赋的孩子,

代序 天才是教育的结果

只要教育得法,也能成为非凡的人。"正因为始终坚持这样的教育观点,老卡尔·威特才在儿子一出生后便以自己独特的、正确的方法去爱他,同时制定出周密而严格的教育方案,寓教于乐,循序渐进,坚持不懈,终于将先天不足的婴儿培养成了著名天才。他把对小卡尔14岁以前的教育写成了《卡尔·威特的教育》这样一本书,生动细腻、富于哲理地记叙了小卡尔的成长过程,重点阐述了自己教子的心得与独辟蹊径的教育方法。正是哈佛大学图书馆里收藏的、据说是美国的惟一珍本所论述的教育方法,培养出了近代像塞德兹、威纳·巴尔及维尼夫雷特等无数世界级的通过早期教育成才的典范。尤其值得提到的是,在二百年后的中国,著名的"哈佛女孩刘亦婷"的母亲正是在这些理论的启迪和指导下,将女儿培养成为出色的人才。在《哈佛女孩刘亦婷》一书中,刘亦婷的母亲这样说道:"应该永远感谢这些早期教育的倡导者和实践者……许多父母已经按书中的方法培养了数百个中国早慧儿童……我根本想不到,由哈佛图书馆里的孤本藏书所传播的教育思想,最终会把刘亦婷引向哈佛。"这的确已经成为中国无数父亲母亲在培养、教育孩子的道路上难能可贵的借鉴。

更令人深思并感慨万端的是,被父亲培养成著名天才的小卡尔·威特在有了自己的儿子威廉之后,继承并发扬光大、进而深入开掘了老卡尔的早期教育理论与方法,使之更加科学与完善。卡尔父子两代的早期教育论著,分开来各有春秋,相得益彰;连起读则珠联璧合,一气呵成。现在我们将这样两本书分"上篇"与"下篇"合为《卡尔·威特教育全书》出版.以满足我国所有重视孩子早期教育的父母亲和关注儿童教育的人士的渴望与需求,以便读者能够轻松、愉悦地阅读,把握原书的理论脉络,了解卡尔·威特父子教育思想的精髓,为培养、教育出更多的卓越人才而共同努力。

译者

2004 年 11 月

卡尔·威特教育圣经

目 录

上 篇:

卡尔·威特教育圣经

目　录

卡尔·威特教育圣经

卡尔·威特教育圣经

目　录

卡尔·威特教育圣经

卡尔·威特教育圣经

目　录

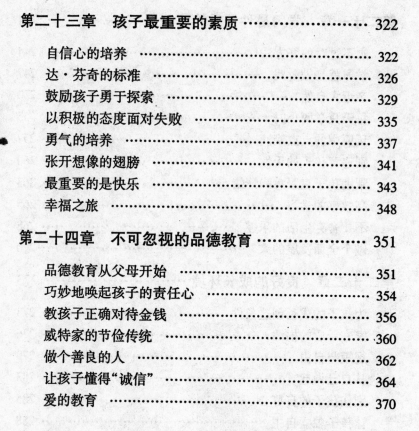

卡尔·威特教育圣经

上 篇

Educational Set Of Carl Weter

第一章
上帝保佑我的孩子

卡尔·威特教育圣经

找一个合格的妻子

　　在上帝的安排下孩子降临到了人世间。对于一个孩子来说，我们的世界是陌生而不可思议的，在这个世界上孩子是那样的软弱无力。而成年人作为上帝的子民，他们肩负着使自己的孩子学会坚强，并且顺利地长大成才，更好地享受生活的使命。要想做到这些，成年人应当在孩子尚未成人时，就尽量设法让他形成强健的体魄和完美的人性。

　　大多数的家长意识到这一点时，他们的孩子都已经长到两三岁了，而一个人若要出色地完成教育孩子的使命，就应当从孩子尚未出生时就开始用心，这意味着我们自身就必须健康完善、能够承担上帝赋予的这一使命。

在民间流传着这样的说法："通过近亲繁殖能培养出最好的马和狗"，但是这种方法完全不适用于人类，这样的事例在我身边就有发生：我邻村的一个名叫汉森的木匠，和他表姐结婚后共生了 10 个孩子，其中有 3 个孩子夭折了，另外的 7 个全都不同程度地患有疾病，而汉森和他的妻子的家族一向在当地人丁兴旺，但是汉森却没有生出合格的孩子来延续他们曾经兴旺的家族。所以当汉森步入老年后常常因此伤心不已，可是一切都已不可挽回了。

这个事例说明与动物不同的是，人类近亲结婚生下的孩子常常不太健康，会让人们伤心不已！所以人们在寻找伴侣时必须慎重。

有一些人在寻找伴侣时不作周全的考虑，而常常根据自己的需要暗藏心机，我非常讨厌这种人。他们会有各种理由，有的说：我的家境不太好，所以为了将来生活幸福，一定要找一个有钱人家的姑娘才行；还有的说，我一定要找一个出身名门的姑娘做妻子，这样将来就能飞黄腾达，取得权势显赫的地位，至于她其它的方面我才不在乎呢；还有人说，我找她做妻子是因为迷上了她的舞蹈；也有人说，我和她结婚是因为她长得很漂亮。

其实，这些说法都是不对的。在择偶方面一定要慎重，为了自己以及后代的幸福，一定要找那种身体健康，内秀而又温柔的女人为妻。所以根本没有，必要为了某种目的去选择配偶，最重要的是女方没有家族病史和身体方面的缺陷。

我选择我的妻子，主要是因为她很善良，我的妻子算不上非常漂亮，但是她知书达礼，十分的勤快，在多数情况下都能理解和支持我。所以我们在一起非常的恩爱。我是一个牧师，生活清贫，物质生活并不丰裕，可是我的妻子对此从来没有任何的抱怨，当小卡尔出生后，她毫无保留地将母爱倾注在孩子的身上。卡尔后来能够取得那样的辉煌，与我妻子善良的心地是密不可分的，我始终是这样认为。

卡尔·威特教育圣经

别让妻子妊娠期与宠物为伴

几乎所有的父母都渴望自己生的孩子是出类拔萃的天才，我和妻子也是这样想的，不过我很清楚，事情常常会出乎人们的意料。卡尔还没有出生时，即将为人父母的我和妻子都控制不住内心的喜悦激动不已。不过我们还是常常嘀咕："我们的孩子能行吗?"

我在妻子还没有怀孕的时候，就非常地注意自己的身体状况。这样做是为了将来能生一个健康的孩子。

我和妻子在日常生活中非常节俭，我觉得过于奢华的生活会让人产生一种沉溺于享乐的心情，无法做到神清气爽。我和妻子并非整天呆在屋子里，我们时常到户外散步，这样可以呼

吸新鲜的空气，置身于美丽的大自然中，我们感到心旷神怡。我和妻子很少有感情冲动的时候，我们性格都很好，对身边的那些琐事能做到心平气和，所以我们的生活也很安宁充满了温馨。我始终这样认为，在这种氛围中出生的孩子肯定是很健康的。

我不喜欢饮酒，这一点和通常的德国人不一样。我认为为了孩子的健康，那些喜欢饮酒

的父母，最好放弃这一习惯。一位做医生的朋友在我们决定要孩子时告诫我说，夫妻双方应当在受孕前 3 个月就开始戒酒，因为胎儿如果是属于酒后受孕，常常会智力低下，发育迟缓，若是女方饮酒，后果就会更为严重。因此我和妻子在怀孕之前对此非常地在意。

我在那些日子经常运动，除非非常必要否则就不坐马车，无论去哪里都是步行。妻子也心情开朗，我和妻子对尚未出世的儿子充满了信心。我们有时到田野中散步，有时去附近徒步爬山，在野外我常常摘一些野花给她。这样既能增进我和妻子的感情，同时也对将来的孩子很有好处。

我和妻子几乎不曾发生过争吵，我们都认为为了将来的孩子也应当和睦相处。所以我们感情始终很好。

在儿子来到人世之前我们尽力把一切都做好，但是仍有一点没有在意。在此之前医生曾对我说过，有一种寄生在猫狗粪便及其生肉中的弓形寄生虫，对胎儿有很大的危害，可是当时我们都不曾重视这些。那时我从邻居家抱养了只小狗，目的是为了让妻子开心愉快，而家中原来还有一只猫。卡尔刚生下来时看上去并不太健康，我想很可能和这有关。

上帝不负有心人

妻子怀孕后，她的生活就必须很有规律。当然我也不例外。为了做到早睡早起，我和妻子都制定了严格的作息时间。过去我喜欢在深夜祈祷，夜深人静的时候更利于形成清晰的思路。这是我在年轻时形成的习惯。有时当人们熟睡以后，我会独自在灯光下看书，我是一个热爱思考的人。静静地阅读，对我来说，是人生的一大乐趣。

不过妻子怀孕后我就改掉了这种习惯，因为夜深人静时读书，会影响到妻子的休息。女人怀孕后需要丈夫的关怀和体贴。

卡尔·威特教育圣经

第一章 上帝保佑我的孩子

为了妻子和她腹中的孩子，我牺牲深夜读书和与上帝交流的乐趣是值得的。

我记得意大利画家达·芬奇曾说："一个灵魂支配着两个肉体……母亲的精神对其腹中的胎儿产生着巨大的影响，母亲的希望、恐惧和痛苦对腹中的胎儿的影响，远远地超过对其自身的影响。"妻子怀孕后是很辛苦的，丈夫应当在每一件事上都给予妻子关怀和帮助。当妻子情绪不佳时，我就会耐心开导她，和她进行感情交流，以便她尽快摆脱不良的精神状态。

我发现妻子有一天好像处于一种不安和恐惧之中，当时我正好从外面布道回来，像往常一样我首先用亲吻的方式向妻子问好，然后感觉妻子有点不大对劲。

于是我问："亲爱的，怎么啦？"

妻子一脸忧伤看着我，一句话也没说。

看到妻子呆坐在那里，双眼无神，我觉得非常奇怪，妻子一向性格开朗，是什么事让她这样忧心忡忡呢？

我走过去轻轻搂住她，很关怀地问："怎么啦，快告诉我，不舒服吗？你一向都很开朗，什么话都肯对我说，今天发生什么事啦？"

妻子少气无力地说："卡特琳娜的儿子没了。"

卡特琳娜就住在我们镇上，她的儿子一出生就得了种怪病，一年多了健康状况很不好。这一点镇上的人几乎都知道。但谁也没料到这个可怜的小家伙这么快就离开了人世。按理说这种消息我是不会让妻子知道的，因为这样的消息对一个已经怀孕的女人来说，是无法接

受的。但是正好那一天我到另外一个教区去了。

妻子很伤感地说："今天，他们到家里找过你，但你没在家。你可以想到我听到这样的消息，心里是多么的难过。因为这让我联想到了我们尚未出生的孩子。"

"亲爱的，我完全理解你的心情，但是千万不要悲伤。"我安慰妻子说："我们的孩子不会有什么问题的，卡特琳娜的孩子刚一出生就有病，只是想不到这么快就去了。"

妻子听了我的话反而大哭起来："我们的第一个孩子不也是这样夭折了吗？"

这情形真是让我手足无措，很快我还是控制住了自己的情绪，对依然悲伤的妻子说：

"亲爱的，别想那么多。我们应当向前看，不能仅仅停留在过去。第一个孩子的夭折，完全是上帝的安排，我们已经尽力了。这些天来我每天都向上帝祈祷，重新赐给我们一个身心健康的孩子，这一次上帝一定会可怜我们的。卡特琳娜生的孩子不健康，就是因为她怀孕的时候就经常和自己的丈夫吵架，时刻都处在苦恼当中，所以我希望你能吸取她的教训，为了我们尚未出生的孩子，保持心情愉快。"

妻子还是哭着说："我知道的，可就是不能控制自己。"

"亲爱的，我来帮你。你要尽快将那些苦恼的事忘掉，多想一想你腹中即将出生的孩子，他肯定是个非常优秀的孩子。来，放松点，做一个深呼吸。"说着我给她做了个示范动作。

在我的安慰下，妻子随着我做起了深呼吸。很快她的心情就好起来了。当天晚上，我一直都在她身边陪伴着她。和她谈论我最近的工作，还有刚看过的一本书。第二天，妻子就像过去一样愉快起来，完全摆脱了悲伤。

在关心妻子方面，我可以算是个合格的丈夫。不管是在饮食上还是在其它方面，我都尽力做到尽善尽美，几乎用尽了所有的办法来让她保持心情愉快。

妻子一向喜欢泡热水澡。她认为在劳累了一天后洗个热水

卡尔·威特教育圣经

澡是一种享受。不过当她怀孕时，我制止了她的这种习惯，因为太热的水虽然让她觉得很舒服，但是对胎儿却没有什么好处。

妻子虽然快要做母亲了，但她毕竟还很年轻，有时候也很任性。所以对于做丈夫的我来说，也经常得对她进行安慰。

有一次我不在家，妻子偷偷泡了一次热水澡。我知道后，就责怪她说：

"你怎么还要这样做呢，我给你说过多少遍了，热水澡对孩子是有害的。"

妻子有点生气地说："我发现自从我怀了孩子，你就知道关心孩子，所有的一切都是为了孩子着想，再也不像过去那样关心我了。"

"亲爱的，不能这样说，关心孩子和关心你是一样的。孩子是我们共有的，现在你洗热水澡确实有害于孩子，等以后孩子出生了，随便你怎么泡，我才不会管你呢。"

"可是这些天来我在家浑身不舒服。身上的那些肌肉好像都变酸了，十分的难受。"妻子调皮地反问我："你不是说过要是母亲心情不愉快就不能生出健康的孩子吗？现在不让我洗热水澡我心情不愉快，你说应该怎么办呢。"虽然我知道妻子是在开玩笑，但她的话也不无道理。从那之后我每天亲自用热毛巾给她擦身子，还让佣人给她准备热水烫脚。

那段日子我永远不会忘记。很多人在妻子怀孕之后就开始对她冷落，而我没有这样做，反而更加缩短了我们之间的距离。虽然我们的孩子还没出生，但是我们都已经感到了他的存在。那是怎样的一种幸福啊。

妻子怀孕时，为了让她保持快乐的心情，我每天都要从外面带一些漂亮的鲜花回来，并且还要给她找一些好看的书。

妻子有一副天生的好嗓子，她出嫁之前在当地是一个有名的姑娘，人们都知道她能唱很动听的歌。怀上孩子后，她还常常轻声歌唱，对我说我们的孩子一定能听得到她的歌声。

卡尔·威特教育圣经

改变孩子的母亲

人们常对我说，伟人的孩子将来还会是伟人，至少也能做出很大的成就来。但我根本就不这样认为，因为那些伟人常常忙于自己的事业而无暇照顾自己的孩子，他们的妻子也因为丈夫是伟人对教育孩子并不尽心，她们通常过多地关注成功的丈夫而忽略了对孩子的教育。事实上母亲对孩子的教育是非常重要的，就我所知那些在历史上成功的伟人大多有一个懂得教育孩子的母亲。

我认为卡尔能取得了今天的成就，首先要归功于他的母亲。后面我会专门介绍卡尔的母亲是怎样在发挥她的作用对孩子进行教育的。无论在对孩子的教育方面还是在日常的生活方面，她都能算得上是一位非常出色的母亲。因为她不但有一颗善良的心，而且还有十分丰富的育儿知识。她在对卡尔的教育方面表现得非常优秀。

我的妻子在怀孕期间对饮食非常讲究，她常常说"我所做的一切都会影响到我们的孩子"。在怀孕期间我的妻子从来不吃辛辣的食物，像咸菜、虾之类的东西

她也不吃。甚至连她最喜欢吃的油炸咸鱼都拒绝了，她说："那些东西虽然没有直接喂给孩子，但到了肚子里后肯定会被孩子吸收。我们的小宝贝肯定不能吃这些东西，它们会损伤胎儿娇嫩的皮肤。"

我妻子一向都很坚强，她对我说怀孕后自己就要变得更加坚强。这样就可以让孩子出生后成为一个勇敢的人，所以，她怀孕后几乎没有哭过，就算是遇上令她伤心的事，她也很快就能从痛苦中挣脱出来。我完全赞成妻子的这种做法，如果怀孕期间的母亲没有好心情常常哭泣，那么生出来的婴儿肯定会发育不良，这将会导致未来的孩子软弱无能。

作为母亲，应当教育孩子成长为一个爱美和正义的人。但是大多数的母亲只着重于孩子的身体健康而没有注意发展孩子的品德和智力，我想这是一种不负责任的行为。我的妻子在这方面做得很好，她身上的勇敢和乐观的精神深深地影响了卡尔的成长，当卡尔后来走向社会后，即使遇到困难，也能做到无所畏惧。这要归功于我的妻子，是她给予了孩子爱与智慧并让他变得坚强。

在卡尔的成长过程中，我的妻子不仅精心照料他的身体，同时也对他的心理和智力的发展作出了很大的贡献。

有很多母亲出于各种原因雇人来对孩子进行教育，我认为这样做的母亲是不称职的，她们似乎是在推脱母亲应负的责任。而事实上母亲的角色是旁人无法取代的，最好是由母亲来承担孩子早期的教育。自己的孩子让别人来教育，这种做法不合天性，我想也只有人类才这样做。

我认识这样一对年轻、充满活力的夫妇。由于家庭条件很好，孩子出生后，他们就把孩子托付给一位亲戚照料，而自己去国外旅行了。他们的亲戚由于工作忙碌，根本没有多少时间对孩子进行教育，于是又让管家来喂养这个孩子。

这对夫妇临行之前还对别人说，现在要趁孩子还小的时候赶快去外面玩玩，要不然将来孩子大了后再去玩就没有教育他

卡尔·威特教育圣经

们的时间了。他们在英国和法国分别呆了一年，然后又到了美国和非洲，足迹遍及世界各地。这真是一对愚蠢的父母，他们一点也不懂得从孩子出生开始就要对他们进行教育的道理。他们的这种观念和做法让他们尝到了苦果，以至一生都很后悔。

当这一对夫妇从国外回来时，孩子根本就不认识他们，像对陌生人一样来对待他们，这让夫妻俩十分的苦恼。这又怎么能怪孩子呢？这个时候他都快5岁了。

当夫妻俩晚上想和孩子一起睡时，孩子拒绝了他们。他宁愿睡在管家那简陋的房里，也不愿呆在他们美丽而舒适的卧室。

这对夫妇都曾受过良好的教育。但是他们的孩子却满嘴粗话，经常在外面和一些捣蛋鬼玩得很高兴，以至于后来还常干坏事、欺负弱小的孩子，和别的小孩打架。夫妻俩想让他读书，但是这个小孩一点也学不进去，根本就不听他们的话。

每当这对夫妇对孩子进行教育时，孩子就会冷漠地看着他们。

有一天终于发生了令人心痛的一幕。这对夫妇和他们的孩子发生了激烈的争吵。年轻的父母愤怒地吼道：

"你要明白，我们才是你的亲生父母亲。"当时孩子十分害怕他们凶神恶煞般的样子，转头跑了出去躲在管家的身后。于是，他们又开始对管家发火。

父亲冲着管家怒吼道："你怎么照看孩子的，他居然不认亲生的父母。"

可怜的女管家战战兢兢地解释说："先生，我想以后就会好的，这可能……是因为你们没跟他在一起的原因吧…"

而他们的孩子却站在女管家这边为她说话，同时还怒视着自己的亲生父母说："不许你们对玛格丽特太太这样说话。"

"你还不明白吗，我是你的亲生父亲。"

"我根本就没有见过你。""好了，从现在开始你要听我们的安排，来接受良好的教育。以后不许你和玛格丽特太太一起睡，而要和我们在一起。"

卡尔·威特教育圣经

第一章　上帝保佑我的孩子

"决不，"孩子打断了父亲的话说，"我就是要和玛格丽特太太呆在一起。"

父亲满腔怒火地说："我现在就辞掉玛格丽特太太，看看你还有什么办法。"于是玛格丽特太太只好含泪离开了，她和这个孩子已经有了十分深厚的感情，因为他们已经朝夕相处了大约5年。

这个孩子在以后的岁月里郁郁寡欢，常常在睡梦中呼唤着玛格丽特太太的名字，他十几岁的时候还曾离家出走了好几次。

我想正是当初这对夫妇的行为导致了这样的结果。

这并不是说人们一定不能雇用人来照看自己的孩子，而是说一定要有正确的方法。对于那些生活富裕的家庭来说，可以把一些杂活交给女佣去做，对孩子的照管方面也不一定事必躬亲，但是母亲一定要承担起对孩子的心理教育和日常的管教。

事实上我们家也一直雇有女佣人，但从来不曾发生类似上述事情。这主要是由于卡尔母亲承担教育孩子的主要工作，她几乎时刻都陪着孩子，对他进行教育。而女佣人只是偶尔在她太忙的时候来帮她一下。这样一来，女佣人就成为我妻子的好帮手，几乎也成了我们家庭中的成员了。我记得有位名人曾说过这样的话：一个国家的命运通常就系在母亲的手上。我觉得这句话非常正确，但是很少有人能很好地理解它的意义。那些不大称职的母亲，在不经意中就将孩子引向歧途，这不能不说是人生的一件憾事。母亲的教育左右着一个国家的命运，但愿天下所有的父母亲都能真正理解这句话的深刻内涵，并能勇敢地肩负起作为一个母亲神圣的使命。

第二章
环境胜于天赋

卡尔的后期教育和天赋

"人的天赋是一样的，主要是后天的环境，尤其是孩子早期所处的环境，有的孩子长大后也许只能成为一个平庸的人，而有的孩子成人后很可能就是一个天才。就算是平凡的孩子，只要培养得当，将来也会成为优秀的人才。"这是爱尔维修说的一句话。

在卡尔出生以前我就懂得了这一说法，并且也经常向别人介绍。不过这言论也有局限性，强调了环境的影响却忽略了孩子们的天赋差异，我能深刻地体会到这一点。我并不十分赞成爱尔维修关于孩子禀赋都完全一样的这一观点，有人说我是承认他这种观点的，其实这是别人对我的诽谤。

卢梭在他的作品《爱弥儿》中有这样的一个比喻：有两只由一母所生的狗，它们在相同的地点接受同样的教育，但是最后的结果却大不相同。其中有一只十分的聪明，而另一只却又笨又傻，它们所表现出来的这种差异就取决于它们的天性。

另一个教育家裴斯塔洛齐也有一个寓言故事：有两匹相同的小马，一匹由一个贪得无厌的庄稼人来喂养，他不等小马发育健全就用它来驮东西赚钱，结果它成了一匹很普通的马；而另一匹小马则让一个聪明的人来喂养，他将这匹马精心培育成了日行千里的骏马。

卡尔·威特教育圣经

卡尔·威特教育圣经

上面的两个小故事提出了两种截然相反的观点，前者强调的是人的命运由其天赋的优劣来决定，认为环境的作用是次要的。而后者却恰恰相反，认为天赋是毫无用处的，而后天环境的作用至关重要。

对于孩子的成长问题，很少有家长支持裴斯塔洛齐的学说，很多人更倾向于卢梭的说法，爱尔维修肯定是裴斯塔洛齐派的创始人。我虽然是倾向裴斯塔洛齐派学说的，但我仍有我自己的观点，并不是完全站在他这一边的。

孩子的天赋各不相同，有的天赋好，有的不好。如果很幸运地生下一个天赋为 100 的天才，那么普通孩子的天赋大概只有 50，笨孩子的智商可能在 10 以下了。

要是孩子们都受到相同的教育，那么他们所具备的天赋优劣就决定其命运。但是目前孩子们受到的教育都很不完善，以至于他们的天赋不能充分地发挥出来。例如有的孩子具有 60 的天赋，结果可能只发挥出了 30。具备有 80 天赋的孩子只能发挥出 40。

如果对孩子进行可以发挥其天赋 80－90 的有效教育，就算生下来的孩子天赋只有 50 也会比生下来天赋为 80 的孩子优秀。要是对生下来就具备 80 智商的孩子与只有 50 智商的普通孩子施行相同的教育，那么后者肯定是不如前者优秀的。不过大部分的孩子其智商在 50 左右，一生下来天赋就很高的孩子是很少的。如果我们按照前面所说的方法进行生育，要得到高智商的孩子机会还是比较大的，生下来的孩子智商肯定不会太低。

充分发挥儿童的潜能是我的教育目的

我的教育理论的中心是：对儿童的教育必须从孩子智力萌芽的那一刻开始。但是现在流行于世的主流思想却是：儿童教育从七八岁开始最适宜。人们对这种理论确信不疑。除了这一理论外，还有一种让很多家长感到非常担忧的理念，那就是早期教育会影响孩子的健康成长。这是我跟主流观念冲突的焦点。

我对人们的这些错误观念往往感到无可奈何。因为它们的盛行，以至于我的教育理论在人们的眼里是无稽之谈，更不敢指望家长们会采用我的理论将一个普通孩子培养成天才了。

虽然我的儿子卡尔采用这种教育方法后，当时已表现出很多胜于普通儿童的方面，但是仍有很多家长认为，卡尔是个天生的神童，并不是培养的结果。我对世人的这种看法实在是感到无能为力。卡尔刚生下来时看起来完全像是个痴呆的孩子而不是什么神童，这些我在前面已经作过讲述了，诸位在前面可以看到。

当我看到卡尔这种情形时感到既伤心又着急，但是我还是坚持了自己的主张。为了让儿子在成长过程中不落在同龄人的后面，我依然按照计划对他进行早期培养。既然儿子的天赋不太好，那么就要尽力让他的潜力更好地发挥出来。这样，对儿童的教育必须与孩子的智力开始萌芽时同时进行。

早期教育为什么可以造就天才呢？要懂得这个道理就必须从儿童的潜力说起。根据心理、生物、生理学等学科的研究，人天生就具有一种特殊的能力。只是这种能力表面上是看不出来的，它隐藏在人体内，我们称这种隐藏的能力为潜力。例如，一棵树要是按照正常状态生长，它能够长 30 米高，那么这棵树就具有可以长到 30 米高的可能性。同样，一个孩子要是在理想

卡尔·威特教育圣经

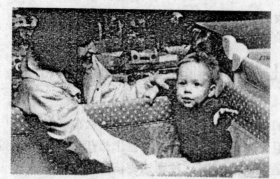

的状态下成长，可以成长为一个智商高达 100 分的人，因此我们就认为这个孩子具有 100 分的高智商。具有这种智商的就是天才，而这种天赋是人人内心部潜藏着的，因此只要对孩子进行适当的教育就可以让他成为天才。

不过这种理想状态是不容易达到的。就算树具备长 30 米高的潜能，但是真正要长到那么高还是不太容易，一般的树长到 15 米左右也就到头了。如果生长环境不好则长势更差，不过如果精心栽培、施肥也许能够长到 18 至 21 米，甚至可以长得更高。同理，就算是一个天生智商为 100 分的孩子，假如根本不对他进行培养教育，最后顶多也就只能成为一个 30 分智商的人，只能达到原来智商的三分之一。不过要是培养得好，智商达到 70 分甚至 90 分是不成问题的。也就是说可能实现其潜在智商的七成甚至九成。

能让孩子的潜力达到十成这就是教育的理想。只要能够充分发挥出这种潜在的能力，我们就可以作出伟大的事业。世界上为什么天才不多呢？就是因为没有对儿童进行适当的教育以至于孩子的潜在能力得不到充分的发挥。如果能尽早地挖掘诱导孩子发挥出这种潜力，这样就能培养出伟大的天才了。

儿童天赋的递减法则

孩子虽然天生就具有潜在能力，但是这种潜能是有着递减法则的，这是需要家长特别注意的。例如一个天生智商高达 100

的孩子，如果刚出生就对他进行适当的教育，那么这个孩子成人后就是一个智商高达 100 的天才。要是从 5 岁开始对孩子进行培养，就算培养得很出色，孩子最终也只能成为一个智商为 80 的人。要是从 10 岁开始对孩子进行培养，即使对他精心教育得很好，孩子的智商顶多也只能达到 60。这就是孩子潜能的递减法则。这个法则告诉我们，对孩子进行教育开始得越晚，孩子的潜能开发就越少。

每种动物的潜能都有各自固定不变的生长期，这就是潜能递减法则形成的原因。只不过有些动物潜能的生长期时间很长，有些动物潜能的生长期很短。不管动物生长期的长短如何，属于哪种，要是不在它生长期间进行开发，那么它也就失去了发展的良机。

比如小鸡跟随母亲的潜能，它的生长期是在出生后的 4 天内，要是在这段时间内不对这种能力进行开发，这种潜能就永远地消失了。因此倘若将刚出生的小鸡在最初 4 天内不放在母亲的身边，它就永远不会再追随母亲了。小鸡识别母亲声音的潜能生长期是在出生后的 8 天内，要是此段时期内小鸡没有听到母亲的声音，它的这种潜能也就泯灭了。小狗将剩余的食物埋入土里的潜能的生长期也是有限期的，要是在此期限内将小狗关到不能埋东西的房间里，以后小狗也就不再具备埋藏食物的潜能了。

我们人类的天赋同样如此。英国司各特伯爵的儿子就是一个典型的例子。一天，司各特伯爵夫妇携带他们刚出生不久的儿子去旅行，船行至非洲的海岸时遭到大风暴的袭击，船被海浪推翻，除了司各特伯爵一家三口幸运地飘到了一个岛上外，船上其余的人全都葬身海底。他们三人所处的是个荒无人烟的海岛，岛屿上有一片热带丛林。因为无法适应丛林里的生活，司各特伯爵夫妇不久都身染疾病相继去世，只剩下他们刚出生不久的儿子小司各特孤零零地活着。第二天，一群猩猩收养了奄奄一息的小司各特，后来他就跟着这群猩猩父母成长。

卡尔·威特教育圣经

20 年后的一天，一艘英国商船碰巧在那小岛边抛锚，人们在小岛上偶然发现了这个已经长成健壮小伙子的小司各特，看见他正跟一群大猩猩们在一起玩耍。此时的小司各特已经不会像人类一样走路，也不懂人类的语言。他只会像猩猩那样攀爬跳跃，在树枝间飘来荡去。人们将奇特的小司各特带回英国，引起了相当的轰动。

科学家们对这个不会人类语言和行为的小司各特产生了浓厚的兴趣，他们像教育婴幼儿那样去教导小司各特，以便让他学会人类的各种习惯和能力重返人类社会。科学家们花费了将近十年的时间，才让小司各特勉强会说话、自己穿衣服和用双腿走路。不过小司各特身上还是具有一些猩猩的习性，有时仍习惯爬行，不会说连贯的话语，想要表达情感和意愿时更喜欢像猩猩那样吼叫。

为什么会出现这种情形呢？就是因为人类学习语言的最佳时期是幼儿时期，人们发现小司各特时，他已经二十多岁了，早已错过了学习语言的好时期，也就永远达不到这个高度了。从这个个案中我们可以看出，儿童的潜能遵守着递减的法则。一个生下来就具有 100 潜能的孩子，如果他得不到适当的教育，那么当他 5 岁时这种潜能就会减少到 80，10 岁的时会减少到 60，而到 15 岁时恐怕就只有 40 了。所以，教育孩子最重要的就是要防止这种潜能的递减。这种递减主要是由于孩子得不到发展其内在潜能的机会而导致的，所以在教育孩子上最重要的就是，要及时地给孩子发展其潜能的机会，尽早让孩子把这种能力发挥出来。

孩子一出生就开始教育

这就是说尽早教育是杜绝孩子潜能递减的最好方法，要越早越好，最好是从孩子出生的那天就开始对他进行教育。也许一些教育家们会马上出来反对我的这种意见，他们提出为对这么小的幼儿进行教育是有害的。事实上他们的这种说法是不正确的。

从孩子出生到他3岁的这段时间，是非常重要的时期。孩子的大脑在这一时期接受事物的方式同他长大后截然不同。

婴儿一出生时不能够分辨出人们的面孔，但是过三四个月或是再晚一些，他就能将母亲和别人的面孔分辨出来。

这并不是因为他对不同面孔的特征进行了什么理性的分析后才记住的，而是他通过反复地观察，将母亲的面孔在他的大脑中做了一个"模式"。

这是一种远远超过我们的想像模式识别的能力。所以我们对于3岁以前的婴儿，就要采取这种"模式教育"的方式。3岁以前是可以对孩子进行"硬灌"的时期，因为这个阶段的婴儿不会厌烦多次重复的事物。他们依靠动物似的直觉，能够在很短暂的时间掌握事物整体的模式，他们的这种识别能力，远远地超过了成人，由于他们的大脑像一张白纸一样，不能进行成人那样的分析和判断，因此婴儿具有一种不需要理解的独特的吸收能力，在这样的情形下，有必要将你认为正确的那种模式，经常反复地灌输到婴儿的大脑中，因为婴儿的大脑还不具备分辨好坏的能力，他也会不加选择地大量吸收那些坏的东西，

卡尔·威特教育圣经

这会对他以后的成长产生不良的影响。

　　正如古谚所说："三岁看大"到孩子 3 岁的时候，成人之后的那些素质基本就已形成了。要是我们对一个成人进行仔细的分析，很容易就能从他身上看到他 3 岁以前所处的那种环境，以及当时的环境对他后来性格形成的影响。这也就是说婴儿的模式时期决定了他后来的一生。

　　那么我们向 3 岁以前的婴儿"硬灌"些什么呢？我想主要有两个方面：首先是要反复灌输奠定婴儿智力活动的大脑基础模式，像语言、音乐、文字和图形等；另一方面我们要给他输入人生的一些基本准则和做人的态度。

　　对于父母亲来说，生下一个健壮的孩子，仅仅是第一步，这之后还会有很长的路要走，他们所要承担的责任也更为重大。所以父母必须从孩子一出生，就对他们进行正确的教育。

卡尔·威特教育圣经

第三章
把握孩子智力发展的良机

最好的食物就是孩子喜欢吃的食物

家长如何对孩子进行教育来尽早发挥他所具备的能力呢？要是婴儿可以感觉到了父母的关心和爱抚，这就证明家长已经在对他进行教育了。这种教育往往是比较细微而琐碎的。比如，婴儿饿得哭了父母要给他喂奶，渴了要给他喝水，尿湿了要马上更换尿布等等。父母要用最敏锐的感觉去了解婴儿的需要，并且随时都能耐心地消除他的不愉快。父母成功的开始就是可以准确地知道孩子的需要，这也是家长跟孩子建立起来的第一条成功的桥梁，它会为日后家长对孩子进行教育和培养提供良好的感情基础。

卡尔4个月大的时候，我总是在他吃奶前，先给他喝一丁

点蜜桔汁，后来再增加一点苹果汁、香蕉泥、或者胡萝卜泥和青菜粥等。等儿子再稍长大一点，就开始喂他喝汤，吃马铃薯和煮鸡蛋等等。很多孩

子喜欢吃谷类食物，这也是适合他们的最好食物。但是，卡尔却并不喜欢吃谷类食物。通常孩子喜欢吃的食物就是他最好的食物，因此，我只给儿子吃他爱吃的东西，不过，我坚决不让儿子还没有满两周岁的时候吃肉。

有人说食物往往可以决定一个人的性格，我发现它跟人的性格确实有一定的关系。有些人还喜欢主张"菜食疗法"，他们认为进食不同的食物，就可以让孩子形成不同的性格。要是让孩子多吃一些胡萝卜，他的牙齿和皮肤就会变得更健康；让孩子吃菜豆就可以发展他的美术兴趣；多吃马铃薯可以提高他的推理能力；多吃青豆则容易让性格变得轻率；多吃洋白菜和花菜会让孩子成为一个思想简单的平凡人。家长懂得这些后，可以让对美术不感兴趣的孩子多吃菜豆；让讨厌数学的孩子多吃马铃薯；要禁止性格不稳重的孩子多吃豌豆，粗暴的孩子多吃洋白菜。

卡尔刚出生的半个月时间里，我跟妻子坚持定时给孩子喂奶和水，让他的生物时钟形成规律。等儿子稍长大些可以吃饭后，正常的两餐之间仍然只许他喝水不给吃别的东西，这样可以让孩子的胃得到良好的休息，避免血液总是在胃部工作而不是集中在脑部。要是让儿子的所有精力只用于消化食物，大脑就不能得到良好的发展。进食过多除了防碍孩子的智力发展，而且还会让他容易得肠胃方面的疾病，不利于他的身体健康。有人说："胃的好坏可以决定人是成为乐天派还是厌世者。"不健康的胃会让孩子感到郁闷和不愉快，胃不好的孩子肯定感受不到健康孩子的幸福。所以我严禁卡尔过多地吃点心和零食，就是为了给儿子增加营养，也要在规定的时间内吃。

让孩子拥有健康愉快的心情

很多人看到卡尔后跟我说："你的儿子体格很好，不太像个神童。"在世人的眼里才子往往是体弱多病的人,他们的这种观念是不正确的。俗话说"只有身体健康了才能有健康的精神",这是很有根据的。

有些神童确实是体弱多病甚至很早就夭折了,但世人所认为的天才一定病弱,这种观点是错误的。如果那些病弱的天才身体健康,肯定会是更加伟大的天才。身体健康的天才伟人也有很多,像:路易斯、韦伯斯特、约翰·卫斯里、布莱恩特、亨利·比卡、卡尔芬、林德、阿德里娜·巴奇、珍妮、萨拉等等。这些人不但身体健康而且体格强壮。

人们常常会对卡尔健壮的身体感到很惊异,这主要是我从儿子婴儿期就对他进行体能训练的结果。健康的关键是愉快。

首先,我将儿子周围的环境布置得非常温馨协调。如果周围的环境不好,孩子的身体肯定不太健康,容易得消化不良的疾病。孩子应当从小就生活在让人心情愉快的环境里,我和妻子经常在天气晴朗的时候带卡尔到田野里游玩,让儿子尽情地感受并陶醉在绿色的原野中。我时刻注意让孩子的身体可以自由地活动,不将他用布包裹起来,免得妨碍他的手脚自由活动,也不给小卡尔围任何能将嘴和脸弄得变形的围巾。我经常在天高气爽的时候让儿子在屋外睡觉,这样他就可以呼吸到新鲜的空气并接受阳光的沐浴。当小卡尔要在房里睡觉时,我们就在床上铺上一层柔软的鸭绒褥,以便让孩子的手脚可以活动自如,婴儿的这种活动就是他的运动。因此,婴儿睡觉时不要将他像布娃娃那样裹得紧紧的密不透风。

儿子只有一个半月大的时候就已经像满了 4 个月的孩子,体格显得特别的健壮,这主要是我们让他呼吸新鲜空气并且经常进行运动的良好结果。我们在卡尔只有两三个星期大的时候,就开始教他做运动,让儿子两手握在光滑的木棍上做悬垂运动。生物学中的理论讲述道:"整体发育就是个体发育的短暂重复。"因此,婴儿是完全能够像猴子一样在木棍上做悬垂运动的。不过最好不要强迫婴儿去这样做。

卡尔·威特教育圣经

我对小卡尔进行培训的另一种运动就是让他握住我的手指，婴儿天生就具有抓握反应。儿子就像玩单杠那样使劲拉起自己的身体。等到孩子没有了那种抓握反应时，他的胳膊已经锻炼得很有力了，为他提前进行爬行训练奠定了良好的基础。我还培养儿子爱洗澡的天性，孩子一般不愿意在水温过低或者太高的情况下洗澡。我一直很仔细地调节水的温度，我跟妻子天天都给小卡尔洗澡并且按摩手脚，这种做法既可以促进他的血液循环和肢体的灵活，也可以发展他的触觉。卡尔长到一周岁的时候，我们就开始教他洗脸刷牙和洗手，每天都要求他在用餐前洗手，早上起床和晚上睡觉前都要刷牙。在孩子吃完干面包后，也要求他去刷牙，而且还让卡尔从小就养成用手绢擦鼻涕的好习惯。

我们通过对儿子饮食和体能这两方面的精心培育，让他从当初体弱多病的婴儿成长为一个活泼健康的孩子。

训练孩子的五官

孩子婴儿时期天生具备的能力要是不能极时地利用和开发，就不会有好的发展。所以，我要从训练卡尔的耳目口鼻皮肤这五官和增强他的大脑发育开始。听、视、味、嗅、触这五种感觉是人类感知外界的生理基础，充分刺激孩子的感觉器官可以促使他大脑的积极发育。要是孩子大脑的各个部位都可以发挥出最大的功能，他就会成长为一个高智商的聪明人。

卡尔·威特教育圣经

　　由于婴儿的听力往往比视力发展得要早，所以在孩子的五官训练中首先要培养他耳朵的听力。母亲的悦耳歌声在训练孩子的听力时是非常重要的。卡尔在这方面很幸运，因为我的妻子有很好的嗓音。儿子还在母亲的肚子里的时候就经常可以听到她唱的美妙动听的歌谣。我虽然不会唱动听的歌曲，但是却经常给孩子朗诵诗歌。

　　卡尔只有一个半月大的时候，我就轻轻地给他朗读诗歌，收到非常令人满意的效果。每当我朗读诗篇时，卡尔就会立刻安静下来并且很快地睡觉了，他会随着我念诗句时语调的变化而作出相应的反应。当朗读到威吉尔的诗《艾丽绮斯》时，儿子就会马上兴奋起来，当读到马克利写的《荷拉秋斯在桥上》时，他又立即安静下来。用朗读诗歌的方法对儿子进行教育，让只有 1 岁的小卡尔可以流利地背诵出《艾丽绮斯》的第一卷和《荷拉秋斯在桥上》。

　　我让儿子背诗歌绝对不是采用强制性的硬灌方法，而是让小卡尔自由地学会的。由于儿子非常喜欢《荷拉秋斯在桥上》，所以他每天晚上都会自觉地去背诵它，因此很快就可以记住了。

　　为了培养小卡尔的听力以便形成音乐的观念，我还特意给儿子买来可以发出乐谱上 7 个音的小钟，并且还给小钟分别挂上红橙青蓝紫黄绿 7 色的发带，分别给它们起名叫红钟、橙钟、青钟等。每当小卡尔睡觉醒来，我就轻轻地敲这些钟给他听，

卡尔·威特教育圣经

并且将钟拿到儿子的眼前慢慢地左右晃动，来吸引他的注意力。卡尔还不到半岁的时候，就可以准确地按照我指定的红钟、青钟等名称敲了，这是让孩子可以准确地辨别声音和颜邑的有效方法。

想要增强孩子的智力，对他的眼睛进行有效地训练也很重要，卡尔只出生两三周，我就给他买来一些颜色鲜艳的布制小猫小狗。我将这些玩具都放在儿子的身边，并且经常晃动它们来训练他的视力。我还经常让小卡尔看用三棱镜反射在墙上的彩虹，孩子看到后非常喜欢，他哭闹的时候只要一看见彩虹就停止了。

我给小卡尔品尝各种不同的味道来培养他味觉能力，不过糖和盐吃多了不利于身体的健康，所以我们坚持吃清淡的食物。这样的饮食既能够保持儿子味觉的灵敏，又能够防止他养成爱吃糖和盐的不良习惯。

卡尔一个月以后，就可以自己抬起头来了。于是，我就用手轻轻地推着他的小脚教他爬行。家长一定要尽早教会孩子爬行，因为最适合婴儿的活动姿势就是俯卧。孩子在爬行的时候，小脑袋就必须抬高，颈部的肌肉发育得快而且他能够自由地看周围的事物，因此婴儿也增加了受到各种感官刺激的机会，这样就可以很好地促使孩子的大脑发育让他变得聪明。

儿子的视力发达起来后，就要对他的观察能力进行培养。有两种方法：其一，可以通过五颜六色的颜色来培养孩子的观察能力。我在小卡尔的房间墙壁上挂满了各种名画的摹本，并且还在房里摆设了很多雕刻的仿制品。孩子刚开始只注意到画的色彩，后来他慢慢地明白了画中的意思。在儿子很小的时候我就抱着他认识家里的床、桌子、椅子等各种物品，还将这些东西的名字告诉了他。

绘画在开启儿子的智力时起了非常重要的作用，孩子能在善长绘画的家长的培养下成长是非常幸运的。我知道不少关于绘画方面的知识，于是就画了很多美丽的动物花草的图画给小卡尔欣赏，还让儿子看一些带有美丽插图的书并且读给他听。虽然孩子并不是真正地明白，但是他常常会安静地倾听着，这说明儿子对语言和图画开始感兴趣了。我还常常将跟小卡尔进行谈话的内容画成图画来增长他的知识。

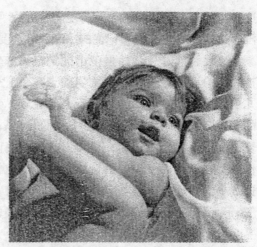

　　为了更好地培养小卡尔对色彩的感觉，我买来了色彩鲜艳的美丽小球和一些穿着五颜六色的衣服的布娃娃，用这些玩具来跟儿子一起做游戏。如果不对孩子从小就进行色彩感觉的培养，那么他长大以后对色彩的感觉就很不敏锐。家长们懂得这一点非常的重要。

　　蜡笔可以成为儿童的好玩具，我就经常用它来跟小卡尔玩颜色竞赛的游戏。我拿来一张大白纸，先从一个地方开始用绿颜色的蜡笔画一条长线，然后小卡尔也要用绿色的笔画一条同样长的线。我接着在我画的绿色线之后，再用红色的蜡笔续接上一条一样长的线，儿子也得跟着用红色的蜡笔在他画的线后面接上一条同样长短的线。连续这样画，要是小卡尔用的蜡笔的颜色跟我用的不同，儿子就输了。这一游戏也就结束了。

　　我经常带着刚学会走路的儿子出去散步，而且教孩子注意观察外面事物的色彩，比如花朵树木的颜色；天空的颜色；建筑物以及人们衣服的颜色等，这都是为了培养儿子敏锐的色彩感觉。为了培养小卡尔有仔细观察事物的良好习惯，我还让儿子专心致志地观察一些事物。我通过跟他玩"留心看"的游戏来达到目的。每次我跟小卡尔从商店的橱窗边经过时，我就问他这家商店的橱窗里都摆设着什么物品，让儿子在记忆中搜索这些物品。说出来的物品名字越多越好，要是儿子记住的物品没有达到他本应当能够记住的多时，就会受到我的批评。

这种教育方法对加强孩子的记忆力非常有效。因为儿子坚持这样的训练，所以年仅两岁的卡尔就记忆超群。一天，我带儿子到专卖雕刻仿制品的商店去买雕刻，卡尔将整个商店的作品都浏览了一遍，然后就对售货员说："我想要《维纽斯·得·麦得衣齐》和《维纽斯·得·未罗》，你们这儿怎么没有这两件作品卖呢?!"儿子说的话让店员感到很吃惊，他完全没有想到这么小的孩子也能知道这两幅名画。

为了避免卡尔的注意力不集中，我经常运用一些鲜活的物品来教他学会各种形容词。在卡尔出生一个半月的时候，我给儿子买来一些红色的气球并用短绳扎在他的手腕上，于是气球就会随着孩子小手的上下摇动而不时地摆动。我每个星期都给他换另一种颜色的气球。通过这种轻松愉快的游戏，我很容易地就教会儿子蓝的、绿的、轻的、圆的等一些形容词，而且小卡尔很乐意接受这种学习方式。

当儿子体会到学习的幸福之后，我还让他手拿着贴有硬砂纸的木片或者一些别的什么东西，教小卡尔学会粗糙、光滑等形容词。对婴儿采用这种教育方法也存在一些负面效果，因为孩子常常喜欢将拿在手中的物品放嘴里咬。不过只要家长多注意观察孩子，就不会让他养成这种不好的习惯。

要培养孩子的观察能力，让他的手发挥多种功能具有非常重要的意义。因为婴儿要花费较长的时间来认识自己的手，只有让孩子有事情可做，才能让他尽早地知道自己的手。每次当小卡尔睡醒过来张开小手的时候，我跟妻子赶紧给他的手里拿一些东西，平时为了让儿子的手指得到活动，常常让他抚摸一些物品和轻轻地拍手。我常常诱导卡尔观察我的手，让他明白手的很多功能。当我拿着小铃铛晃动的时候，儿子也会跟着高兴地挥舞着胳膊。卡尔八九个月大的时候，我拿着一支蜡笔和一张纸，也拿给儿子一模一样的东西。于是我在纸上绘画，小卡尔看见了也用笔在纸上乱画。其实他并不知道该怎么画，什么东西也没有画出来。但是，儿子通过自己的观察已经开始发挥手的作用了。

我对卡尔进行这方面的培养时，决对不会强迫他去做任何事情。家长们懂得这一点非常重要，孩子应当自然地发挥他的潜力。我之所以对儿子进行各种有效的培养，就是为了不白白地浪费掉他的潜力。对小卡尔施行了这些教育，让儿子有事情可做，孩子就决对不会由于无聊而去咬手指了，也不会因为无事可做而整天情绪低落甚至哭闹不休。这样，卡尔从小就可以健康地茁壮成长。

孩子半个月时就开始学词汇

一个人在成长过程中具有智力发展的最佳时期，家长切勿错误过孩子的这个最佳期。因为它对人一生的智力发展都起着非常关键的决定性作用，要是可以把握好最佳期，这对孩子早期的智力开发很有帮助。幼儿语言发展的最佳期是在他 3 岁以前，家长想要孩子尽早懂得语言，就必须要知道这一点。儿童越早学会语言越好，因为语言不但是学习知识的工具，同时也是思维的工具，孩子要是不具备这种工具就学不到任何知识。

人类比其它的动物更有智慧，我们能取得今天的进步和成果，就是使用了别的动物所不具备的语言的原因。要是儿童不尽早学会说话，他本身所具备的能力就不能得到良好地发挥。孩子要是可以在 6 岁前准确地使用语言，那他的智力发展肯定会非常的快，增长速度是别的儿童望尘莫及的。

当我提议要发展孩子的智力时，家长们却感到非常的惊异，觉得这是不太可行的，不少的家长费尽心思地让孩子的身体变得强壮起来。其实家长只要留意就会发现，很小的婴儿就会对人类的声音和其它东西的声响很敏感。这说明对孩子进行早期

卡尔·威特教育圣经

的语言教育是可行的。
我建议在孩子刚可以
识别事物的时候就开
始教他说话，孩子半
个月大的时候就开始
教他学词汇。

卡尔半个月大的
时候，我在他的眼前
伸出手指头，小卡尔
看见，后就想要抓住
它。起初他因为看不

准总是抓不住。后来他费了很大的劲终于抓到了感到很高兴，
就将我的手指放到他的嘴里吃起来。在这种情形下，我就用清
晰又亲切的声音反复告诉儿子这是"手指"。

儿子刚开始有辨别能力时，我跟妻子就拿一些物品给他看，
并且用温和清晰的语音重复物品的名称。通过这样的方式，小
卡尔没过多久就可以清晰地发出这些物品名字的音了。儿童学
语言不能离开说，同样也离不开用耳朵去听。家长要给孩子提
供说的机会，也要营造听的环境。

家长应当尽早跟孩子进行交谈，婴儿一个半月大的时候就
会对说话的声音有反应。要是在孩子的这一阶段，照顾他的人
沉默少言，从不跟别人说话或者不理会孩子，那么就减少了这
个孩子说话的机会。婴儿并不是跟成人说话他才开口说话，不
少的时候他常常会自言自语。家长应当把握住这个良好的时机
尽量跟孩子谈话，来提高他的听力。

只要小卡尔是醒着的，我们不是跟他谈话就是轻声地给他
唱歌。当儿子的眼睛注意到在床上吊着的彩色纸花上时，我会
耐心地重复着告诉孩子："红纸花，蓝纸花。"我要是正在工作
也会用亲切的声音跟孩子谈话，告诉他我正在做些什么。家长
对孩子说话的语言要清晰准确，并且能缓慢地重复，这是家长

卡尔·威特教育圣经

应该注意的一点。要是孩子有微笑、摆手踢脚等一些表示，家长就应当立即给予他鼓励和回应。要是孩子开口叫出"妈妈"或者"爸爸"时，家长就应当趁热打铁让他保持说话的热情并且尽量鼓励孩子说话，'为孩子提供说话的环境和机会。家长可以教孩子讲故事、唱儿歌，到了孩子会说一些简短的话语时，父母可以说简短的句子来让孩子去体会理解。

我在对卡尔进行语言教育的过程中，总结了一些非常有效的方法，现在将之公布于众献给各位家长：

第一、教孩子发出纯正的语音

从卡尔发出第一个简单的语音开始，我就耐心地教他"ma-ma""Fa‑Fa"等发音。要是儿子自己发出"Mo‑Mo"或者其它的什么声音，我都马上回应，跟着他"Mo‑Mo"地说。我教小卡尔说"Fa‑Fa"时，要是儿子回应了，就算是说得不太清晰，我也会给他充分的鼓励。家长对婴儿使用这个方法一定要听清楚他的发音，要是孩子说"ka‑ka"时父母却听成了"Fa‑Fa"并加以鼓励，日子久了孩子就会出现发音上的混乱。

我会选择适当的时机来跟小卡尔做这种游戏，一般是在儿子睡醒一个小时后进行，因为这时候孩子的情绪是最好的，因此收到的效果也就会更好。家长要注意发音的时候要跟孩子进行充分的交流，我跟妻子教小卡尔发音时，都让儿子看着我们的脸，最好是可以让他看到我们嘴唇的动作。要简洁明快地来教孩子发出纯正的音，切忌罗里罗嗦。父母教孩子发一个简单的音时完全可以直接地教，不必另说上一堆废话。因为说得多了，婴儿听不清楚就容易说错。

第二、从身边具体的事物着手

我们都知道学习外语的时候是需要记很多单词的。但想要多记住一些，却总是劳而无功，没过多久就忘记了。我有一段时间下定决心要学好英语，以后来教小卡尔。于是我就将一本袖珍小词典带在身边从头到尾地背下去，但是却没有多大的收获，常常是随记随忘。我后来在学习的过程中总结出一个经验：

卡尔·威特教育圣经

自己多读一些富有趣味的书，在阅读的过程中记住书里的单词，这样单词就记得多而且又记得牢。因此，家长想丰富孩子的词汇，单是采用填鸭式的强制灌输方法，不但达不到理想的要求，而且对孩子还很不利。

教小卡尔学习语言确实不太容易，要是不多费点精力就教不好他。我经常通过跟他谈论关于室内的装饰、桌上的摆设和院中的花草等一些事物来巧妙地教他新单词的语音和意思。等卡尔稍微长大一点后，我跟妻子就抱着儿子开始教他身体的各个部位、桌上的器具物品和院子里的花草树木以及其它一些可以引起小卡尔注意的事物名称。总而言之，孩子看到什么就教他什么，同时电教他一些形容词和动词等，让小卡尔的词汇渐渐地丰富起来。

我们每天晚饭后都要带小卡尔去外面散步，在路上我不管看到什么事物都给儿子讲解，并且还有意识地叫孩子注意看那些行人路灯，楼房马车，高大的树木和美丽的花草以及天空飞翔的小鸟儿等等。因此小卡尔对外面的世界充满好奇，一出门就兴高采烈地看这儿指那儿，咿咿呀呀地说个不停，在语言方面的进步快多了。在对孩子进行这种教育时，也要注意先易后难的程序，要懂得循序渐进。刚开始应当教孩子一些比较容易发的音和简单的短语，只要每天教孩子坚持练习而且持之以恒，就肯定会有收获。

第三、儿子与世界的亲和力可以用讲故事的方法来加强

当小卡尔可以听懂话的时候，我跟妻子就每天给他讲故事。给幼儿讲故事是一项非常重要的教育，婴儿对这个世界很陌生，可以说是一无所知，越早让孩子了解这个世界越好。因此通过讲故事来培养儿子对这个世界的亲和力是一种非常好的方法：而且讲故事还能够锻炼小卡尔的记忆力，启发想像和增长知识。家长在传授知识的时候只是一味死板地教，孩子是不容易记住的。要是采用讲故事的形式来教孩子，他不仅喜欢听而且还印象深刻容易记住。因此，用讲故事的方法来教育孩子

是最有效的。

　　我除了给小卡尔讲故事还选择一些好书缓慢地读给孩子听，我建议家长们经常给孩子读《圣经》。现在像这样优秀而又被大家所公认的名著实在是太少了，因此将《圣经》读给孩子听是最好的选择。教孩子学好语言的最好

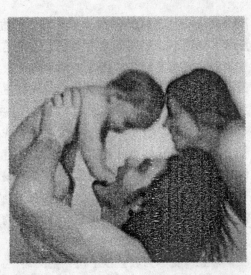

的办法就是家长用清晰的声音念给孩子听，这样还利于培养他的优良品德。家长讲完故事后还应当要孩子复述一遍，不能只让他被动地听着。要是不让孩子重复叙述，就不能很好地达到讲故事的效果。

　　小卡尔还不会讲话的时候，儿子的母亲就给他讲一些罗马、希腊、欧洲等各国的神话和传说。等孩子会说话以后，母子两人就对这神话故事进行表演。我和妻子向小卡尔讲圣经故事的时候，有些故事还采用戏剧的形式演出。这样经常对儿子进行生动的教育终于取得了令人满意的成果，卡尔只有5岁的时候就可以轻而易举地记住了3万个词汇，这样的成绩就算是一个十几岁的孩子也是望尘莫及的事情。

　　第四、尽快丰富孩子的词汇

　　尽快丰富孩子的词汇，让他们明白其中的道理，是对孩子进行语言教育最重要的一点，我跟妻子一直都很重视小卡尔的词汇训练。只要是儿子还不认识的事物，我们都不用"这个"或"那个"之类的代名词来告诉他，只有小卡尔已经懂得了的事物，才教他用代词来说。在给儿子讲道理的时候，他常常会遇到一些不明白的词汇。这时，我都是随时耐心地给他解释，

卡尔·威特教育圣经

决不会马马虎虎地绕过去。卡尔还很年幼，那些比较难的词汇解释了他也不一定能完全听明白。但是这样做目的并不是让他立刻就明白或者记住，我是要用解释词汇这种行为本身来教会儿子学习的方法和态度。要是家长在教授知识的时候碰到难题就躲开，就会让孩子养成不求甚解的不良习惯。

我们国家有很多脍炙人口的童谣，我跟卡尔的母亲从儿子很小的时候就开始教给他这些童谣，并且让儿子牢牢地记住它们。由于这些童谣的音调很动听、很容易记住，因此为丰富儿子的词汇提供了很大的帮助，而且孩子的智力也在熟读这些童谣的时候得到很快地发展。卡尔3岁多的时候就开始阅读一些主要以歌词形式写成的书。

第五、要尽力教会孩子说完整的话

我很不赞成一些家长教给孩子不完整的话和方言，教孩子将脚说成"丫丫"，小狗说成"汪汪"等之类的话。这些不完整正确的语言对孩子语言的发展只有害处，没有一点益处，家长尤其要注意这一点。由于孩子学半截的语言会比较容易，因此不少家长就觉得孩子的语言从这些不完整的话学起没有什么害处。其实要是家长可以缓慢清晰地，教一个大约两周岁的儿童说一句完整的话，孩子是能够说得出来的。作为父亲的我要是故意不教给小卡尔本来能够学会的东西，这样的做法就是非常愚蠢的行为了。雷马克曾说过：一件物品要是不去使用，那就很难去评价它的作用和价值了。同样的道理，家长要是不教给孩子他们本来完全可以掌握的东西，孩子们的天赋就得不到良好地发展，这是世界上最愚蠢的事情了。

家长要是只敦幼儿说"丫丫"或者"汪汪"等一些不完整词汇，虽然对孩子来要容易一些，但这种教育方法同样也会给他们形成负担。完整规范的语言在孩子学习语言的过程中是早晚要学的课程，那些不完整的语言是孩子们以后肯定要抛弃的东西。让他们学说两种语言，这就必定给孩子造成了双重负担，这种教育方法是非常不适当合理的。孩子完全能够用那些学不

卡尔·威特教育圣经

完整语言的精力去学习一些别的知识，但是孩子们在家长这种不正确的教育下只有白白地浪费宝贵的时间。所以家长一定要懂得教会孩子说完整的语言，避免浪费孩子们宝贵的光阴。

不少家长认为教孩子说代名词的话非常重有趣，但是他们并不知道这种趣味是需要孩子付出高昂的代价的。教孩子说不完整的语言还会导致一些不良的后果，不少孩子到了十几岁，有的甚至已经长大成人了还发音不清楚，这是家长教育不当的结果。教师在学校里为了纠正学生不正确的发音，所付出的消极劳动常常比他们用于积极劳动所费的时间和精力还多。我想任何一个人都应当知道，纠正孩子已经形成不良的习惯上，所花费的时间要比教他们接受新的知识所花的时间还要多得多。

但是社会中竟然还有一些家长相为了孩子发出不正确的音和说出错误感到快乐，他们不但不去帮助孩子改正错误，反还随声附合，这种都育方法是非常不正确的。这样做将会记孩子永远不能发现自己的缺点从而形成了不良习惯，那时就很难再改正过来了。

孩子可以正确运用语言就代表着他可以正确地思考问题。要是让他从小就用不正确的语言说话，那么孩子的大脑就得不

到良好的发展。我从卡尔出生后，就尽量对他说优美标准的德语。在教授儿子语言的同时我也教给他一些俗语，因为有些话的意思，只用俗语才能够表达得更贴切完美。我们不断地产生新的观念，同时思想电在继续地发展着，那么表达这些新观念的俗

语也必然会随之增加，因此排斥俗语就等于是落后于时代。不过我肯定不会教小卡尔说不完整的语言。因此我对儿子这种完整的语言教育方法很早就收到了显著的效果。有一次，一位朋友来我家做客，他对还不到一周岁的小卡尔说："卡尔，你的汪汪可真漂亮啊。"但是，小卡尔马上就纠正说："叔叔，这是小狗不是汪汪。"我的这位朋友听了孩子的话不得不为此感到万分惊讶。

第六、明确的词汇能让孩子的头脑更清晰

我在对小卡尔进行语言教育的过程中，很注重一开始就让儿子学到标准完美的语言。我认真耐心地教孩子学标准德语，常常缓慢清晰地发音给孩子听。只要小卡尔的发音正确，我就会高兴地摸着他的脑袋对他进行表扬。要是小卡尔发音不准的时候，我就会对儿子的母亲说："你听到了吗？卡尔刚才这句话的发音不准。"于是儿子的母亲马上就会持怀疑的口吻对我说："真的吗？我的儿子连那句话都说不好？"我跟妻子故意当着孩子的面这样说，用的就是激将法。虽然卡尔还很年幼，这种方法也能激起他拼命学标准语音的决心。经过我跟妻子的执着和努力，卡尔的发音从小就非常的标准。

我坚信明确的词汇可以让孩子的头脑更清晰。因此我不仅仅只是让小卡尔停留在儿童式的表现方法上，还要逐渐地教他理解和运用复杂的词语，并且要求他的措词要尽量地生动准确，决不能用含混不清的词。要做到这一点，家人们就必须相互配合，不能一个家长在放纵孩子，另一个却对孩子的要求严格。我跟卡尔的母亲不仅以身作则，平时精心挑选适当的词汇，坚持语音的规范标准，而且两个人还配合得非常的默契。

不仅是我跟妻子两个人做到这一点，就是仆人们都严禁他们说土语和方言。这是因为仆人们跟小卡尔的接触很频繁，孩子容易受到他们的影响。我让儿子记住标准的德语，孩子只要可以记住标准的读法，他就能够轻而易举地读懂书上写的东西。

土语和方言跟标准德语在读音上的差别很大，而且它们在

卡尔·威特教育圣经

语法上也不太标准规范。小孩子在这种语言环境中很容易受到一些不良影响，这样会让他在学习标准语言的时候感到有困难。孩子要克服这些困难是需要花费时间的，要是一旦过了学习语言的最佳时机，那么就难去克服语言的毛病了。在我们家有一个老仆人，我对他非常地尊重和信赖，他也勤恳忠心地为我服务了几十年。或许是他年龄太大总是说土语，当小卡尔出生以后，我要求他讲标准德语。但是这位老仆人习惯了讲土话，要改说标准德语就怎么也讲不好，常常说得四不像，比他讲土话还糟糕。小卡尔当时正处在学习语言的关键时期，我只有迫不得已地忍痛将这位老仆人劝退回家了。每当我想到这位老仆人就感到非常难过，但是为了让小卡尔能在语言方面得到良好地发展，我不得不这样做。当看到儿子能说一口漂亮流利的标准德语时，我觉得任何牺牲都是值得的。

在对小卡尔进行语言教育的时候，我并不太注重教授孩子的语法，尤其是对儿童来说更没有多大必要。因此，在小卡尔8岁以前，我从来没有专门教他学习语法，而是让孩子通过平时的听和说来学习。其实儿童们都非常喜欢说话，他们年纪很小的时候，就经常独自将学到的单词反复地说着玩耍。我就合理地利用儿童的这种爱好倾向，将小卡尔能够懂得的有趣故事，用词句编成一篇简短的文章来让他记住。通过这种方法，小卡尔不但可以很快地记住，而且常常高兴地复述着。我将这些短文译成各种外国语来让儿子记，他也一样可以很快地记住。家长们要知道，人类在1至5周岁的这一阶段是最富有语言才能的时期了，因此父母们一定要把握这个最佳时期，切勿错过良好时机。

卡尔·威特教育圣经

第四章
教育孩子的正确方法

通过游戏来对孩子进行教育

小卡尔通过早期教育显得比同龄的孩子机敏聪明，反应更快，其它各方面的能力也比他们更强。我觉得儿子的智力已经准备充分了，就在小卡尔两岁的时候开始教他识字，不过我决不会采用强迫性的手段来压制孩子，我的教育法的原则就是不强迫施教。

无论传授什么知识，首先一定要尽力激起孩子的兴趣，孩子一旦有了学习的兴趣就可以获得事半功倍的效果。运用游戏的方式对孩子进行教育是激起孩子兴趣的最佳方法，这种方法的良好效果在小卡尔的早期教育里已表露无遗。

所有动物都喜欢玩游戏，游戏就是动物们的本能。为什么小狗跟大狗之间互相追咬，小猫爱戏弄自己或者老猫的尾巴呢？动物学家研究后解释说：小狗和大狗之间互相追咬是为了培养它将来可以咬死野兽的能力，而小猫戏弄自己和老猫的尾巴是为了培养它将来捕捉老鼠的能力。看来动物们训练后代的技能也常常是在游戏和玩耍中进行的。

我也采用游戏的方式来对小卡尔进行教育。当儿子有半岁的时候，我就在孩子房间的墙壁一米高的地方贴满白纸，在白纸上贴一些用红纸剪成的数字和文字。在白纸的其它地方有序地贴上小狗、小猫、小猪、小白兔、帽子、椅子等简单的单词，这些单词都是一些名词。在另一个地方贴上相应的数字并在某处画上乐谱图。

由于婴儿的听觉比视觉发达，我跟妻子就从听觉方面教卡尔学习ABC，每当我指出 ABC 字母的时候，儿子的母亲马上像唱歌似地唱给小卡尔听。毕竟儿子只是个半岁大的婴儿，因此，对母亲的歌谣他只是觉得像耳边吹过的风一样。不过我跟妻子并不泄气，仍然坚持每天都指给儿子看，唱给儿子听，终于让小卡尔对字母有了深刻的印象，这为他后来学习认字时奠定了扎实的基础，儿子能够很轻松地学会。因为收到了良好的效果，所以我在教小卡尔认字的时候也运用了这种教育方法。为了激起小卡尔对学习文字的兴趣，我用了一些儿童还不能识破的小技巧。我给小卡尔买来很多画册和儿童书，用轻松有趣的话来讲给他听，并且还说"要是你认识字，这些有趣的书你自己都可以看明白了"等之类鼓励的话语来激发他幼小的心灵。我有时候索性不将书中的意思讲给儿子听，而是故意对他说："这本书中的故事很有趣，可是爸爸现在要工作没有时间讲给你听。"这样一来就可以激发起小卡尔一定要认识字的想法和兴趣，等到儿子产生这种强烈的识字欲望后，我才用前面所讲的那种方法开始教他认字。我先去买来一些罗马字、德语字母印刷体铅字和阿拉伯数字等，然后再将这些字都贴到大约 10 厘米宽的小板上，用做游戏的形式来教孩子学习知识。刚开始从元音教起，然后运用拼音游戏的形式在玩耍中教小卡尔组字。具体的操作是：先让儿子看画册上面猫的画，接着教他"猫"这个词的拼法，并指着墙壁上的单词重复地发"猫"的音给小卡尔听，然

卡尔·威特教育圣经

后我从文字盒中拿出拼成这个单词的全部字母，再用这些字母组合成"猫"这个词。这全部的过程都是由我和小卡尔一起以游戏的方式来进行的。儿子学习的时候，我会适当地给他鼓励和表扬。而且我并不急于求成，常常是让小卡尔适度地、循序渐进地反复练习几天来慢慢地掌握这些单词。

我还给儿子制作了很多上面画有小动物、花草树木和房子等等的一些小卡片，并且在画面下标出相应的名称。我将这些卡片贴在小卡尔的卧室、或者客厅厨房的墙壁上，让儿子能够常常地看到它们来加深印象。我和妻子还经常用这些小卡片与儿子一起做游戏或者编故事。每次出去散步的时候，不管看到教堂、马车还是其它的一些事物，我都要求小卡尔说出它的名称，该怎么发音和拼写。用这样的方法非常凑效，儿子知道的字越来越多。他很快也学会了说，在没有对儿子进行读法的培养之前就懂得了读。小卡尔掌握了读法，就可以懂得更多的词汇，再加上他学习了标准德语的基础上，儿子很快就可以读书了。

怎样教孩子学外语

虽然对卡尔语言识字的教育取得了非常令人满意的效果，但是我并不满足于此，我还要尽早地培养小卡尔掌握一门主要外语。教孩子多种语言，有利于他正确地进行思考和理解词义。我用先易后难的方法来让儿子在掌握本国语读法的基础上再学习相近的外语。在小卡尔6岁的时候，就可以用德语自如地念书阅读，在这一基础上我又马上开始教他学习法语。因为运用了适当的教育方法，儿子只用了一年的时间就可以用法语轻易地阅读各种法文书籍了。小卡尔对外语能够掌握得这样快，主要还是他具有扎实丰富的德语知识的缘故。儿子学完法语后马上又开始学习意大利语，这次他只花了6个月的时间就完全掌

握了。这时我觉得可以教儿子拉丁语了，一般学校里规定学外语要先从拉丁语开始学起。但是我认为学校的规定太过于勉强，最合理恰当的学习方法就从跟德语最相近的法语开始学起。因此，我就采用了这种先易后难的方法来教育儿子。

　　对十几岁的孩子来说要学习拉丁语也是不太容易的，是令他们最感到头痛的语言。所以我是经过了充分的准备后才开始教儿子拉丁语的。我在教拉丁语以前为了提高小卡尔的学习兴趣，就先将威吉尔写的《艾丽绮斯》中优美的文体、故事情节以及一些高超的思想讲解给儿子听。我还对他说想要成为一个优秀的学者就必须得学好拉丁语，这样就将小卡尔的好胜心给激发起来了。卡尔7岁的时候，我经常带他去参加莱比锡音乐会。在一次中间休息的时候，儿子看着印有歌词的简介对我说："爸爸，我知道这是用拉丁语写的。"我趁机启发儿子对他说："很对，儿子。那么你能知道它上面写的是什么意思吗？"于是小卡尔从法语和意大利语类推基本懂得了大概的意思，他兴奋地对我说："爸爸，原来拉丁语也不是很难，我现在就想学会它。"

　　我认为现在已经到了可以教儿子学习拉丁语的时机了，小卡尔只用了9个月的时间就完全掌握了拉丁语的知识。然后儿子又花了3个月的时间来学英语，学完英语后又接着用了半年的时间来学习希腊语。

　　儿子学希腊语的全部经过就是一个阅读巨著的过程，这非常有意思。卡尔刚开始从背诵常见的单词来学习希腊语，我给

卡尔·威特教育圣经

他制做了希腊单词和德译卡片让他从这些卡片来学会常见的单词。儿子学会了这些单词后就马上转入译读，最先开始读《伊索寓言》，接着又读《从军记》。跟培养别的语言一样，我从不系统地传授孩子语法，而只是随时地教儿子必要的知识。

我工作时就让小卡尔坐在自己的桌旁学习。那时候我们德国没有希德辞典。因此儿子在学希腊语的时候，就经常一个单词一个单词来问我。虽然我当时的工作很忙，但是我对小卡尔的提问从来不发火，而是边从事自己的工作边耐心地教他。通过这样的学习，儿子又相继读了《苏格拉底言行录》、《宝典》、《哲学家列传》以及希罗多德的历史学巨著和洛西昂的著作等。卡尔7岁的时候，又读了柏拉图的《对话集》，但是这本书中的内容他没有完全看懂，这是儿子自己告诉我的。

卡尔8岁的时候就学完了所有的这些语言，他已经完全可以读威吉尔、荷马、西塞罗、奥夏、席勒等德、法、希腊、罗马、意大利等各国著名文学家的作品了。很多人都害怕学习外语，他们需要用大量的时间和精力才能够完全掌握6国的语言，但是，卡尔却在如此年幼的时候用这么短暂的时间就全部学会了，很多人为此感到不解，认为这里面肯定有什么秘诀。其实并没有秘诀，只是我在教小卡尔外语的过程中总结了一些有效的经验。现公布如下：

其一、学外语要用耳朵来倾听

就拿拉丁语来说吧，它是学生们的一项重要基本功，想要从事研究就离不开拉丁语。而且掌握了拉丁语就非常容易学会西班牙、意大利和法语，不过很多孩子都很讨厌拉丁语。他们会出现这种情况，就是因为没有打下学习拉丁语的基础。我觉得应当尽早开始给孩子奠定拉丁滑的基础。所以在卡尔的婴儿期，我就开始对他进行拉丁语教育了。

有些人肯定觉得我的说法前后有些矛盾，并且也奇怪我怎么可以教导一个什么也不懂，只会吃和睡的婴儿。其实这并不难，只要让孩子倾听就可以了。因为婴儿时期只善于用耳而不善于用眼睛，于是我就利用听的办法来教小卡尔学拉丁语。每当儿子睡觉醒来情绪非常好的时候，我就用缓慢清晰的语调给他读《艾丽绮斯》，小卡尔很喜欢这些叙事诗，这些诗不仅写得出色而且还是很好的摇篮曲，儿子每次听着听着就安静地入睡了。小卡尔有了这样的基础，因此在学习拉丁语的时候就觉得很轻松，而且很快就可以流利地背诵《艾丽绮斯》了。

孩子们厌恶拉丁语，主要是学校里用刻板的图表和规则来教拉丁语的教育方法导致的。这种机械呆板的教育方法是应当受到批评的。卡尔 8 岁的时候，有一次，他跟一位教拉丁语的老师用拉丁语交谈，结果儿子说的话那位教师一点都没有听懂。看来学校教的拉丁语的弊端常常是只会看匿书籍却不善于交谈。

其二、勤练要比硬背强

我从不系统地教小卡尔学习语法，因为就算教他语法，孩子也不会完全明白的。用语法为提纲来学习外语对成人来说是有效的，但是对儿童就要采用"与其硬背不如勤练"的方法，因为孩子们都是用这种方法来学会本国语言的。

对卡尔进行语言教育的时候，我总是先教他一些诗歌让他熟悉这种语言的感觉，因为通俗易懂的诗是最容易记住的。儿子掌握了一些基本的知识后，我就要求他在日常生活中运用这些知识。我教小卡尔什么语言，平时就用这种语言跟他进行谈话。儿子要是碰到不会说的地方就用德语来跟我对话，我是不会搭理他的，我要让儿子想出表达的办法来。同时我还让小卡尔试着阅读一些所学语言的书，可以看懂所学语言的书籍是学好这种语言的最好办法，书中包含着所有语言最精华的部分。当儿子碰到不明白的单词时，我就让卡尔去查辞典。刚开始儿子只学会了一些常见的单词，所以常常要去查辞典，到后来查辞典的次数渐渐地就减少了，这说明儿子已经能很好地掌握那种语言了。

我还鼓励小卡尔跟外国孩子通信来往，刚开始是跟我的一些外国朋友的孩子交往，儿子在学习希腊语的时候，后来慢慢地扩展到跟希腊的朋友通信。小卡尔开始给一个希腊孩子写信，没过多久，就有了从希腊来的回信，儿子收到信后高兴极了。从此，他对希腊非常地感兴趣，读了很多关于希腊方面的书籍。接着他又跟英国、意大利的孩子通信了，由此小卡尔对这些国家也产生了兴趣，还饶有兴致地研究起那些国家的历史地理和风俗习惯等等。就在跟外国朋友

卡尔·威特教育圣经

通信的来往中，小卡尔的外语水平和知识都长进了很多。

第三、同一个故事可以用不同的语言去读

一般人对看过一遍的小说就不愿意再去看了，但是小卡尔却很乐意多次地听同一个故事。我充分地利用了孩子这一特点，在教小卡尔外语的时候，我让他用各种语言去看同一个故事。儿子在看安徒生童话时，我既让他用德语读，又让他用英、法、拉丁、希腊、意大利等国家的语言来读。这一种方法很有效果，小卡尔将各种语言熟练掌握后阅读起来轻松自如。

第四、要明白词语的根源

了解清楚词语的发源对学好外语是很有帮助的。因此，我让卡尔从小就要做到这一点，并让他做了好几本笔记。我为了让儿子记住一个拉丁语单词的时候，常常会让他去调查由这个单词又产生出了哪些现代的词语，并且让卡尔将结果记在笔记本上。这样，儿子不仅懂得了那个拉丁语单词，还知道了由此产生的现代词，并且对语言发展的规则也有了一些认识，这真

是一举三得的好办法。

第五、做游戏是孩子学习最有效的办法

我要再次提醒家长们注意，孩子掌握语言的能力是非常惊人的，主要看父母们是否采用了最有效的教学方法。在学习中跟孩子们做各种游戏就是最有效的办法。

小卡尔刚学会说英语的时候，我就将"您好"这句话用 13 个国家的语言来教他。卡尔没过多久就全部学会了，而且这种学习方法也非常的有趣。在每天早上起床的时候，我就让小卡尔用各国的语言向分别跟代表着 13 个国家的玩具娃娃们说"您好"。利用儿童爱玩好动的特点，我跟儿子运用语言来玩唱歌谣、猜谜语、编故事、比赛组词等各种游戏。小卡尔在这样生动有趣地学习方法下，语言方面进步得很快。

在孩子模仿你写字时教他怎样用笔

用写有字母的小木板和做游戏的方式让小卡尔学会拼音后，我又开始教他拼写。孩子喜欢模仿大人，当小卡尔也模仿我写字的时候，我就把握这个时机开始敦他用笔写字。我尽量教会儿子正确用笔写字的方法，小卡尔起初用笔的时候总是拙手笨脚的，有时甚至还要将墨水瓶给弄翻。过了一段时间后我的耐心教育终于收到了令人满意的效果，儿子很快就学会了用笔。

儿子第一次提出要用笔来写字的时候，我并没有给他钢笔而是给他用炭笔，并鼓励他认真地写出自己的名字。小卡尔将名字写来出后，我和妻子看到这个效果不禁感到很吃惊。儿子也很高兴地继续拼命练习写字，看来心怀大志对儿童是一种极大的力量。4 岁的小卡尔经过一番努力终于可以用漂亮的笔法写出自己的名字，有一天，我们全家外出旅行住旅店的时候，我让儿子自己在登记簿上签名，小卡尔的行为和笔迹让旅店老板感到惊讶不已。

当小卡尔学会简单的句子后，我就让他每天养成写日记的好习惯，儿子从4岁就开始写日记了。每当外面刮风下雨不能到室外玩的时候，小卡尔就拿出日记本写日记，他回想幼年时代的情景觉得非常有乐趣。其实家长们在教育孩子的时候更应该养成写日记的习惯，这样可以记载孩子的进步和发育情况。这也是留给下一代的宝贵财产，让他们在培育孩子的时候能够从前辈的教育中得到教益。

家长都教给了孩子哪些知识，当教给了孩子一个新词后孩子开始使用了什么新词，他有什么良好的或者不良的表现，他对什么感兴趣，父母为何对孩子进行了表扬，又为何责备了孩子，孩子表现出哪些智慧等，这些都是家长们要记录下来的内容。有了记录后就知道孩子已经知道了什么，不明白什么，哪些语言已经学过了，哪些还没有学过等等。这样才能有效地对孩子进行适当的教育。家长通过记日记的方法，还可以避免孩子沾染恶习，培养他形成良好的行为，也更利于实现预定的计划。

要是没有进行记录，就像航海员没有航海日志一样，预先制定的计划都要落后。这样做看起来是比较烦琐，但实际上并没有想像的那样麻烦，而且还会在这一过程中感觉到这是很有趣味的。家长们常常对花草的生长都有浓厚的兴致，更别说是注意观察自己孩子的成长了。只要父母们尝试着去做，就肯定会有兴趣的，借助对孩子逐渐成长的记录，可以更好地品味这种天伦之乐。

写日记的另一种好处就是能够让家长们保持热情和坚韧不拔的精神。家长们培养孩子的时候并没有人去监督，因此一些该做的事情家长不去做，计划好的事不去实行，就是随意地撤消计划，也肯定不会有人来制约的。家长们有了绝对的自由，就常常容易忽略自己的职责。然而育儿日记可以随时对家长提出忠告，让父母们用耐心坚韧的精神来努力按照预定的计划对孩子进行教育。

怎样培养孩子多方面的兴趣

世人看到我努力地对小卡尔进行训练和教育，肯定认为孩子的生活是单调乏味的。并不是人们想像中的那样，其实我非常注重引导儿子从多方面来获得乐趣，所以小卡尔的生活过得是很丰富多彩的。

读书是在孩子们的乐趣中最为重要的。家长应当要注意选择书，孩子第一次读的是什么类型的书，往往决定他将来喜欢看什么样的书，幼年时期读的书常常能控制这个人的一生。

我采用了一些巧妙的办法来引导儿子读书，儿童们最喜欢听故事，尤其是年幼的孩子。我发现讲故事不仅可以丰富孩子的知识，而且可以成为指导孩子阅读书籍的桥梁。我在给儿子讲故事的时候，常常是运用生动的语言和形象夸张的表情和手势来绘声绘色地讲，有时甚至站起来模仿故事中的人物来增加情节的真实感。小卡尔常常听得津津有味，如痴如醉，有时也禁不住跟着我一起手舞足蹈。不过我总是在讲到最有趣的地方时就停止往下说了，而是告诉小卡尔这个故事在哪本书中，鼓励他从书籍中寻找乐趣。

卡尔·威特教育圣经

儿子的乐趣不仅可以在书中寻找到，他还能够在音乐中找到快乐。歌德曾说："为了保持神赐予我们对美的感觉，我们每天就要听一会儿音乐，朗读一首诗，看一些画。"所以让小卡尔接触音乐是很重要的。一般不会唱歌的人的寿命往往比善于唱歌的人的寿命短，这是因为不善唱歌的人心情压抑，而喜欢唱歌的人心情总是愉陕的。让有神经质的孩子养成爱唱歌的习惯，就会变得快活起来。

我们不可能将每一个孩子都能培养成优秀的音乐家，再说也没有这种必要。不过，人活在世界上要是不懂得音乐那他的生活肯定是不会快乐幸福的。就算自己不会唱至少也要懂得欣赏和感觉。所以设法教给孩子一些音乐是必要的。也许有些家长会觉得既然不想让孩子成为音乐家，那就不必浪费时间来教他音乐，这种想法是不正确的。因为没有艺术滋养的生活就像荒野一样枯燥乏味。为了让孩子有幸福的人生，生活的内容丰富多彩，家长就有义务让他们具有音乐和文学的修养。

一个懂得音乐的人生活是非常幸福的。所以，我从卡尔很小的时候，就努力培养他欣赏音乐的观念和能力。我在前面已说过，卡尔出生没多久，我就买来可以发出哆来咪法所拉西7个音节的小钟敲给儿子听，而且还让儿子的母亲唱给他听。小卡尔学会了字母 ABC 的读法后，我就教他乐谱的读法。而且我们经常做这方面的游戏，具体方法就是在屋中将物品藏起来让儿子寻

找。这是孩子们经常做的游戏，我为了让游戏更显得充满欢乐情调，在此还用到了钢琴。在小卡尔走近藏物品的地方时，我不是用语言来警告他，而是用钢琴轻轻地弹出低音。儿子要是走远了，就渐渐地弹出高音。要是小卡尔不仔细地倾听声音的高低，就不太容易找到藏起来的物品。用这种方法来训练孩子的听力非常有效。

孩子们都喜爱有节奏感的东西，所以我就从这方面来开始训练儿子。在卡尔还不会说话的时候，我就用手来有节奏地打拍子让儿子看。没过多久，我给他买来了小鼓，教他按照打拍子的节奏来敲鼓。过了一段时间儿子学会了击鼓后，我又给他买来了木琴，让儿子敲打，与此同时我还开始教他玩弹钢琴的游戏。我指着墙上的乐谱，儿子就必须按照乐谱来摁琴键。没过多久，小卡尔就可以用钢琴的单音来弹奏简单的曲调了。儿子从小就喜欢玩弄钢琴等乐器，于是我把握住这个机会鼓励他继续练习。我只要稍微给小卡尔一些帮助，他就可以自己编出各种曲调。小卡尔将自己创作的曲子像他幼年时代写日记一样全都记在笔记本上，等他长大成人后还可以拿出来看看，这也是非常有乐趣的事情。

教小卡尔练钢琴，我并不赞同只注重技巧的教育方法。我有一位朋友，曾经给他的孩子聘请过一名专业的小提琴教师。这位教师在一年中都只注重教孩子练习技巧，结果导致孩子不但没有学会小提琴反而开始憎恶音乐了。但是教小卡尔练习小提琴的教师就没有运用这种教法，而且每当儿子练习小提琴的时候，我就用钢琴来给他伴奏。从此，小卡尔对音乐产生了浓厚的兴趣，他不管是弹钢琴，还是拉小提琴都非常的出色。

如何唤起孩子的兴趣让他提出问题

虽然小卡尔有广泛的爱好和兴趣并且从事着各种活动，但是一些有偏见的人，还是觉得我儿子的生活除了整天坐在书桌前看书，其它什么也不做。那些人甚至认为，孩子也许除了懂点外语和学术方面的知识外，别的事物就一窍不通了。实际情况并不是这样的，跟小卡尔有过来往的人都知道，他坐在书桌前花费的时间比任何一个孩子都要少。儿子将大量的时间用在了尽情地玩耍和运动上，他是一个非常活泼健康的孩子。小卡尔除了学习外语外，还轻松自如地学习了数学、化学、物理学和动植物学等。

卡尔·威特教育圣经

　　家长们肯定想知道我究竟运用了什么独特的教育方法，来让儿子可以轻松愉快地学到这么丰富的知识。其实我的教育秘诀并不复杂，就是唤起儿子对事物的兴趣并让他尽可能地提出问题。

　　卡尔三四岁的时候，我每天都利用早餐前的一两个小时带儿子出去散步。不过我们的散步并不单是简单地溜达，而是一边散步一边谈话，我总要将一些有趣的事情讲给小卡尔听。儿子的想像力非常丰富，思维也很活跃，他可以顺着我的话意，想像着航海去中国和印度或者是到白雪茫茫的北极探险，一会儿谈到尼罗河，一会儿又是锡兰森林，有时还谈到几千年以前的斯巴达人攻打特洛伊城或者是亚历山大的军队远征西洋时的情景。因此，小卡尔的历史和地理知识就在散步中打下了基础。

　　我们更多的时候是走在花草茂盛的乡间小路上，经常能看到从草丛里冒出一些不知名的野花。这时，我通常会顺手摘下一朵野花，叫小卡尔过来一起研究这朵小花。于是儿子就会非常好奇地凑近过来听我讲解，我边解剖花朵边向他讲花的用途和生长特点。我耐心地给儿子解释：

　　"处在花中心的是花蕊，这美丽的外表是花瓣，花朵还有可以随风飞扬的花粉，要是没有花粉，花就不会结出甜美的果实。"

　　有时候草丛中会出人意料地蹦出一只蚱蜢，我眼疾手快地一把将它捉住。这时，我们父子俩就蹲下来一起研究这只小昆虫。我将蚱蜢的身体结构、习性、繁殖等知识尽可能详细地讲解给小卡尔听。我就是通过在自然中这样的一草一木等实用素材来对儿子进行生动有趣的教育，这要比学校里教师教授的那些刻板的动植物课程有趣多了。

只要家长们留心，不管是自然界中的一块石头还是一棵小草都能够随时成为教育的素材，孩子注意与认识的对象可是自然界新诞生的任何事物。要知道，世界上再也没有比大自然更好更合格的教师了，它可以教给人类无穷无尽的知识。但非常遗憾的是，很多的家长和孩子却没有很好运用它。

每到节假日的时候，我都要带小卡尔到田野里去捡一块岩石、摘一朵花或者拔一棵草来对它们进行观察，有时候甚至去观察小鸟和昆虫的生活状况等，我充分地运用这些实物向小卡尔讲述各种有趣的故事，涉及到的知识有地质学、矿物学、动植物学、观察学、物理学、化学以及天文学等各种科学领域，儿子对植物非常感兴趣，他从大自然中采集了大量的植物标本，卡尔还非常喜欢用显微镜观察各种东西，同时还写出关于观察各种事物的有趣的散文。

小卡尔起初非常害怕毛毛虫，但是自从我告诉儿子毛毛虫可以变成美丽的蝴蝶之后，他就不再害怕了。我还向他讲解蚂蚁和峰的生活

习惯和规律，儿子对这些昆虫的集体生活很有兴趣，他专门研究了大黄蜂和熊蜂的生活，并写出了一篇很好的论文。

不少的家长为孩子的不良行为而感到苦恼，其实孩子的不良行为，往往是因为他的精力不知道该往哪里使用而造成的。这完全是浪费孩子的精力，要是将他们带到大自然中去，那么他们就没有多余的精力去做坏事了。接触大自然可以让孩子的心地高尚纯洁，自古以来心地善良宽厚的人都是跟大自然感情融洽的人。孩子跟大自然接触不仅能够让他的身体变得健壮，而且也可以让精神旺盛起来。很多城市里的孩子就是因为远离大自然，很少呼吸新鲜空气而导致心情不好或性格怪异。

我会尽可能多地让小卡尔去跟自然界接触。儿子在家里的时候，我就安排他园艺活，让他去种植花草、马铃薯等农作物。小卡尔非常喜欢干这些活，每天都给花草们浇水除草捉虫，仔细观察它们的生长情况，他对此感到很高兴并且常常乐此不疲。每年夏天，我都要带儿子到森林附近去住几天，对孩子们来说最好的教科书就是大森林了。晴天的时候，我们父子俩就到森林中去玩耍。我在林子里教给儿子一些诗人们歌颂大自然的优秀诗篇。我们在晴朗的天空下自由地呼吸着新鲜空气，在肃静的森林中朗诵古人的诗，这是多么令人愉快的事情啊。

儿子还养过两只金丝雀，一只名叫里里达，另一只叫小菊花。儿子教两只小鸟

一些小技能。它们能够随着小提琴的音乐而高歌，电会站在孩子的手掌上跳舞。小卡尔弹钢琴的时候，金丝鸟就会站在儿子的肩上。命令小鸟们闭上眼睛，它们就会乖乖地闭上双眼，儿子在看书的时候，命令它们翻到下一页，它们就会听话地用小嘴翻开下一页。

除此之外，小卡尔还养着小猫小狗。在喂养这些动物的过程中，儿子给这些小动物们调食喂水时就要高度注意，通过这样的培养，可以让小卡尔形成慈爱之心和专注的精神。

数学教授的教导方法

在培养卡尔的过程中，我发现数学是在所有的学科中最难让孩子产生兴趣的学科了。像地理学、动植物学等学科，能够让孩子到大自然中去实地接触，可以在游乐玩耍中就学到很多知识，孩子自然会很感兴趣。数学是非常抽象的学科，孩子们常常只能依靠自己的思维力来学习，因此，这门学科对好动爱玩的孩子来说就显得太枯燥乏味了。

小卡尔起初也很讨厌数学，虽然我早就运用做游戏的方法轻易地教会了他数数和数字，并用做生意买卖的游戏教会了他数钱的方法。但是在教儿子乘法口诀的时候，就遇到了难题，小卡尔有生以来第一次开始厌恶学习。可见就算是 5 岁的儿童，也是非常讨厌死记硬背的。后来我将乘法口诀编成了歌谣来让儿子唱，他还是不感兴趣。

小卡尔当时只有 5 岁就已经可以用 3 个国家的语言说话。他在掌握历史传说和文学等各方面的知识相当于一个初中毕业生的水平了，他还懂得动植物学，地理学。可是儿子的数学却是他的薄弱环节，他连乘法口诀都不知道。我担心小卡尔在学习上有些偏科，这时我开始有点害怕了，让儿子得到全面均衡的发展才是我的理想，让他在成才的同时也能拥有真正的幸福。

第四章 教育孩子的正确方法

小卡尔有偏科的倾向，这显然是不符合我培养孩子的理想，一个局限于片面的人是不会成为真正幸福的人。

我为小卡尔厌恶数学这件事而感到烦恼不已，不过我还是没有强迫他死记那些乘法口诀。我知道强迫孩子学习是没有效果的，而且还容易让孩子的性格发生扭曲。值得庆幸的是，我心中的烦恼在跟罗森布鲁姆教授的偶然相遇中被解开了。罗森布鲁姆教授是我一位牧师朋友的好朋友，他是一位具有高明的教学技巧的数学教授。那天，我到这位牧师朋友的家里拜访时，幸遇了罗森布鲁姆教授。

教授倾听了我的忧愁后，对我说：

"虽然小卡尔对数学缺乏学习兴趣，但他肯定不是片面发展，主要还是你的教育方法不正确。由于你没有生动有趣地教授他数学知识，因此孩子也就没有兴趣去学。你自己爱好音乐、文学历史和语言学，所以你就能有趣地教孩子学这些知识。教动植物学和地理学的时候，你的教学方法也很生动有趣，因此小卡尔也就能学习。可是对于数学，首先你自己就很讨厌它，也就不可能生动有趣地去教孩子，也就导致小卡尔不喜欢学数学。"

这位杰出的教授说完这番话后，接着又非常热心地教给我培养孩子数学的方法。我用这套教学方法来教小卡尔数学，取得了非常满意的效果。

这位数学教授让我首先去培养孩子学习数学的兴趣，可以将钮扣或者豆子等物品放入纸盒里，我跟儿子各抓出一把，然后数数看谁抓得最多；也可以在吃苹果等一些水果的时候，让孩子去数数它们的种子；或者让儿子帮助母亲剥豌豆时，边干活边数豆荚中的豌豆。

我跟小卡尔还经常玩掷骰子的游戏，刚开始是用两个骰子玩。我们将两个骰子同时抛出，要是出现3和4的数字，就将3和4加起来得7分。要是出现1和5、2和4或者3和3的数字时，就得6分，这时就拥有接着玩的权利，然后将这些得分记在纸上，玩 3 次之后计算总分决定胜负。

儿子很喜欢玩这类游戏，在小卡尔投入到游戏的乐趣中之后，我仍然坚守教授给我的建议，每次做游戏不超过 15 分钟。因为所有关于数学的游戏都很费脑力，如果玩得时间过长就会损耗精力，让孩子感到疲劳。这种比较简单的游戏玩了 3 个星期后，我就将骰子增加到 3 个，最后竟达到了 6 个。

我们还将纽扣和黄豆整齐地排列起来，按照一些乘法口诀来分成相应的组数，让儿子去数纽扣和黄豆各有多少数量并将结果写在纸上，然后再将这些结果做成乘法口诀表挂在墙壁上。这样小卡尔就很容易地懂得了一二得二，二二得四的道理，更复杂的口诀也能够用这种游戏办法继续做下去。

我跟妻子为了让小卡尔可以在实际生活中运用数学知识，还常常跟他一起做生意买卖的游戏。儿子做店主，我跟妻子当顾客。小卡尔所卖物品的价格是按照实际生活中的物价来定的，我们使用的钱也是真正的货币。于是，我跟妻子就经常到小卡尔经营的所谓的商店去购买各种东西，而且用货币支付，儿子也按照正规的价格进行运算收钱，并找补零钱。

我坚持按照罗森布鲁姆教授的教育方法来对儿子进行培养，没过多久，小卡尔就对数学产生了兴趣。孩子一旦有了学习的兴趣，那么以后的教学工作就顺利多了，儿子从算术到代数、几何的学习一直都非常顺利，他后来不仅对学习数学产生了浓厚的兴趣，而且还深深地爱上了这门学问。

卡尔·威特教育圣经

让孩子多见识各种事物

我在对卡尔进行教育的过程中，除了教给他书本上的知识外，还很注重利用一切机会来增长他的见识。每当我们看到建筑物时，我就会告诉儿子这个建筑物坐落在什么地方，里面会有些什么东西；要是看到古堡之类的建筑，我就会给儿子讲述

古堡以前的历史，同时还告诉他一些关于这个古堡的轶闻趣事。

要知道一个只会整天呆在书桌前看书的人，是不可能成为有所作为的学者的。他们往往会变得目光短浅，思想狭隘，我是不愿意看到小卡尔将来成为这么一个没有幸福生活的书呆子。因此，我在儿子满了两周岁后，不管是购物还是走亲访友，也不论是看歌剧还是参加音乐会，总而言之，我不管去什么地方都带着小卡尔，让他从小就跟各种身份的人物交往谈话。通过这样的锻炼，小卡尔从小就不怕生不怯场，他具有很好的社交能力，越是重要的场合和人多的地方，他就会发挥得越好。卡尔作出成绩出名后，必须经常要出入一些正式场合，跟王公贵族甚至国王交谈，儿子都可以表现得很得体，给人们留下了美好难忘的印象。我曾经看到一些在学识上非常优秀的人，但是他们由于缺乏社交经验，出入这种正式的场合时就显得非常紧张畏缩，这确实是很不雅观的表现。

除了让小卡尔多见识一些人，我还要带他去见物。我经常抽出时间带着小卡尔去参观工厂矿山、动植物园、博物馆、美术馆、保育院等地方，以此来开阔儿子的眼界，增长他的见识。小卡尔在参观前，首先要阅读大量有关的书籍来作一个简要地了解。然后再通过孩子自己实地接触来获得跟感知中一样的信息和知识，儿子在这个时候大脑常常会运转得很快，心中产生了各种各样的疑问。我对小卡尔提出的问题，总是尽我的能力来耐心地给他说明解释。决不敷衍了事，并且做到通俗易懂、深入浅出，因为只有通过这样的教育方式来传授知识才是最自然有效的。

　　参观事物只是这种教育过程中的一部分，我每次带小卡尔参观回来，还要让孩子详细叙述他今天所看到过的一切东西，要不就是让他去跟母亲汇报。小卡尔在参观的过程中因为有任务在身，所以总是认真地进行观察，细心地听取我和导游的介绍和讲解。这样小卡尔就能够掌握更多的知识，效果也就更显著。

　　卡尔3岁以后，我就开始领着他到更远的地方去周游。儿子5岁的时候就已经在我的带领下将德国的所有大城市都周游了一遍。在旅途的过程中，我们父子俩不仅去游览名胜古迹还要登山望远，既去凭吊古战场也去参观古老的城堡宫殿和教堂。参观回来后，我就让小卡尔将旅途中所看到的一切事物通过书信告诉他的母亲和朋友。回到家后，儿子还要向亲朋们口述一遍自己的见闻和体会。

　　卡尔6岁的时候就成了我们洛赫附近见识最广的孩子了，他的见识甚至比一些成年人还要广。有人想在历史地理方面多一些了解都会去问问小卡尔，想听别的地方的一些奇闻异事时，也会来找我的儿子。卡尔后来将自己旅途过程中的所见所闻全部记述了下来，编成了一本游记让人们欣赏，受到大家的一致好评。也有一部分人认为，我不值得花那么钱带孩子去旅行，是一种没有必要的浪费，他们觉得用那些钱来给儿子买书可以让收获更大；也有一部分人说我要是不这样慷慨地花钱，就不会连卡尔上大学的学费电供不起了。我虽然只是一个收入微薄的贫穷牧师，但是为了能有旅行费用，全家人都节衣缩食、省吃俭用，就是在旅行时也只是住条件最差的旅馆，但我决不会后悔，并且认为这一切都是很有价值的。只要可以满足卡尔的追求真理的精神和求知欲望，我决对不会吝惜金钱体力。有一次为了向卡尔公开魔术的秘密，我就花了一大笔钱请来魔术师现身说法。像这样的例子还有很多，卡尔虽然生长在陆地，但

卡尔·威特教育圣经

卡尔·威特教育圣经

他却很喜欢看关于海洋的书，常常看哥伦布、麦哲伦等航海家写的游行传记，那些关于大海的描述总让儿子痴迷不已。当小卡尔看了《马可·波罗游记》这本书后，他就非常想亲自去看看大海。于是我就带着儿子去了地中海海岸，第一次看到大海的小卡尔兴奋极了。我们父子俩在海边拾贝壳、海藻和海星等等，我给儿子讲述了这些海底生物们的各种知识，让孩子对神奇的海底世界作一些了解。我们还在沙滩上玩建城堡、筑岛、堆山和凿河等各种各样的游戏。大海边是让孩子形成地理概念最有利的地方，我将地球仪带到海边，在它上面给儿子指出地中海的位置，然后告诉他跨过地中海就可以到达非洲，非洲的两边分别有大西洋和太平洋。要是穿过大西洋就能够像哥伦布那样到达美洲，要是穿过太平洋就可以像马可·波罗那样到达中国。小卡尔就这样逐步地明白了地球的概念，知道了世界地理。在对卡尔进行教育的过程中，我始终相信"百闻不如一见"的道理。行万里路是读万卷书所无法比拟的，现实生活所教给我们的东西要比书本能教会我们的更多更丰富多彩。

在玩耍中培养孩子的能力

在对卡尔的教育中，我发现玩耍对于儿童来说并不仅仅是一种喜好，更重要的是在玩耍的过程之中能够逐步开发孩子的智力。卡尔就是通过游戏这种方式培养出了良好的记忆、观察、注意、想像和操作等能力的，智力游戏就是其中的一种重要方式。

我把知识转换到卡尔的游戏当中去对他进行教育，并将重点放到认识事物和学习、巩固知识上。于是，我经常会问儿子一些"什么动物爱吃什么食物？""哪里不正确？"等诸如此类的问题。小卡尔通过智力游戏就会加深对事物的认识了解，并且会对这方面的知识掌握得更好。

我还通过游戏来教授儿子正确的发音，让他准确地说出比较常见的同、反义词，来让儿子尽快地丰富词汇。比如我会对儿子说"你能告诉爸爸这个词的近义词和反义词吗？"小动物们一般是怎么叫的呢？"或者是让他说出相同颜色的东西等，就是属于这种语言锻炼的游戏。

有时候我让卡尔看清楚桌子上放的物品，然后让他自己闭上眼睛或者用布将他的眼睛遮住，接着我偷偷地调换物品，让儿子睁开眼睛认真观察后，我问他："以前的物品是什么？""那么它现在变成了什么呢？"等问题，这种游戏可以培养和发展孩子的注意、记忆、观察、思维等各方的能力。

有时候我还会让卡尔闭上眼睛仔细听我击掌、敲桌子等，然后让他准确地说出敲击的数目。我通常用这种方法来培养孩子的观察力、注意力和记忆力。我跟小卡尔做这些能够开发智力的游戏时，常常会从孩子的角度来考虑问题，从来都不急功近利。因为去做一凿卡尔接受不了的事时，常常会有得不偿失的后果。

要是儿子在游戏的过程中表现出超常的能力，我就会及时地增加游戏的难度，以便能让孩子有快速的进展。要是儿子的表现不好，我也不会急躁，而是尽量地给予卡尔更多的关心和帮助来引起他的兴趣，让他从成功的喜悦当中增添信心，逐渐地取得进步。在对小卡尔的游戏中，我尽量做到深入浅出，通俗易懂，通常是选那些能够让儿子理解的，或者看得到的具体

卡尔·威特教育圣经

的事物，我总是尽力让游戏显得生动形象，并且还让儿子自己做一些小实验去发现其中的一些奥秘。

在培养儿童智力的游戏当中，家长们应当综合孩子的实际水平和年龄特征来有效地选择编制游戏。智力游戏的内容不能太难也不能太过于容易，不然就不会有理想的效果。卡尔三四岁时，我主要用形象、实物和动作互想联系的方法来对他进行教育。等儿子稍微长大一些的时候，也就是孩子四五岁的时候，我变将游戏的内容加深一些，难度增大一点。不过这种游戏的程度都是儿子能够通过努力来完成的，我从来不会用怪异的问题去刁难孩子。

在跟卡尔玩游戏以前，我首先会用简洁生动的语言向孩子解释清楚，有时甚至还会进行示范，来帮助他做好游戏。在儿童的心理和智能发展的过程中，具有重要的意义就是观察力。良好的观察力能够让孩子的智能得到良好的发展。因此，我经常运用游戏来对卡尔进行观察力的有效的训练，让他的能力可以得到快速的良好发展。

我经常带卡尔去参加各种室外活动，让他真切地感受外部世界给他的丰富生活。我经常数儿子用听看说做尝等方式来参与游戏活动，并培养卡尔形成善于观察的良好习惯。我还在游戏的过程当中加强对他的语言指导，让儿子发挥语言的作用去

卡尔·威特教育圣经

分析他遇到的事情，孩子的观察力可以通过这样的方法来得到有效地培养和发展。

　　枯燥乏味的游戏往往容易让儿子的注意力分散，然而丰富多彩的事物常常会引起卡尔的注意。在孩子们的心目中，游戏占有非常重要的地位，只要游戏生动有趣味，孩子们常常就会全力以赴，乐此不疲。注意力是知觉、感觉、记忆、和思维的一种心理特征。孩子的注意力是否集中，对他将来的发展影响很大。要是一个孩子常常心不在焉，注意力不够集中，那么他将来是不会取得任何成就的。因此我非常注重培养卡尔的注意力，我尽力将游戏设置得生动有趣味，这样就容易让孩子的注意力集中起来。

　　在做游戏的过程当中，我还尽量培养卡尔的记忆力。在孩子心理发展的过程中，记忆力具有非常重要的作用。孩子们常常要通过记忆去回忆以前遇到过的事情，由于会在脑海里留下一些印象，因此可以促进心理的发展。记忆力的差别主要是表现在记忆的准确性、持久性、准备性和速度等方面。记忆对孩子的情感、个性、意志等都具有不可磨灭的联系。为了发展卡尔的记忆力，我挖空心思地想出了一些方法，值得高兴的是，我最终取得了显著的效果。

　　我为卡尔提供各种丰富的游戏材料，那些具体生动的形象往往会唤起儿子过去感知的事物，儿子的记忆通过连续的重复后，就非常准确完整了。由于孩子的大脑中形象与语言的关系是非常紧密的，所以我经常用语言来对实物和行为进行描述来唤起卡尔的我不仅非常注重发展卡尔的观察、注意和记忆方面的能力，尤其重视培养儿子的想像和创造能力。卡尔常常喜欢根据自己的阅历和知识来选择他喜欢的物品、主题和内容。虽然儿子建立在模仿的基础上，但他能够发挥孩子的想像力来创造建自己的美好生活。

　　我让卡尔在游戏中主动积极、无拘无束地模拟和创造他所体验和感悟到的世界，孩子通过游戏对自己所体验到的事物的

卡尔·威特教育圣经

认识会更深刻。我要孩子自己去构思策划、组织实施，我经常让卡尔独自想主题、调配角色和安排情节。从而让儿子的创造力和解决问题的能力在整个游戏过程中得到充分的发展。我跟卡尔在游戏的过程中总是相互协调，友好共处的。我们父子俩一起想办法、出计谋，孩子通过这样的训练，协调能力就会得到良好的发展。

很多事情在孩子们的生活当中都会让他们产生兴趣，很多事也都会成为他们最好的游戏。比如：每逢下雨的时候，孩子们就会去挖沟渠，下雪时，孩子们就会去堆雪人，他们还喜欢用石块和泥沙筑城堡、人物或者各种小动物等，每当这时候，即使外面天气很恶劣，冻僵了他们的小手，他们仍会坚持不懈地继续玩下去。

儿子年幼的时候非常喜欢玩搭房子的游戏。他在玩游戏的过程中，逐渐明白了前后左右、上中下等空间的概念，同时也渐渐地有了长短大小、高矮厚薄等观念。他在游戏中学会了有计划地进行设计，这不仅让孩子有了成就感，也给他的生活增加了乐趣。

孩子在搭建房子的过程中必须要手脑并用，因此，他们的手脑就得到了良好的训练，不仅增强了动手的能力，而且头脑也变得更灵活，让孩子们的潜力得到良好发挥。因为孩子们在操作前，大脑里首先就会有一个形象，所以在建房子的游戏中也发展了孩子们的形象思维能力。

儿子玩搭房子的游戏时，我都会极力支持他并给他很多帮

卡尔·威特教育圣经

助。我经常让儿子对搭建的事物充分展开想像，想得越具体越好。我有时会用现有的一些模型和图画去加深儿子大脑中的形象，这利于游戏顺利进行的同时也开发了孩子形象思维的能力。我为卡尔的游戏尽量创造良好的条件，儿子在我的支持下常常会更好地发挥他的潜力。我还讲解一些关于结构建筑的基本知识给卡尔听，告诉儿子如何去延伸木板或者将木块铺平，怎样才可以达到合理的受力效果等知识。

　　家长们对孩子各种能力的培养，应当从孩子年幼的时候就开始进行。有些家长会觉得，创造力是在孩子们成年后才开始乒洧的能力，这种观点是非常错误的。家长们应该要懂得：当儿童知道玩耍的时候，创造力也就开始了。

第五章
将孩子培养成全面发展的人才

培养孩子的同情心

　　我和卡尔的母亲齐心协力来培养孩子在想像力、爱好和常识等方面的能力。我不希望孩子将来成为一个没有爱好和常识的人。我还尽力培养卡尔的情操和情感，让孩子具有高尚的品德和真诚的性格。

　　我尽量让儿子学会去如何爱别人，让他知道什么是人生中最美的，感悟什么是同情。一般具有同情心的儿童都不会蛮不讲理、横行霸道，他们会去做对社会有贡献的事情。例如帮助别人、分担别人的忧愁等。具有同情心的孩子更能受到世人的喜爱，不管是在学校还是在以后的生活中都会拥有更多的好机会，长大成人后也更能够与朋友和家庭组建成良好的关系。我常常告诉儿子关于爱的魅力，并跟孩子说：上帝赐给我们最美好最伟大的力量就是爱，一个能同情别人、接纳他人的孩子，那么他得到的东西也将是无限美好的。

　　我也常常教导卡尔：我们应该要学会去关心别人。因为，在我们的一生中，每个人都会或多或少地受到过他人的帮助和关怀，因此，我们应当要学会准备着将帮助和关怀再传送到另一个需要帮助的人身上。我竭尽所能地将全部知识教授给儿子。我经常给卡尔读《圣经》中关于爱的篇章，并给他讲一些古代圣人的故事。

一天傍晚，我拉着小卡尔的手和平常一样，边漫步边耐心地解答他源源不断的问题。就这时，一个衣着褴褛的流浪汉与我们擦肩而过。这个流浪汉引起了小卡尔的好奇。儿子仰起头问我："爸爸，这个叔叔为什么要流浪啊？他要找什么东西吗？"对于卡尔的提问，我通常都要让孩子自己先去思考一会儿，因此，我并没有马上就回答他的问题。可是这一次，儿子并没有像平常那样向我反复

追问，而是挣脱我牵着他的手，快速地跑上去追上流浪汉向他问道："先生，请问您为什么要在外面流浪呢？您需要什么帮助吗？"流浪汉看到一个只有 5 岁大的孩子向他提出这样的问题，不由愣了下，随后说："我想我现在需要一个面包吧。"流浪汉说完摇了摇头笑了起来，又继续向前走去。他认为这个小孩子是不能够帮助他的。儿子急忙对流浪汉说："先生，请你等我一下。"说完，小卡尔就向家里飞奔而去。

流浪汉停了下来，过来问我："先生，这是您的儿子吗？"

"哦，他是我的孩子，叫卡尔。"我回答。

流浪汉又对我说："他很可爱，是个讨人喜欢的孩子。"

于是我和流浪汉就站在路边攀谈了起来，流浪汉告诉了我一些关于他的情况，并给我讲述他流浪的经历以及对生命的感悟。

卡尔·威特教育圣经

没过多久，儿子手里捧着两块面包，上气不接下气地跑了过来。孩子先抬头望着我看到我点头表示赞许了，他才将面包递到流浪汉的手上并诚恳地对他说："先生，请您收下这两块面包吧，这是我和我的家人送给您的。"儿子的善良让流浪汉特别地感动，他高兴地说："我终于又看到人世间的美好和温暖了。"

事后，我问卡尔："你当时为什么会有送给流浪汉面包的想法？"

卡尔说："因为你曾对我说过行善的人才能接近上帝，我相信你们也会赞成我的做法，对吗？"

很多孩子不管是男孩还是女孩，他们在生活中都能具有同情心，那几乎就是一种天性。当孩子有了认识能力时，就能分出别人不同的心理体现并可以用行为表示自己的关心。

部分儿童不会关心他人，这大多数是由于家庭的不幸和对孩子不适当的教育造成他们的残忍无情。要是想要儿童更加关心别人，父母的品德行为和恰当的家庭教育是非常重要的。

我在对卡尔进行教育时，是让儿子在现实生活中去体会真正的爱心和善良，而不是让他去死记硬背那些道德规范，因为理论对他的行为产生影响不如亲身的体验深刻。

我经常对儿子说：一个人最大的幸福莫过于能成为高尚的人。品德高尚的人不仅可以控制自己的情绪，帮助别人分担忧愁，还能够理解别人的思想感情。

因此，儿子很小的时候就知道，成为一个品德高尚的人远比只具有丰富学识的人更能够受到人们的尊敬。

要是你也想要孩子成人后能具有同情心、爱心和责任心，那么就要在孩子小的时候开始对他进行培养，最重要的一点就是要对孩子寄予希望。我在对卡尔进行培养时也是这样做的，我希望儿子从小就能成为一个具有同情心的孩子。我不会去害怕孩子是否会对我的期望进行反对，更不会减少我对他的期望。我绝对不会由于担心自己的期望会破灭而去放纵孩子。我对卡尔充满了信心，我相信儿子将来一定会是个真正的男子汉。

　　不管卡尔多么年幼，我依然对他很重视，不会因为他是个小孩子而将他忽略，也从不因为儿子的年龄太小而放纵娇宠。我们在家里都是平等的。

　　在卡尔3岁的时候，我就要求儿子自己的事情必须自己独立完成。孩子在这方面也完成得相当的出色。他那时候经常协助母亲做一些力所能及的家务活，例如帮忙摆碗筷、擦桌上的尘土等。日积月累，儿子可以做的事情也渐渐地多起来。帮母亲做家务活同样是帮助他人的行为，这是一件非常有益的事情。

　　帮助他人是发自内心的善良也是一种爱心的体现。善良不仅是一种优秀的品质，它同时也具有伟大的力量，是人类最有力的工具。

　　只要跟卡尔接触过的人都非常地喜欢他，说儿子就像天使一样善良可爱。他确实是个很有爱心、为人亲切的孩子。他从来都没有跟别人吵过架，并且很友善地对待世界上的每一种动物，即使是一棵小草他也不忍心去践踏。

　　我可以感受到卡尔心中闪光的东西，并为孩子这种高尚的情操而感到无比骄傲和欣慰。

卡尔·威特教育圣经

性格决定能力

　　性格可以决定能力，要是一个孩子的性格开朗活泼，那么他很快就能被世人们所接受，通过广泛的交际，长大成人后就可以更好地适应不同的人群和社会。要是一个孩子的性格孤僻，他与人沟通的能力差，交际范围就很狭窄，从而进入社会人群中就会处于封闭状态，无论做什么事都不能很好地跟别人配合最终导致失败。因此，可以说性格的好坏是决定一个人能否成功的关键。

　　我对儿子进行教育时除了传授他常识之外，还特别注重培养孩子优良的性格，我将这一点看得很重。为了能让卡尔具备各种美德和能力，我在儿子很小的时候就开始从日常生活中的小事情上对他进行良好的性格教育。

卡尔·威特教育圣经

孩子们在生活当中和作为生活能力所呈现出来的状态这就是性格。性格是怎么形成的呢？就是孩子在生长过程中不断地适应所处的环境而渐渐地产生的。刚出生的婴儿绝对不会有孤僻内向或者直爽开朗的性格存在。

有一部分儿童性格内向，沉默寡言，有的儿童性格开朗活泼，这竭然不同的性格不是天生就形成的，也不是孩子自己创造的。一个原本很开朗的孩子，当他的能力在现实生活中不能得到充分锻炼时，从而很难去适应社会生活，总认为自己跟生活脱离了关系。结果就导致孩子原来活泼开朗的性格渐渐地消失，反而慢慢地会出现一些不太良好的性格。

一个人的性格是会不断地改变的。要是一旦生活环境发生变化，孩子的性格也会随之而产生变化。这种变化的性格就是因为他适应不了已经发生变化的生活环境而造成的。

很多家长常常责怪孩子养成的一些不良习惯，并希望孩子能改正过来。要是家长能够经常正确地对孩子加以引导，他所养成的不良习惯还是能够改正的。

早期生活奠定了孩子性格的基础。孩子刚开始的生活习惯会随着家庭环境和家长态度的熏陶下慢慢地改变自己的性格特点。因此，性格虽然能改变，但是孩子刚开始形成一个习惯时仍非常重要。

我总是很认真地对儿子的成长过程进行观察，在不让孩子自尊心受到伤害的前提下去了解他的内心世界。我这样做的目的就是想在卡尔感到烦恼的时候，我能及时地给予关怀。要是当孩子遇到一些不如意的事情时，我会竭尽全力地想办法来让他将不快倾诉出来。我希望卡尔能成为一个开朗而又快乐的孩子而不是将烦恼闷在心里。我有一次回家，看到儿子一个人坐在院子里发呆，孩子的神情显得很忧伤。卡尔现在的表现让我感到很奇怪，因为他以前的性格一直都很活泼开朗的。于是我就走到孩子的身边蹲在他面前问："你今天看起来怎么不高兴啊？是发生了什么不愉快的事吗？"

卡尔并不回答我的问题，只是仰起小脑袋看了看我，然后微微叹了一口气又低下头去。

我又接着问："孩子，你到底有什么心事令你不开心了。"

卡尔仍然低着头沉默不语。

我看到卡尔现在的表情就知道他一定有心事，这件事情对他来说也许还是件很难解决的大事。于是我耐心地对儿子说："卡尔，你知道吗？我是非常爱你的。你要是心里有什么不愉快的事是不应当跟爸爸隐瞒的。你以前遇到了难题不都是跟我讲述的吗？这次为什么就不说话呢？"

孩子还不开口，我尽量好言劝慰，继续对他说："你以前碰到不顺心的事，爸爸总是会想办法给你解决问题。儿子，你要明白，爸爸最希望看到的就是你能成为一个非常幸福快乐的孩子。只要你拥有愉快的心情，世界上的任何问题都可以轻而易举地解决。"儿子听了我的一番话后，终于肯说话了。他小声地对我说："我很烦恼，因为我不是个真正的男子汉。"

我很奇怪地问卡尔："儿子，你为什么会这么想呢？"

"今天，我遇到了村里一个名叫肯特尔的男孩子。他嘲笑我不是男子汉，说我长得特别像根稻草杆。后来肯特尔还在我面

卡尔·威特教育圣经

前展示他的肌肉，还说像他那样健壮的男孩才是真正的男子汉。"

　　儿子的确不是一个很强壮的孩子，但是他的身体状况非常健康，不存在任何问题。是肯特尔的嘲笑让小卡尔的自尊心受到了伤害。我知道了孩子不开心的原因后，就讲一些男子汉的道理来开导他。

　　我对卡尔说："仅仅拥有健壮身体的男孩并不是一个真正的男子汉。儿子，你要懂得，真正的男子汉不仅需要强壮的体魄还需要智慧、勇敢和毅力。即使面对失败也不气馁，要有敢于面对生活中的任何困难和挫折的勇气。你现在年纪这么小就明白了那么多的道理，还掌握了很多的知识。等你长大成人后，

你所懂得的这些道理和知识就会转变成智慧。你虽然在同龄孩子当中身体不是最强壮的，但是你的身体也是非常正常健康的，况且你的学识已远远地超出他们。在我看来，你一直都是一个非常勇敢善良的好孩子，我相信以后很多人也同样会这么认为的。肯特尔嘲笑别人是很没有修养的行为，你不必去理会他的失礼。他出生在农家自然要经常帮助家里做一些体力活，

况且他的年龄也比你大得多，他的身体能比你强壮这是非常正常的事情。只要你平时坚持锻炼身体，随着年龄的增长，以后你的身体有可能长得比肯特尔更强壮。

你还要知道，能够独立的考虑问题是一个男子汉必备的素质，这样就不会轻易地去相信别人的评论，才不至于让别人错误的观点扰乱你的思维。"

儿子听了我的一席话后，性格开朗起来了。卡尔的烦恼是因为遭到肯特尔的嘲笑而对自己的身体产生了自卑感，而他一旦明白了道理后，很快就将烦恼解决了，自然又恢复了往日的自信。

我不了解当其它的家长面对孩子的这种情形时是如何处置的。但是我敢肯定，如果在孩子遭到别人的嘲笑而感到自卑时，不给孩子讲明白道理来消除他思想上的顾虑，这一问题会让孩子永远地埋在心里形成障碍。往后孩子经常会为这事感到忧愁，这样会对他的性格造成不良的影响，一个原来活泼开朗的孩子也许会因此而变得内向自卑。

在对儿子进行教育的过程中，我就是采用上面讲述的方法来让孩子常常感到快乐无比而渐渐地形成活泼开朗自信的性格。孩子将来是否能有所作为，能够成为一个优秀的人才，在很大程度上还是由这个孩子是否具有优良的性格来决定。

卡尔·威特教育圣经

第六章
切忌小看孩子

卡尔·威特教育圣经

让孩子从小就拥有美好的心灵

我觉得"孩子幼时放松，稍长大后再进行严格的要求"这种观点是不太正确的，我从来都不相信它。因此，我从儿子1岁的时候就开始对他进行严格的要求。

我作为一个家长，有责任和义务教卡尔懂得什么应当做，什么事情不应该做。家长对幼小的孩子们的教育，影响是非常大的，要是在孩子小的时候不对他们放松的话，那种印象会在他们的心中留下很深烙印，等到稍大后再对他进行严格的要求，只怕已经来不及了。

卡尔6岁的时候，我就带他到另一个牧师的家里去玩几天。第二天早上用早餐的时候，卡尔不小心洒了一点牛奶，我在家里对孩子有规定，凡是洒了食物就要受到惩罚，因此儿子只能吃面包。儿子原本就非常喜欢喝牛奶，再加上那位牧师非常喜爱卡尔，除了特意为他调制了一种可口的牛奶外，还拿出了最好的点心来给卡尔吃，这种诱惑对儿子来说简直是太大了。不过儿子洒了一些牛奶后，脸不由地就红了，他迟疑了好一会，最终还是决定不再喝牛奶了。这时我特意装作没有看见，牧师朋友的家人看到这种情形后，多次劝卡尔喝牛奶，但是儿子还是坚持不喝，并且还特别难为情地说："因为是我将牛奶给洒了，所以我就不能再喝它了。"

牧师朋友的家人还是再三善意地劝说卡尔："喝吧，喝吧，洒了一点没有关系的。"我在旁边吃着点心，仍然装作没有看见，卡尔还是坚持原则不喝牛奶，非常喜爱卡尔的牧师在万般无奈之下，就向我求援了，他们猜想肯定是因为我训斥了儿子。我为了缓解这种局面就让卡尔回避一下，然后向牧师全家讲明了理由。牧师朋友听后就责怪我说："你的教育也未免太过于严格了吧？一个 6 岁的孩子由于犯一点过错，就限制他吃喜爱的东西。"

于是，我只有费尽口舌地来跟牧师朋友解释："卡尔并不是因为害怕我才不喝牛奶的，而是因为他从内心里懂得这是约束自己的纪律，因此才克制住不喝的。"牧师朋友听了我的解释后还是不太相信，我只有通过事实来证明真相了。我起身对他们说："那么我们可以试验一下，你们将卡尔叫进来劝他喝牛奶，我先暂时回避一下，看孩子是否会喝。"

我说完就走开了。等我离开房间后，牧师朋友就热情地将卡尔叫进屋里，劝他吃点心喝牛奶，但是孩子仍然坚持不喝。接着他们又换了新牛奶和点心来劝说卡尔："快喝吧，我们不会告诉你父亲的。"但是毫无结果，儿子还说："虽然父亲不知道，但是上帝却可以看到，我不可以撒谎的。"

牧师朋友说："我们一会儿要去郊外散步，你什么东西都不吃是会挨饿的。"

卡尔回答说："不会的，我不饿。"

牧师朋友只好束手无策地将我叫进去，卡尔如实地向我讲明了情况。我听完届就对儿子说："好孩子，你对自己的惩罚已经足够了。就要出去散步，也为了不辜负大家的盛情，你可以将牛奶和点心都吃了，然后我们就出发。"

　　于是卡尔就非常高兴地把牛奶喝完了。牧师朋友全家都为只有6岁的孩子，就具有这样的自制能力而感到很不理解。不少的家长都觉得我的教育太严格了，我承认儿子跟别的孩子相比较，这种教育在某种程度上的确是非常严格的。不过这种严格并没有让孩子为此而感到痛苦，这是因为从卡尔很小的时候我就开始了对他的严格教育，儿子已经形成习惯了，也就不再会感觉到有任何不快乐了。

　　孩子常常模仿家长的行为，还会向他的父亲学习，父亲不但是孩子的启蒙教师，还是他学习的榜样。家长首先对自己要求严格才能对孩子进行严格的要求。我信仰上帝，就算上帝有一天站在我的面前，我也一样会这么说。我对卡尔的严格要求，逐渐地转变成了他对自己严格的要求。因为我经常告诫儿子，任何人都不能约束你，除了上帝和你自己。

　　儿子从很小的时候开始，就自觉地开始养成很多良好的行为。儿子从不撒谎，这并不是因为他害怕我的严厉惩罚，而是由于儿子从内心中认知到撒谎是错误的行为。儿子内心中有一种良好的力量来约束他的行为，我作为孩子的家长，想要做到的电正是这一点，让世上一切美好崇高的东西都能在儿子的身上形成一种本性和自觉。让卡尔从小拥有美好的心灵是我的责任，我不希望看到孩子从小由于没有受到良好正确的引导而迷失方向。

年幼的孩子同样可以明白道理

　　要将孩子培养成一个正直诚实的好人，必须从孩子年幼的时候就开始对他进行严格的教育。一些家长会发现很多孩子很小的时候就开始不太诚实了。孩子们有恶意的谎言，也有善意

卡尔·威特教育圣经

的撒谎，他们不诚实的原因有很多。

我觉得孩子们的撒谎大多都是没有恶意的，当孩子犯了错误后，往往会以撒谎的方法来躲避家长的惩罚。家长应当针对这种情况去细心地了解孩子的内心世界，首先应当弄清楚孩子为什么要撒谎，然后再采用恰当的方式去教育他们。家长们不要觉得孩子的年龄太小就不会明白事理，其实他们是可以明白的，千万不能小看他们。

儿子两岁时，有一次在桌上弄翻了一只水杯。我那天由于去了别的教区并不在场，儿子的母亲也到别的房间呆了一会儿，出来就看到儿子的水杯都空了，而餐桌上的布被弄湿了。

于是，母亲就问小卡尔："儿子，是你将水杯给打翻的吗？"

儿子使劲摇头表示否认，母亲明知道是儿子弄翻了水，但是她看到孩子那可爱的模样就忍不住笑了起来并没有责备他。

我晚上回到家后，妻子就将这件事讲给我听了。虽然我今天并不在场，但我觉得还是有必要去跟儿子谈一谈的。于是我严肃地问儿子："今天是你将水杯弄翻的吗？"

卡尔还是摇头不承认。我板着脸对孩子说："儿子，我希望你做一个诚实的好孩子，不管是不是你干的都应当说实话。虽然我跟你的母亲都没有亲眼看到，但是上帝会看见的，上帝是不会喜欢撒谎的孩子的。"儿子听了我的话后低着头承认了是自已干的，但是我们并没有惩罚他。因为培养孩子诚实的品质远比孩子打翻水杯而去对他进行惩罚重要得多。不少家长觉得小孩子们一些微不足道的谎言不会造成什么危害性，反而还觉得他们很可爱。可我并不这样认为。孩子们要是将撒谎养成了习惯，就会变成他日后罪恶的根源，那种习惯一旦形成后就很难再去改变它。说谎是不尊重别人的行为，它影响了人们彼此之间的亲密关系，让人们互相猜疑和不信任。我们是不会经常跟一个爱撒谎的人共处的，更深一层的道理，我会在儿子稍微长大一点的时候再讲给他听。在儿子年幼的时候，我会告诉他不诚实的孩子是不好的，是会受到上帝惩罚的。凡是跟卡尔接触过的朋友都说他是一个从不撒谎的好孩子，他惟一不诚实的地方就是表现在曾否认过他打翻了水杯这件事。从那以后，不管卡尔犯了什么错误都会勇敢地承认，直到现在，我也没有听到有人反应说卡尔不诚实。

卡尔·威特教育圣经

学会尊重孩子

儿子有一次想吃糕点，但是我没有答应他的要求，因为我们刚吃过饭，过多的饮食会不利于孩子的健康。只有两岁大的卡尔就很生气地耍起赖来，他躺在地上又哭又闹。卡尔的母亲看到这种情形后，就赶紧满足了他的要求。母亲拿着卡尔特别想吃的那块糕点对儿子说："儿子，别闹了，快起来吧。"

儿子最终以他哭闹的方式得到好吃的糕点，来宣布自己的胜利。我当时并没有说什么，但我知道儿子的哭闹是对家长权力的一种挑战，并且孩子还在这场挑战中获得了胜利。我后来跟妻子谈到了这件事，并将我的想法告诉给她听。

我觉得卡尔这种哭闹的方式，我们家长是不应当去迁就他的。孩子现在年纪还小，这种迁就纵容所造成的恶果还不容易看出来，其实家长已在无形中埋下了不良的因素。要是卡尔到

十四、五岁的时候，家长还是用这样的方式来对他的话，他将来就会成长为一个横行霸道的人。

因为儿子懂得只要他哭闹就可以得到他想要的东西，他就会继续采用这种方式。儿子成人后，他就不仅仅是用哭闹这种方式了，无礼的行为也将不只是针对他的家长，还会针对其它的任何人，孩子同样会用无礼的方式来要求别人也来满足他的要求。家长跟孩子早期的关系会影响到孩子将来跟他人之间的关系，像这样的例子我可以找出很多。

以后，在我家里再也没有发生类似这样的事。就算儿子再怎么哭闹发脾气，他也不会获得他不应当得到的食物玩具或者其它别的东西。因为我要让卡尔知道，任何的哭闹行为都是徒劳。

有一次，邻居告诉我一些关于他儿子的事情，这位邻居认为自己的儿子很糟糕。他看卡尔的学识品德都非常的优秀，因此，他就想向我请教一些教育孩子的好方法。邻居非常沮丧地跟我说："我跟孩子的母亲在儿子小的时候忽视了对他进行尊重家长的管教，他那时候就将整个家里弄得一团糟。孩子的母亲觉得他还太小，等他长大以后就会变好的。可是事实却恰恰相反，儿子脾气变得越来越暴躁，自私贪婪。他犯了错误我们有时候都不敢去管教他，因为儿子有时甚至比我们还厉害呢。儿子现在才12岁，就变成了我们管制不了的野马，常常跟我们家长发脾气，觉得家里所有的事情都不如他的意。"

我觉得人是要相互尊重的，要孩子尊重家长，家长首先就必须学会去尊重孩子。而且要在孩子很小的时候就要让他养成尊重别人的好习惯。迁就纵容孩子并不是尊重他，要是希望将良好的品德传授给孩子，家长就必须要以身作则先具备良好的品德。在对孩子进行教育前，家长自己首先要知道什么是是非对错，要知道采用怎样的方式去对待孩子的过失。

要是我的儿子在房间里不小心撞倒桌子弄破了杯子，或者无意中损坏了我的物品，这些事情是不属于他应当负责的范围

卡尔·威特教育圣经

的。因为这只是儿子不小心罢了，不是他恶意地无理取闹，也不是向家长发出挑战，我是不会去责怪惩罚卡尔的，只是提醒儿子以后不要那么鲁莽行事了。

要是儿子为了引起家长的注意或者为一件不顺他心意的事而向我发出挑战时，我就必定会采取一些适当的方式来制止、惩罚他。不过这种情况在儿子身上很少发生，因为在他很幼小时，我就首先尊重他，从来没有对他施加暴力，所以儿子也自然会尊重我。

让孩子自己解决自己的事

婴儿来到这个世界，往往会由于他们的弱小而感到束手无策，但是他们仍然有勇气学习各种方法进行各种尝试，让自己适应并且可以融人到世界之中。不管卡尔现在多么弱小，我相信他总有一天会成长为立足于世界中的强者。我付出全部的爱心和精力帮助儿子去学习他不明白的事物，尝试融人这个新世界。虽然儿子还很年幼弱小，但是我从来都不对他的能力持怀疑的态度。不少的家长觉得孩子只有在某一个年龄段，才可以做某一种事情。其实这种观点是不正确的，我从来都不这样认为，我注重的是在卡尔幼小的心灵中树立起他的自信心。儿子两岁的时候就自己主动地帮助母亲收拾桌子，来我们家中做客的朋友每当看到孩子手中拿起一个盘子时，他们常常会提醒孩子说："小心，卡尔，不要将盘子给弄碎了。"我在这种情况下，就会对好心的朋友们说："没关系，卡尔自己会将它们弄好的。"

好心的朋友们并不懂得，我要是不准卡尔去碰那些盘子的话，也许那个盘子永远也不会被孩子弄碎，但是"不可以"这句话却会在孩子的信心上留下一个阴影，很有可能会推迟儿子某种潜力的发展。

当儿子自己试着穿衣服时，他常常会将衣服穿反。我跟妻子总是耐心地教儿子，从来没有嘲笑或责骂过他，因为我们不可以让儿子觉得自己无能。我还会鼓励卡尔自己收拾房间，就算他的动作非常笨拙，我也会对他夸奖一番。因为房间是否收拾得整洁并不是最重要的，对于一个孩子来说，他能够去做，这种行为就已经很好了。

儿子在这些亲手整理事物当中去探索和锻炼，孩子只有通过锻炼才会让自己成为一个真正有所作为的人。要是孩子犯了错误或者做了一件并不成功的事情，家长们不应当用语言和行动来说孩子的失败。要知道，孩子做了一件并不成功的事，这说明他是缺乏经验和技巧，并不表示孩子本身的无能，家长们应当要有耐心去指导他们。

敢于犯错和能积极地改正错误是同样珍贵的行为，家长应当培养孩子们敢于犯错和敢于失败的行为，因为儿童和成年人一样有能力去犯错误和改正错误。这样的鼓励才可以培养孩子良好的自信心和独立能力。因此我在对卡尔进行教育的过程中，总是尽量鼓励儿子去

卡尔·威特教育圣经

第六章　切忌小看孩子

做一些他力所能及的事情。当他碰到问题时，我常常让儿子尽量自己想办法去解决。

　　我在儿子年龄很小的时候，就培养他过一种有规律的生活。让卡尔学会精细地计划他的学习任务和时间，让他可以尽量地发挥他的爱好。我这样做并不是想将儿子限制在条框规矩之中，而是要让孩子的潜能得到充分地发挥来达到真正地完善自己。

卡尔·威特教育圣经

第七章
如何教育才不会让孩子受到伤害

用合理的方式来对卡尔进行严格要求

　　我对卡尔的教育方法是非常严格的，但并不专制。专制的教育就是家长们强迫孩子盲从，而我从来都不会这样去对小卡尔，我对他的严格教育完全是采用合理的方式和一些道理来进行。不管是在教育方法上还是别的方面，我特别不赞成那种专制教育。以理服人比任何强迫的手段都更加有力量，我对儿子进行了严格的教育却并没有给他造成伤害的原因就在这里。

　　我首先尊重卡尔，在对儿子进行教育的时候，在不伤害孩子自尊心的前提下给儿子讲他可以明白理解的道理。我很不赞成在他人面前贬低孩子的做法，每当卡尔做错事要受到惩罚时，我更加不会在大庭广众下奚落儿子，我总是尽量让卡尔感觉到我对他的真心实意的爱。

　　要卡尔一定去做某件事时，我会向孩子讲清楚做这件事的必要性，让儿子懂得这是他应当做的事情，而并不是我对他的强迫。要是儿子在玩耍的时候不小心毁坏了别人的花园或草地，我绝对要让卡尔去向人道歉，不管别人是否知道，我都要求孩子自己主动去承认错误。

　　一天，儿子在外面兴高采烈地用一根很长的棍子当宝剑来模仿古代骑士，他想像着自己在跟强盗们作战，一会儿刺一会儿砍的。卡尔的剑法舞得精采极了，他在这种游戏中早已将自

己当成了真正的英雄。我很高兴看到这样，因为这些游戏有利于发展儿子的想像力，也有利于他的身体健康。我非常不赞成毫无生气的生活，不愿意儿子将来成为一个刻板呆笨的学者，所以我并不反对卡尔这种活泼的玩耍方式。

突然卡尔"啊"地惊叫了一声就愣住了。原来儿子在这场激烈的战斗中，用剑不小心把邻居花园中的花砍倒一束在地上。我看到这种情形后不动声色地继续观察儿子，看孩子会如何处理这件事。

儿子看到邻居的家里并没有人出来，他也没有发现我正在观察着他。当孩子正要逃离的时候，我赶紧叫住了儿子："卡尔。"

卡尔知道这件事已经被我发现不能逃脱了，就低着头慢慢地向我走来。

我问儿子："卡尔，你知道你犯了什么错误吗？"

儿子小声地说："我知道。"

我严肃地问儿子："你知道应该怎样处理这件事吗？"

"我不知道，爸爸。"

"卡尔，你要做一个诚实的好孩子，应该马上去向邻居家道歉。"我对卡尔说。

儿子并不懂得道歉的涵义，他不解地对我说："可是爸爸，这件事情并不是我故意这样做的。"

卡尔·威特教育圣经

　　于是，我耐心地给卡尔讲道理："儿子，你一定要知道，孩子们在很多情况下往往都会在无意中犯下错误。但是你既然犯了错误，就必须要为自己的行为负责。虽然邻居没有看到你做坏事，但是你的行为确实伤害到了他们。所以你应当去向邻居道歉，决不能伤害了他人就不负责任地逃跑，你应当要像你扮演的古代骑士那样勇敢正直。"

　　"我知道了，爸爸。"终于明白了道理的儿子，马上就去敲开了邻居家的门。

　　我第二天早上碰到邻居，他完全没有提到花被损害的事情，只跟我说：

　　"您儿子卡尔真是一个诚实的好孩子。"

　　卡尔的崇拜对象是英雄骑士，我就用骑士来鼓励儿子，让他觉得向人道歉并不是特别难为的事情，同时也让他知道不管是在什么样的情况下，犯的错误都应当由自己负责。我并没有用大声斥责孩子的做法，因为那样做，不仅会惊动邻居，同时也会给儿子的自尊心造成伤害，还有可能会将事情弄得复杂。

　　不少的家长认为对孩子的严格教育就是专制教育，无形中就将自己变成横行霸道的暴君，而将孩子教育成惟命是从的弱者。他们常常对不听话的孩子用粗暴方式来管教，这样的教育方法是完全不正确的，它所导致的后果就是不仅不能让孩子正确地认识自己，还会让孩子对家长甚至所有的人类产生怨恨的情绪。曾经发生过这样一个故事：

　　有一个孩子特别喜欢家里养着的一只小白羊，他经常一个人牵着这只羊去附近的山上玩耍，每当孩子看到自己心爱的小白羊悠闲愉快地吃着山上的嫩草，心里就感到无比的幸福。那只小羊就是孩子稚嫩的心灵中最要好的伙伴，他将自己想像的故事和听来的传说都轻轻地讲给小羊听，他觉得跟小羊在一起就是世界上最快乐幸福的事。

　　有一次，孩子仍像往常一样带着小羊去山坡上玩耍，他在温暖阳光的照射下躺在山坡上睡着了。他还梦见自己跟小羊在

卡尔·威特教育圣经

一起玩耍的快乐情景，但是当他醒来后却发现小白羊不见了。这只羊以前从来都不会走远的，可是现在的确是失踪了。孩子心急如焚地寻遍了整个山坡也毫无线索，他担心自己最心爱的伙伴会永远地离开他而万分伤心地哭了起来。

孩子在天黑之前，赶紧跑回家将小白羊丢失的事告诉他的父亲，并希望能够得到父亲的帮助来帮他找回小羊。但是孩子完全没有想到，他得到的只是父亲的严厉呵斥和一顿暴打。孩子的父亲得知羊丢失后，没有询问任何情况就举起手来把孩子打得鼻青脸肿，还用棍子将他的额头给打破了。父亲恼怒地对孩子说："你给我听着，你要是不将我仅有的这只羊找回来，那么你也就永远别再回来。"父亲说完就将孩子锁在门外不准他进去，孩子感到伤心极了'。他一个人在黑暗的山上奔跑，他始终想不明白父亲为什么要这么狠心地揍他，他自言自语地说："我并不是故意丢失小羊的啊，小白羊是我最好的伙伴，它失踪不见了，我也一样非常的伤心难过啊。父亲因为我弄丢了他的羊，就不再让我回家，难道羊比我更重要？"

没过多久，孩子抬头看到不远处有一个白色物体，于是他悄悄地走近，看到的正是他丢失的那只小白羊在快乐地吃着嫩草呢。可是受到父亲粗暴对待的孩子，这时却一反常态，不是像以前那样高兴地跑过去轻轻地抱起这只小羊，他举起了身边的一块大石头，哭着对小羊说："都是因为你，让我挨了打，因为你，父亲才会这样对我。"孩子边哭着说，边将石头使劲地向小羊的身上砸了过去。

人们第二天在山坡的岩石后发现了这只已经死去的小白羊，那孩子后来也再也没有回家。

无容置疑，当孩子亲手杀死了自己最心爱的小伙伴时，他当时的心里是非常痛苦的。家长粗暴和专制的行为会在孩子的心理留下永远不可磨灭的阴影，这种不良的影响会让原本善良的孩子变成像魔鬼一样残忍的坏人。

保护孩子的判断力和理性

　　保护孩子的判断力和理性，我觉得是教育中至关重要的。要是孩子一旦没有了正常的判断力，那么他就不能明辨是非，不可以正确地判断事物的好坏了。要是儿子对别人说了一些比较鲁莽的话后，我并不会立即斥责孩子，而是先马上代儿子给对方道歉。我会非常抱歉地跟对方说："由于我的儿子卡尔从小生活在乡下，因此才会说出这样冒昧的话来，请您千万不要介意。"

　　这时卡尔就已开始领悟到自己可能说了一些不该说的话，事后儿子肯定会询问我其中的原因。那时，我就会耐心地给儿子解释说明：

　　"卡尔，按理来说，你刚刚说的那些话也没什么不正确，其实我也是那样的感觉。不过这种话在别人面前说就不太合适了，你没有看到那位先生听了你说的那些话之后，羞得满脸通红了！那位先生是由于喜欢你并且看在爸爸的面子上，才没有出声。不过他心里肯定非常不高兴的，这位先生后来一直都保持沉默，就是因为你说了那些不得体的话的缘故。"

　　我这样跟卡尔讲道理，就肯定不会影响到孩子的判断力。为了证明这种教育方法的优势，我可以对它作出进一步的论述。假如我马上对卡尔进行批评，孩子就会继续反驳我，对我说："可是，爸爸，我说的都是真话啊。"这时我就要进上步地继续开导儿子对他说："你说的都是真话，这没有错。不过那位先生肯定有想法，他觉得他的想法也没有错，而你只是一个孩子并不会懂得什么的。再说了，就算你说的都是正确的真话，你也完全没有必要一定要将这些说出来啊。那是人人皆知的事情，你没有看到其它的人都在沉默对这事沉默不说吧？要是你以为只有你一个人懂得，那你就太自作聪明了。再说大人指责孩子

做得不对的地方也是理所当然的，孩子在成长的过程中会出现的缺点，让大人们指出来也不是难为情的事，更不会是坏事。不过大人们对你的缺点不是也没有当着你的面说出来而是装着不知道吗？要是你以为别人没有发现你的错误，那你就错了。其实别人都已经发现了你的缺点，只是为了你的自尊心，不让你在大庭广众下丢脸，而都保持沉默而已。你现在知道这是别人对你的好意了吧？那么你看到别人的缺点后也应该这样去做。还记得《圣经》上说的吗？'绝不要让邻人去做自己不愿做的事'，这句话的道理就在这里。因此，在大庭广众下揭露他人的错误和弱点是很不礼貌的行为。"年幼的卡尔听了我说的这样一段话后，他肯定仍然会感到迷惑不解，因为孩子还不具备成年人那样复杂的心理，这种为人处事的方法，可能会在孩子们的心里觉得就是一种很不诚实的行为。要是卡尔还是很不理解地问我："那么，这不就是撒谎骗人的那种不好行为吗？"于是我就得继续开导孩子，对他说："你绝对不可以对人撒谎，要是你撒谎就会成为一个不诚实的伪君子。你只要不说话就可以了，根本就不必说谎。要是大家都在大庭广众之下相互挑剔缺点，世界上就会有很多争吵的事情发生，那我们就不能过安定快乐的生活了。"不过我对儿子是不用费这么多口舌的，我只要稍微提醒一下，卡尔就会明白自己的过错，并会立即改正缺点不再重犯，我就是用这样的方法来教育小卡尔的。

我认为我对孩子的教育方法是正确合理的，我从不用专制的态度去对待儿子，因此，也就不会损害孩子的理性和判断力。我的方法从某种方面来说是成人化的教育，它可以取得这么好的成效，最主要还是早期开发了卡尔的语言潜能。因为儿子词语丰富，所以只要稍微指点就明白了。很多孩子就是因为受到语汇的限制，常常在实施合理教育的时候都收不到良好的效果。

不少家长每当看到孩子在某种场合有不礼貌的表现后，不是当众训斥就是动手打孩子，并且还责怪他的不良表现。不过这些家长从来都没有仔细分析检查自己对孩子运用的教育方法。我可以举一些实例来阐明我的教育方法，我相信事实比理论更具有说服力。我的朋友安多纳德有一个跟我儿子同名的小男孩，年龄比小卡尔要大两岁，也是个很聪明机灵的孩子。不过我发现这个孩子有很多不良的行为，有时候喜欢揭别人的短处，甚至还会欺负比自己小的孩子。

我有一次在路上散步的时候碰到安多纳德一家，于是我热情地跟他们打招呼，并友好地摸了摸大卡尔的头。

不一会大卡尔毫不客气地对我说："叔叔，你看你的脸怎么那么苍白啊？看起来就好像是一具尸体。"

至少在某方面这孩子没有说谎，也许确实是这样的。因为我最近不小心着凉感冒了几天，我的脸色变得苍白是很正常的事。不过要是换成我的儿子小卡尔，他肯定不会用这样的语言来跟我说的，因为儿子知道这是非常不礼貌的，更不会用大卡尔那种让人无法接受的词汇说。

我当然不会去生不懂事的小孩子的气，不过我当时却真的不知道该怎么说话了。这时我的朋友安多纳德生气极了，他对孩子采用了我从来都不会采用的教育方式。

他抬手狠狠地给了儿子一个耳光，并厉声说："你这个孩子简直太不像话了，你怎么可以用这样的语言来跟威特先生说话。"

卡尔·威特教育圣经

我见到这种情形后赶忙劝阻，然而大卡尔很不理解地对他的父亲大声地嚷嚷着说："我并没有说错啊，你看看威特牧师的脸，他的脸色确实是苍白的嘛，你为什么要打我？为什么打我？。"安多纳德只好难为情地拖着自己的儿子逃跑似的离开了，我猜想大卡尔回去肯定又会遭到家长的一顿暴打了。虽然我早就听过大卡尔有喜欢揭别人短处的不良习惯，不过孩子这次也许不是故意要这么做的，他只是不会用合适的方式来表达他的看法。要是大卡尔对我这样说："您的脸色看起来怎么不像平时那么红润了？您的身体不舒服了吗？"

孩子这样说可以表达出同样的意思，但是听起来却没有那么刺耳而容易让人接受。前者所表达的意思就像是恶毒的讽刺，而后者却像对人的一种关心了。

大卡尔的父亲的做法就更加错误了，他不应当仅仅对孩子进行惩罚，而应当运用大家都可以接受的方式来良好地解决问题。从这点可以看出，家长平时采用的教育方法是不正确的，他对孩子进行的教育也是很不够的。所以，让孩子具有明辨事理的能力，具备丰富的语言知识是非常重要的，我希望所有的家长们都能懂得这个道理，不然孩子们将来是不会拥有幸福美好的生活的。

正确对待孩子的错误

　　对孩子进行批评的时候，最重要的是要让孩子感到心悦诚服。这说起来并不难，但是要真正做起来却不是想像的那么简单。因为家长首先要用孩子可以理解的道理和事例去对他进行教育，要是家长在一些事情上自己都还没有完全理解它，那是不可能去说服孩子的。讲道理给孩子听的时候，不要用高深莫测的知识来强行向他们灌输，而要尽量用通俗易懂的语言来讲解。孩子们应当懂得书本上的道理，但是家长不能用那种学究式的大道理来给孩子讲解，那样他们是很难接受的。

　　家长尤其要注意的是：批评孩子不等于将孩子当成自己的出气筒并且去惩罚孩子。要知道家长的言行和举动，都可能对孩子产生永远的影响。我在对卡尔进行教育的过程中，总是非常细心地观察他所做的事，并且尽量去理解儿子。就算因为某件事要对儿子进行批评的时候，也会在将事情的真相弄清后再作评价。

　　我有时候会发现卡尔对学习的兴趣大为下降，因为儿子一直都是个非常喜欢学习的孩子，他一旦有这样的情况发生时，就会容易引起我的注意。我首先想到的不是"卡尔不勤奋学习"，而是想到"儿子今天是怎么啦，他遇到了什么不愉快的事和麻烦吗？"我并不会立即去训斥儿子，而是找合适的时机耐心地跟卡尔交谈交谈。我有一次看到儿子捧着书保持了一个姿势很久，我知道孩子表面上看起来是在看书学习，其实卡尔很久都没有翻过一页书，只是呆坐在那里开小差而已。等儿子的休息时间到了，我就对孩子说："不管做任何事都要专心致志，只有一心一意地集中精力才能得到良好的效果，要是不将精力和心思放在一处，就算花再多的时间也不管用。不专心致志地去学习和工作就相当于浪费生命。"

"您发现我看书的时候走神了?"儿子看着我小声地说。

我对儿子说:"当然,我知道你是个非常优秀的孩子,从我教会你认字后,你对学习一直有着浓厚的兴趣,但是你今天为什么要出神呢? 告诉爸爸,你是不是不喜欢看书学习了?"儿子想了想对我说:"不是这样的,我还是很喜欢学习,觉得那是非常有趣的,尤其是当我逐渐懂得了那些知识后,会感到无比高兴。"我听了卡尔的话后,感到很不解地问道:"那你为什么在学习的时候发呆呢?"

"我只是在想……"卡尔吱吱唔唔了半天,却并没有接着往下说。我猜想儿子的心中肯定有解不开的疑问,于是我耐心地对他说:"没有关系,卡尔,有什么事尽管告诉爸爸,我也好跟你一起解决问题呀,你说对不对?"

儿子沉默了一会儿,终于跟我说出了他心中的想法:"爸爸,我今天突然开始想到,我学那么多的知识究竟有什么作用呢? 我要是学一些手艺活的话就可以做很多实用的东西,比如当铁匠就能够制造炊具和农具;木匠就能够建房屋和做家具,但是我现在学了那么多的诗句和语言,它能干些什么呢? 只是因为有趣好玩吗?"

我听了卡尔的话,心中有一种喜悦的感觉,因为儿子已经在开始思考更深层的问题了。现在是对卡尔进行更深一层教育的好机会。我认为应当首先对孩子的这一行为给予肯定的评价,然后再尽量去帮助他解开心中的疑问。于是我对儿子说:"卡尔,我很高兴你能想到这个问题,这说明你是在思考。你要知道一切力量的源泉就是知识,你要是不懂得数学,怎么可以计算建一座房子需要多少材料呢? 你怎么懂得哪种设计是合理的? 要是你连基本的力学知识都不知道,那么你又怎能知道要用多粗的木材去支撑房屋呢? 要是你不具备审美知识,怎么会建出漂亮的房屋呢? 要是一个木匠不具备这些基本的知识,他是不可能建造起房屋的。他除了每天对着木块出神,还能做什么呢?

最后只怕连这个木匠自己也会变成一块木头呢。"我尽量将这些大道理用活泼有趣的语言来讲解给卡尔听，他一听到这就忍不住笑了起来。我又接看说：

"铁匠要是不知道需要将铁块放在大火里烧红后才能够让它变形的话，那他如何懂得造出那些炊具呢？这里面就有关于物理方面的知识，要是铁匠连这最基本的东西都不知道，他对着硬梆梆的大铁块也许会急得要跳楼，甚至会被它们逼得发疯的，也许他急了还会用牙去咬铁块呢？"我边说还边做了个用牙咬的动作，"你说后来会发生什么样的结果呢？"

卡尔大笑着说："铁匠肯定会将门牙给咬掉的，以后说话就会漏风了。"

我也被逗笑了，又对卡尔说："没错。所以你一定要记住文学诗歌、音乐绘画、哲学等，这些都是人类智慧的遗产，是最美好的东西。文字语言只有人类才会具有，我教你各种不同的语言并不是要将你培养成外交官或者翻译，而是希望你可以更好地理解不同国家和不同地域的文化。你喜欢但丁，但你要是不懂得意大利语是不可能真正地去了解他的。他所写的那些精美的诗句，只有用他本国的语言才能得到更好地体会。

更重要的也正是像你自己所说的那样，你可以在学习中得到快乐和幸福，一个人能拥有快乐幸福，这也就是人生中完美的境界的了，你还不感到满足吗？"

卡尔听完我的话，心中的疑团全被解开了，脸上焕发出兴奋的光彩。

卡尔的求知欲和拥有在学习中体会到的幸福感就是他能够学有所成的关键之处。我作为孩子的父亲，当面对儿子的疑问就应当耐心地给予他帮助和解答。家长要是对孩子的行为只是片面地理解而不去思考，那么不但不能对孩子有帮助，而且还会产生一些不良的影响。

假如当卡尔学习心不在焉的时候，我采取责骂的方法而不是给予他关心和帮助，那么情况就会完全不一样了：

卡尔·威特教育圣经

卡尔·威特教育圣经

当我发现儿子正捧着书在那里发愣，只是作样子其实并没有翻动一页书的时候，我非常生气地冲上去打了儿子一个耳光，并且严厉地对孩子说：

"你这个混蛋，到底在想什么呢?"

儿子被我的粗暴行为吓呆了，吱吱唔唔地说："我，我正在学习。"很明显儿子是在撒谎。

于是我冲着他大吼起来："你还撒谎骗我，你知不知道学习时开小差是不对的?"

卡尔并没有回答我的问题。那我更生气地大声问："小兔崽子，你没听见我的话吗？为什么不回答?。"

儿子本来想跟我说出他的一些想法，这时候却不知道说什么好，一直说不出话来。

"快说你到底在想什么？你太不像话了，让你看书学习你却开小差。"儿子终于鼓足勇气说："我刚才在想，我学这些知识究竟有什么用处呢，木匠可以建房子，铁匠可以制用具，我学语言文字有什么用?"我听了儿子说的这些话，又生气地给了他一记耳光："你这个不求上进，没有用的家伙，喜欢做靠体力生活的粗人，我简直是白教育你了。"

儿子感到很委屈地说："可我想不明白……"

我蛮横地打断儿子的话："什么不明白？我让你学什么你就得学什么。"

用这种态度来对待儿子的父亲是极不称职的家长，这种做法既没有把握住教导孩子的良机，也伤害了儿童的自尊心，甚至会给孩子的内心留下极不好的印象。孩子会觉得学习是很可怕的事，学习的目的就是为了得到家长的笑脸。这样的教育是不可能培养出优秀的人材的，甚至会在倾刻间扼杀掉孩子本来具备的求知欲望。

这种极为低劣的教育会让一个孩子长大后变得自私凶残、虚伪懦弱，这种教育还不如没有的好。

不要伤害孩子的自尊心

就算是小孩子也应当要像尊重成年人一样来尊重他们，把他们当做成年人一样来对待。应该对孩子进行严格教育，但严格的程度以不能伤害孩子的自尊心为标准。要是孩子的自尊心受到了伤害，那么就会导致非常可怕的结果。一个原本能够取得很大成就，坚强好学的孩子，就是因为没有了自尊心很快变成懦夫无赖。

信任孩子们可以让他们保持自尊，不管成人还是孩子，得到他人的信任就能自重。信任孩子们比管束、耐心地说服他们更为有效。要是家长总是将孩子当成不良行为的人来对待，那么这个孩子就可能真的会成为具有不良行为的坏人。孩子在家长的压制下逐渐地失去了做人的信心，因此自尊心也就随之消失了。

孩子的自尊心很重要，因此在对卡尔进行严格教育的过程中，我始终非常重视不管在何种情形下都不能伤害他的自尊心。不管是有意还是无意，都不能对他的自尊心有伤害。

儿子和我们一起用餐的时候，我将他跟成年人一样来对待，跟他一起聊天。用餐时的谈话内容也是选择孩子可以明白的话题，以此来平等地跟他谈话。有不少的家长在用餐的时候不让孩子们说话，家长们要不就是表情严肃让孩子觉得吃饭就像受刑一样；要么就是在用餐的时候批评孩子的缺点。这种做法不

卡尔·威特教育圣经

仅让孩子不能得到吃饭的乐趣，还影响了他的食欲。甚至会让孩子觉得自己一无是处，从而形成自卑感。让孩子常常处在不自信、畏缩的状态中，他们是不会有良好的自尊意识的。

不少的家长为了让孩子容易管教，故意用严厉的方式来对待孩子，让他们惧怕自己，从来都不将孩子当成可以跟自己平等共处的人来对待，而是将自己变成君主，孩子变成奴仆。这种做法很容易让孩子变成胆小怯弱的懦夫，将他培养成一个失败者，懦夫想要取得成功是很不容易的。卡尔在我的家庭中是我们所有人的好朋友，我们相互尊重，和平相处。

不仅孩子有很多不合逻辑的问题，成年人有时也同样有非常可笑的东西，因此不管孩子提出什么问题都不应当嘲笑他们，而要耐心亲切地给予解答。要是家长嘲笑孩子，他就会因为难为情而不再提问题。孩子获取知识的向导就是提问，所以应当充分利用孩子问的问题来向他传授正确的知识。家长要是碰到自己也不明白的问题，可以去请教他人，也可以通过查阅书籍研究之后再耐心地给孩子解答。家长不应当去捉弄孩子，因为孩子往往在受到捉弄后，就成为一个不知羞耻而又粗暴的人，不少的犯人就是因为小时候受到家长的戏弄从而成为罪犯的。我不但不会去戏弄卡尔，更不会去随便敷衍儿子，我向来都是非常认真地对待卡尔所提出来的一切问题的。

我除了从来都不欺骗儿子，也从不欺骗任何人，因为欺骗是一种上帝也不会允许的罪行。要是家长欺骗了孩子，一旦被孩子发现了，那么他以后就再电不会相信家长了。失去了孩子的信任，后果是非常严重的，从而也会导致孩子也学会撒谎去欺骗别人。一次，有一位家长很自豪地跟我说："威特牧师，我相信我的儿子将来肯定可以成为一个政治家。"我很奇怪地问这位家长："你为什么这么认为呢？"这位家长回答说："我儿子昨天将他母亲储藏在厨具里的菜偷吃了，他知道制造假象，将剩下的汁都抹到猫的嘴巴上去。"

我觉得这样的家长是不可救药的，我猜他儿子的欺骗行为可能都是从他那儿学来的。

不少的家长将孩子当成玩物，总是自己包办了一切事物，不让孩子做这样，也不让他做那样，最后就会导致孩子对自己的能力缺乏信心。我的妻子在卡尔很年幼的时候，就开始耐心地教孩子帮她扣有纽扣的衣服，虽然儿子不太会扣，但是妻子觉得这是对孩子最好的动手锻炼，因此，她总是耐心地让儿子继续帮她扣，这确实是很有利于卡尔锻炼自己的方法。

让卡尔从小就给他的母亲扣衣服扣，除了可以练习他的手的能力外，还可以培养他助人为乐的观念。儿子的母亲除此之外还教卡尔自己穿衣服和鞋子。就算妻子的工作很忙，为了对儿子的教育，她也要尽量抽出时间来教孩子自己穿脱衣服。

很多家长对孩子过分宠爱将孩子看成宝贝，怕他跌倒摔伤或者受到伤害，总是不让孩子去外面尽情地玩耍，这样孩子就没有机会去很好地锻炼身体。有时候担心孩子看书学习会损坏大脑，因此就制止孩子看书，不对他进行学习方面的教育，这都是非常不正确的做法，这种方法培养出来的孩子，只能成为一个对社会没有用的人。

还有一部分家长用可怕的故事吓唬孩子，来达到让孩子听

卡尔·威特教育圣经

话的目的。这样会让孩子脑海里充满了恐怖的故事，当他们承受不了这种负荷时，很有可能会导致精神错乱，家长应当让孩子明白世上没有任何可怕的事物。孩子一般都很信任家长，因此，家长只要注意引导，孩子就不会产生害怕黑暗等一些胆小的心理。家长用鬼怪或者幽灵来吓唬孩子，这是很不利于孩子们健康成长的，就是因为有这种错误的教育方法，所以世上才有那么多怯懦胆小的人。

　　我给儿子讲了很多故事，有时候也讲神话故事，但我总会对孩子强调这些神话故事并不是真实的，只是人们幻想出来的而已。我经常选择一些勇敢积极的英雄故事来讲给儿子听，这样做主要是想通过故事，来教会卡尔一些人生道理和为人的精神。

　　家庭应当成为孩子们快乐的天地，是他们爱与欢乐的殿堂，但这也并不意味着对他们的放纵。孩子应当在健康家庭的关怀下茁壮成长，他们从小就应当在家庭中树立起做人的尊严，而不应在家长错误的教育下，让孩子失去做人的最重要的信心和自尊。

第八章
教孩子如何游戏和选择朋友

游戏就是游戏

　　成年人身上的放纵、任性等毛病大多是由于小时候没有受到很好的教育的缘故。

　　放任孩子对他不加管束，他很可能就不加选择地和别的小孩子一起玩，这就使他有可能沾染上各种坏毛病，从而养成不良的习惯。我经常看见一些没有受到良好管教的孩子们在一起打架、赌博或者用不文明的语言骂人。我多次前去劝说这些孩子并为他们平息战争。

　　每当我看到孩子们这些不良的表现就觉得非常遗憾，要是他们以前能够受到良好的培养，也一定能成为懂礼貌有修养的孩子，可是家长们并没有采用良好的教育方式去培养孩子。

　　这些没有受到管教的孩子很粗野，在玩游戏抛雪球的时候，他们会特意去挑像石头一样坚硬的冻雪块来使对方受到伤害。他们还经常互相用石头打架造成流血事件，更可怕的是，有些孩子的眼睛就因此被打坏而失去了光明！

　　每当我见到那些瞎眼睛、少鼻子、跛腿的孩子们时，就去问他们致残的原因，回答的结果大多是在玩游戏时受伤造成的。这让我常常感到不寒而栗。

　　儿子也曾经有一些伙伴，可是当我发现那些孩子很野蛮时，就再也不让卡尔跟他们在一起玩耍了。我在这里并不想指责那

卡尔·威特教育圣经

些孩子有什么缺点，但儿童毕竟没有成熟，是不太理智的，他们因为没有得到家长的良好教育从而会做出一些不可理喻的事情来。

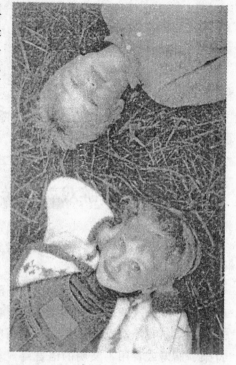

　　一个名叫安迪的强壮男孩，他聪明威严而且还有很强的组织能力，因此，他自然成为了那一群孩子的头领。安迪常常带着那些孩子们玩打仗的游戏。

　　安迪也许天生就具备这种领导能力，他将自己的人马管理得井然有序，每次打仗都能凯旋而归。但是有一次这位英雄却打了败仗。

　　那一次安迪带领孩子们玩攻城堡的游戏，他将伙伴们分成两部分。一部分孩子扮演攻城的敌人，另一部分孩子就由他带领着守城堡。

　　于是安迪就勇敢地跳上路边一辆拉货的马车，手里使劲地挥舞着他的木制宝剑。他边舞剑指挥，一手叉腰，还将一只脚踩在高大的车轮上，并且很有大将风度地对自己的同伴高喊："我们一定要坚守阵地，要消灭敌人。"

　　卡尔当时也跟这群孩子们在一起做游戏，儿子跟安迪并肩作战共同守护城堡。扮演敌人的那些孩子猛烈地向安迪他们扔石块、树棍，这些东西都被安迪用宝剑打落在地。

　　安迪和同伴们的想法都很统一，就是要：坚守城堡，打胜仗。可是"敌"人的攻击越来越猛烈，安迪他们感到有些招架不住了。

　　不一会儿，"敌人"中的一个头领从后方冲到了马车边，趁安迪不留神时狠狠地向他的背部踢了过去，安迪惊喊着从马车上摔了下去。

　　我在屋里就听到了孩子们老远的惊叫声，那时我正在家中跟一位从远方来的朋友讨论怎样良好地教育孩子的问题。我正想出去看发生了什么事时，不一会儿，变见儿子急急忙忙地向家里跑了过来，他十分恐展望地对我说：

　　"不好了，爸爸，安迪他……他出事了。"

　　我从卡尔惊慌的神情可以判定一定发生了大事。于是我和朋友在孩子的带领下急忙赶到出事的地点。当时孩子那种血腥场景不仅让我的朋友感到有些惊惶失措，也让我感到惊恐不已终身难记忘。

　　听孩子们说，安迪从马车上掉下来后刚好碰到了农夫们放在地上的一把镰刀的木柄，非常不幸的是，那把镰刀被碰着以后就从地下弹跳了起来，正好将尖锐的刀锋插入了安迪的大腿里，血流满地。

　　只见安迪痛苦地倒在地上呻吟不止，他的腿上全都是血，伙伴们谁也不敢上前去取下镰刀，那场面真是太可怕了。

　　我们将安迪送进医院之后，儿子跟我说："我真佩服安迪，他是个真正的男子汉。

　　我很奇怪地问儿子："卡尔，你怎么认为安迪是个真正的男子汉？"

　　儿子脸上流露出敬佩的神情说："安迪很勇敢，他为了守护城堡受了伤。"

　　"完全不是这样的，孩子。将安迪踢下马车的那个孩子是很缺乏理智的，但是安迪那样的行为也并不是真正男子汉的表现。"我对卡尔说。

　　儿子感到很不理解地问我："爸爸，你以前不是对我说过，做一个男子汉就要表现得很勇敢吗？难道安迪的表现还不够勇敢吗?"

　　我现在才发现孩子是单纯幼稚,他们还不懂得区分哪些事情是可以做的。哪些是完全不能做的。

　　我问儿子:"你今天跟小伙伴在一起做什么事情呢?"

　　"我们在做游戏呢,是攻城堡的游戏。"儿子很自豪地回答。我借着游戏来教育卡尔,让儿子懂得哪些是真的哪些是假的:"对呀,那只是一场游戏而不是真正的战斗。"我抚摸着小卡尔的头,接着说:"你非常崇拜那些英雄好汉,这并没有错。但是你也要明白,男子汉并不意味着就是勇猛,也并不只表现在不惜生命地拼杀。你们既然是跟好伙伴们在一起做游戏,为什么一定要真的打斗呢?这种野蛮的打仗游戏会将朋友演变成敌人的。安迪在游戏时受到了伤害,他就会记恨致使他受伤的那个孩子,这样原本是很好的伙伴就变成了仇人,怨恨往往容易使人形成邪念。安迪也许还会找机会去为自己报仇的,我不愿意看到你和你的伙伴们之间发生意外而导致仇恨。"儿子听了我的一番话,想了想说:"我还是很佩服安迪,没有任何人能表现得像他那样勇敢。"看来卡尔还是没有完全明白事理,于是我又耐心地对儿子说:

　　"安迪是个很聪明勇敢的孩子,但要是他整天只会打闹,结果会怎么样呢?如果他今天不被镰刀砍伤,也可能在以后的打闹中摔断手臂或者打坏眼睛。一个伤痕累累的孩子长大后能做什么呢?要是他将来想做一个将军,现在就应当知道保护自己不受伤害,身有残疾的人是没有能力去带领军队打仗的。你们现在还是小孩子,不懂得怎样正确地做游戏。游戏就是游戏,它不是真实的事情。要是你们有一天真的上了战场敢跟敌人去拼命,那才是真正的勇敢。"

　　儿子听到这才恍然大悟地说:"我明白了。"

　　儿童们在做游戏时的无知常常会导致他们受到伤害,要是家长不能对孩子进行耐心的教育,最终的结果将会是非常可怕的。我经常告诫儿子不要跟小伙伴们打架,那不仅会对身体造成伤害，更会在儿童的心灵中留下阴影。那种创伤远比游戏本身所带来的伤害严重。

孩子一旦形成仇恨的心理，这将是比天下任何事情都可怕的。仇恨情绪不仅能让孩子陷入孤立的处境，更会让他叛逆家长，对别人充满敌意。

有些儿童不能分辨是非曲直，就是由于没有得到家长正确的教导。因为家长没有给孩子们提供快乐地度过童年的适当环境，导致他们懒散无聊，不懂世上还有很多美好的事物存在。由于孩子们没有体会到书本的魅力，因此也就无法在文学艺术的海洋中得到知识和快乐。家长没有给孩子们进行适当的指导，因此，那些孩子们不是整天无所事事，就是以打架斗殴为乐，更有的甚至加入邪恶的赌博组织。孩子们这样去度过童年将来是不会有美好生活的。

由于孩子们从小就没有受到家长正确的指导，父母也没有给他们提供一个能度过美好童年的环境，因此这些孩子是非常不幸的。世人们常说孩子性格的好坏和才能的强弱都是先天的。我常听到家长们抱怨说："我那个儿子整天不学好，怎么教他都不管用。简直糟糕透了。"每当我听到家长们这样抱怨时，就感

到非常的难过。要是家长都不相信孩子，那么这些孩子们将来还能有好的前途吗？我必须要告诫家长们的是：孩子的本质都是好的，他们的一切过错都是由于没有得到家长的正确指

卡尔·威特教育圣经

导，这样的家长是没有资格为人的父母的。

　　因为上面的这些原因，我在对儿子选择伙伴时要求得十分严格。我总是尽量把卡尔跟有共同爱好的孩子聚在一起互相学习，让孩子们对某个问题进行讨论。每当我看到儿子和孩子们在一起扮演戏剧角色、朗诵诗歌或者为一个问题进行争论时，我会为此感到非常的高兴，而不会前去阻止他们的。

有节制地与伙伴交往

　　我让卡尔有节制地与其它儿童交往，可以让儿子保持良好的心态去做事情。因为他在家里没有机会去跟别人吵闹，也就不会形成偏激的性格。

　　卡尔非常受伙伴们的欢迎，他从来不会跟别人吵架。就算有坏孩子做出一些不良的行为，儿子也不会争吵不休。卡尔现在 14 岁了，直到今天，他跟伙伴们之间都没有发生过争吵事件。他在大学里求学时，常常跟同学们讨论学术上的问题，但是儿子非常注意不去伤害友情。卡尔比同学们的年龄小很多，一些同学因此妒嫉他。但是因为儿子处事理智宽容，同时也赢得很多人的友谊，有些人甚至跟儿子非常要好。我为此感动不已，非常感激这些善良的朋友们。

　　对儿子进行教育的过程中，我绝不禁止他跟伙伴们玩耍，但是却要孩子在我的监督下进行有节制的交往。因为是有限制的玩耍，孩子们就会相互忍让，更不会想到去做违法的事，这样就避免了孩子不良行为的发生。

　　我对卡尔采用这样的教育方法，结果非常令人满意。因为儿子没有沾染上坏孩子的恶习，就不会去惹事生非。甚至还能巧妙地化解别人的挑衅。因而，只要有人跟卡尔交往过就会喜欢他。

　　我带卡尔游玩过很多地方，临别时那里的朋友总是不舍得

卡尔·威特教育圣经

让我们离开。从上面的事实可以证明，儿童要是没有伙伴就会失去童年的乐趣并会变得孤僻这一观点是很不正确的。我坚决反对那些家长由于儿童喜爱跟孩子们在一起玩耍就要按照孩子的意志去行事的做法。

在游戏中感受生活

我非常庆幸自己娶了一个贤惠善良的好妻子，这是我一生中最大的幸福。妻子不仅是一个非常贤良的人，而且还是具有很强责任人的伟大母亲，在对儿子进行教育过程中，她也花费了大量的精力。卡尔能拥有这样的母亲也是他的幸运。

我给卡尔买来炊事玩具后，妻子并不像别的母亲那样将玩具扔给孩子就不加管束了，她会运用玩具来开发儿子的潜力。

妻子常常边做事边耐心地给儿子解答疑问，并且教孩子如何使用炊事玩具来练习做菜，她还通过教儿子做菜这一方法来让卡尔学到知识并且深刻地体会生活中的乐趣。

儿子有时候喜欢让母亲扮演厨师，自己则充当家庭主妇。这样一来母亲就得向儿子请示问题了，要是卡尔的吩咐不恰当，就撤消他当主妇的资格而贬为厨师，重新做主妇的母亲就对儿子下各种命令。比如，母亲吩咐孩子洗菜或者去拿某种调味品等。

要是儿子将事情弄错了，他就连厨师的资格也被开除了。

妻子经常兴致勃勃地跟我讲述她跟卡尔之间发生的趣事。她跟我说：

"我当厨师，儿子做主妇的时候真有趣。儿子给我下达命令后，我故意做错事来考验儿子，要是孩子没有发现我的错误，就可以撤消他当主妇的资格了。不过聪明的儿子总能准确地找

卡尔·威特教育圣经

卡尔·威特教育圣经

出我做得不对的地方，于是我就向他承让错误。这时儿子还要郑重其事地教育我。有时候我特意耍无赖，孩子就用平进批评他的口气来批评我。当我充当学生，儿子扮演老师地时候，孩子一旦发现我有意将他讲得很精彩的地方说得很糟糕时就会教育我。"

　　通过这些游戏的培养可以让卡尔在今后的生活中掌握更多成功的经验。

　　妻子经常带着卡尔做这种类似的游戏，有时还带孩子像演剧本一样地进行表演。例如，她们母子俩常喜欢表演发生在生活中的一段故事，要不就是历史书中的情节。

　　妻子还教儿子做旅行游戏，这样就能通俗生动地教给卡尔有关历史地理等方面的知识。我有时也会带卡尔做相似的游戏，我们是玩扮演将军士兵的游戏。儿子不管是当将军还是士兵部非常踊跃，有时儿子当一个英勇的大将军来命令我这个士兵；一会儿他又可能会变成士兵受我的指挥。

　　儿子按照自己的理解将角色表演得生动活泼，他的表演很富有想像力。卡尔还会根据自己的想像去扮演不同性别、年龄和职业的人。

　　这些游戏对儿子有很多帮助，它不仅能够培养孩子的独立、记忆、观察、判断和创造能力，还能满足儿童的好奇心，并且可以充实孩子的精神世界，有利于增强他的语言和组织能力。

书中的故事对儿童来说是具有很大魅力的，这是儿童的精神食粮。我跟妻子经常教导卡尔要将书中的人物、故事表演出来，有时我们也参加孩子的表演。这确实是一种很有乐趣的游戏，我们成年人玩起来都觉得很开心。做游戏能够让孩子对故事的印象更深刻，而且还能增强他的创造力。卡尔在做游戏时运用各种动作去演故事中的情节，还扮演了形形色色的人物，通过这些锻炼可以增强儿子欣赏美的能力。

我常常为卡尔选择一些健康活泼、语言优美、比较容易表演的故事来跟他一起做游戏。情节比较简单明了的故事能促进儿子的理解和记忆，故事中的对白多能够锻炼孩子的语言能力。我会在表演前将故事的大概跟卡尔交待清楚，让他理解故事的意思，知道自己将要饰演人物的具体语言和动作。要是故事中有非常重要而深奥的情节，我就会认真地给孩子解释，让他很好地理解来加深印象。

我总是让卡尔参加做游戏的准备工作，还给他营造环境气氛来增强他的表演欲望。我经常对儿子说，表演时可以自由发挥，大胆设想，不要局限于故事中。当没有表演的道具时，例如过河，我就让孩子用抽象的动作来表明。

我会在卡尔表演的时候予以正确的指导，让他懂得自己应当怎样做，怎样对自己饰演的角色有感觉。我有时还会给孩子做一些表演的示范，但却并不强迫他按照我的表演方法去做，以免孩子的想像力和创造力受到限制。

我还设计了一些积木来让卡尔玩耍，儿子高高兴兴地用它们来造房子、架桥或者建城堡。因为孩子在玩建筑游戏的过程中是需要想办法的，这样对孩子的智力开发是很有好处，它还可以锻炼儿子的毅力。

儿子有一次费了很大的精力才将积木建起了一座有房子城墙的大城堡，城外还架了一条精致的小木桥。卡尔正兴高采烈地要站起来叫我去观望时，儿子的衣服扫在城堡的主要建筑物上，导致上面的建筑物倒塌了下来，而且还将下面的房屋等建筑一并毁坏了，甚至连他精心搭建在城外的小木桥也荡然无存，儿子精心建造的城堡转眼就成了一堆废墟。

我看到儿子闷闷不乐地坐在地上，看着一塌糊涂的积木出神时，就明白孩子在为什么发愁了。卡尔一看到我走过来就跟我说："都是我太兴奋了才粗心地将城堡给毁坏了，爸爸，你不知道我将它建造得多漂亮，可是它却毁了。"儿子难过得都想哭了。于是我对孩子说："孩子，不要再惋惜什么了，更不应该为此感到伤心难过。你第一次可以将它建造成功，难道第二次就不能了吗？光坐在这儿发呆管什么用呢？行动起来，我相信你再建一个肯定会比以前的更漂亮。"

儿子听了我的话后，精神马上又振作起来。说来容易，做来难。儿子建造的是结构非常复杂的城堡，他要再一次建造，是需要很强的耐心和毅力的。

过了一段时间，儿子又将城堡建成了让我去看他的成果。我看到孩子那精美的建筑品后感到惊讶不已，没有想到他建造得这么出色。

儿子自豪地跟我说："这次建造得比上次还要好，因为我这一次在以前的基础上做了一些的改良，我觉得我建造得又快又好，你说是吗？爸爸。"

我也高兴地对卡尔说："不错，你做得非常的好。"

由于儿子在首次中积累了经验，只要他有毅力重新开始，就肯定能取得比以前更好的成绩。除了让卡尔做以上的游戏，我还在儿子年幼时教他玩一些跟人们的生活紧密相联的游戏。我尽力通过玩游戏来让卡尔得到全方位的发展。

跟孩子做游戏时要注意方法，能让他开动脑筋的游戏是最适宜的。孩子不觉得枯燥无味，也就不会吵闹不休了。

虽然儿子没有什么玩具，但他会利用有限的玩具来玩耍，所以不管何时他也不会感到无聊。

我与孩子所做的各种游戏

游戏不只是一种娱乐活动，只要家长懂得运用它，那么游戏也可以成为孩子学知识的一种有效方法。

很多的家长为了制止孩子的哭闹，就给他们糖果或者玩具。家长经常采用这种方法来阻止孩子的哭。我对这些感到很难过，家长这样的行为是非常不正确的。儿童的快乐决不只是吃，他们除此之外还有其它的乐趣。卡尔的母亲为了不让儿子哭闹，就将颜色鲜艳的玩意给他看或者是播放音乐来哄他。孩子要是吃得太多，往往会变得愚笨而又不健康。

我设计很多游戏来培养儿子多方面的能力，我为卡尔营建了一个装有各种运动器具的娱乐场地，那儿有沙袋、单杠铃等能让孩子健壮肌肉的器械。儿子游戏时必须要有目标，不能让他的精力白费。一定要让孩子在精神、身体、道德等方面的能力全面发展。

经常玩能够培养儿童爱好的游戏非常重要，由于这是孩子的天性，开展起来也不太难。我跟卡尔经常玩盲人摸象的游戏，

操作方法就是用布将孩子的眼睛遮住，然后让他摸索手中的东西猜出是什么物品。还有一种方法是将孩子遮住眼睛后，让他在家里四处走动，要是碰到一样物品时就让他猜出这是什

么东西。很多儿童都非常喜欢玩这种游戏，它可以增强孩子的触觉感。玩数数的游戏可以增强孩子的视觉能力，我常常将几颗豆子或者其它的小玩意放在书桌上，让儿子看过后准确地说出物品的数量。我总是在生活中寻找机会跟卡尔玩这种游戏。比如，我看到篮子里的苹果就会问儿子："这里面有几个苹果？"要不就用路旁的树来考问孩子有多少数量，我甚至在另一个房间里摆出不同的东西，让他看后就马上回答出这些物品的名称。这样做不仅能够让儿子的视觉变得很好，还可以增强他记忆力。有很多游戏可以训练视觉能力。比如要卡尔在规定的时间内准确地猜出家里的一样东西，首先我可以提示他是一种什么颜色的东西，然后让他说出是什么物品。要是孩子连续猜很多次都没有说对，就转换角色，我来猜儿子问了。

我与卡尔还玩乘法口诀的游戏。比如：我将一些乘法口诀写在小卡片上，然后现将这些小卡片反过来放在手中，让儿子抽出一张翻过来看后就马上说出结果。要是孩子回答正确，我就将这张小卡片拿走，要是孩子不能立即回答或者答错了，我就将正确的答案告诉他。这种卡片游戏不但可以增强儿子的记忆力，而且还可以让他的行动变得灵活起来。我将卡尔的语文数学、历史地理等很多功课都编成小卡片，让儿子在这快乐的游戏中巧妙地掌握多种知识。

为了能培养小卡尔判断方向的能力，我还常常喜欢带着年幼的儿子四处散步，下次再去的时候我就让孩子带路。这以后，还不到两岁的儿子就可以带着别人四处游玩而不会迷路了。

我还带领小卡尔玩"模仿铜象"的游戏来让他懂得控制自己的肌肉。我让孩子摆个固定的姿势然后开始计时，身体在规定的时间内是不允许移动的，这样就能让儿子懂得控制自己的身体。希腊人的动作特别优美，据说他们就非常喜欢玩这种游戏，我想这就是其中的奥妙。

为了能够增强儿子的智力和体魄，同时也能让他感到快乐，于是我还传授卡尔园艺上的知识。在儿子很小的时候，我就在院子里弄了个小园地，然后给孩子买来一些工具开始教他种花草、浇水、除害虫的知识。这些园艺活动，对小卡尔来说也是一种非常开心、有趣的游戏。这样做，不仅能让儿子产生新的兴趣爱好，并且还可以让他从小就养成热爱劳动的好习惯。

卡尔·威特教育圣经

第九章
随时注意夸奖孩子的妙处

孩子信心的来源

"你是一个聪明能干的好孩子。"这是我在教育卡尔时经常对他说的一句话。我总是用这种赞美的语言帮助他树立起自己坚定的信心去解决困难，排除心里的烦恼。"我相信你，你一定能做好的。"当孩子感到失落和痛苦的时候，我就这样对他说。每个人都会有失去信心和失落的时候，何况儿子毕竟还是一个小孩子，在他的成长道路中肯定会遇到一些难题，我应该竭尽所能地帮助和支持他，只有让儿子对自己充满信心，才能让他去勇敢地面对未来人生的一切挑战，才会创造幸福美满的生活。

怎样才能让孩子充满信心？这就需要家长耐心地培养并常常对他说一些鼓励的话。如果我对卡尔从小就缺乏信心，我实

在想像不出他现在会变成怎么样的一个人。孩子特别需要旁人的称赞和夸奖，夸奖孩子证明父母对他有足够的信心，同时也坚定了他的自信心。只

有当孩子对自己充满了自信，父母才能培育出杰出的人才。

卡尔第一次学习写作时，他对自己的写作能力很没信心。当他小心翼翼地把写的文章交到我手里时，我就看到他感到很不自在，就像他在等我的判决口令似的。我看了他写的作文，发现那确实是篇很差的作文，存在着一些问题：写了很多错别字，句子不够通畅，事物还没有叙述清楚。我该给予他一个什么样的评价呢？我很明白不能如实而又随便地对孩子说"不好"这两个字，因为我明显地感到儿子对写作缺乏足够的信心。儿子看我很久都没有给他回答，就很难过地低下了头。但是出乎他的意料，我作出了令他感到很高兴的评价，我微笑地对他说："你这第一次写的作文很好，我刚开始写的作文还不如你呢。"儿子听了我话后，脸上顿时绽放出了兴奋的笑容。

过了几天，儿子又写了一篇文章给我看，他这次写的作文明显比上次好得多。

信心的基础是"自信"。一个自己不信任自己的人，就没有信心可言。经常给孩子一些夸奖和称赞能树立起孩子的自信心。

不管是成人或者儿童做事情，如果对自己缺乏自信，必定不会成功。反之，对自己充满自信，他无论做任何事情，都会勇往直前最终取得成果。

"对孩子最重要的教育就是要让他对自己充满信心。"这是我在教育儿子的过程中最深的感悟。

有很多妄自尊大的父母对孩子却缺乏尊重，虽然幼儿并不真正知道什么是自尊，但他们却能够很敏锐地感觉到父母对他们的情绪，如果父母对孩子爱抚和夸奖，他们会回报微笑；对于厌恶他们或者对他们冷漠的父母，孩子则以任性的撒野来回应。

如果大人对孩子进行体罚，或者是对他们不公平，他们就以任性哭闹，或者做坏事来回应，这是他们所特有的回报手段。

因此，我常常检察自己；在教育卡尔的时候是不是尊重他。要克服孩子的任性，就必须认真调整自己对孩子的态度和做法，这是我在卡尔的成长过程中发现的。

　　就以卡尔第一次写作文的事件为例，如果我看到卡尔写的文章很糟糕，就把他的劳动成果给否定了，甚至骂他笨，他的自尊心会受到伤害以至于失去了信心，他以后再也没有兴趣去写文章，这就扼杀了他的写作才能。

　　为了不让孩子失去信心，即使他做得很差，也要善于对他进行夸奖，以免孩子感到悲观失望。多帮孩子找自身的优点，一定要找出他闪光的地方给予夸奖。所以每当卡尔得了"优"，我当然就要大大地称赞他一番，更增加了他的信心。如果成绩是"中"，夸奖也是很重要的，此外还可以帮他找原因，但重要的依旧是夸奖。

　　那些美的东西总是给人留下很深的影响，而那些丑的东西却让人惟恐避之不及。多"夸"孩子可以使他产生美好的心境，让他在激励自己不断前进的同时，也留下了美好的回忆。当我发现卡尔做了一件好事时，我总是对他称赞一番。当他听到我的赞美，就会信心倍增，高兴得眉飞色舞。我认为应当毫不吝惜地给孩子夸奖，哪怕他只有一丁点可取的地方。反之，就算他有一些地方做得不够好，也不要对他进行挖苦和讽刺。父母应当对那些做错了事情但能够勇于改正错误的孩子既往不咎。

　　当孩子做事情失败的时候，父母不能对他说"就知道你没有这个能力"之类打击他的话，凡人都会经历成功和失败，然而失败常常会比成功多，因此我们要对孩子多加鼓励帮助他从失败中走出来。

让孩子学会面对失败

　　走向成功的道路是漫长的，第一步尤其关键，5 岁就是孩子迈向成功的第一步。在卡尔 5 岁时，我就开始对他进行各方面的培养了，当然最重要的，就是首先培养乐观向上的性格。

让儿子学会直面失败，战胜失败，是十分重要的，因为在人的一生中通常会遇到很多的失败。有时候由于担心失败而导致失败，有时，由于不畏惧失败反而获得了成功。

　　孩子因为害怕失败而产生了很大的心理压力，使得那些原来轻易就能够做到的事情，结果也做不好了；由于对失败的恐惧，孩子就会产生不做不错，多做多错的心里，这就会让他失去了试一下的念头，从而处于一种始终无能为力的状态。

　　在这方面我对卡尔十分的宽容，当他在某一件事上遇到了失败，我也会让他别管成败再尝试饮。我们都搞不清楚，一个孩子在学习说话和走路的过程中，究竟会失败多少次，但是他最终却通过不停的努力而取得成功。这就是孩子给我们的一个最好的启示。

　　如果对失败畏惧的心理不能消除，时间长了，孩子就会养成对任何事物都没有兴趣，不想参加任何活动的习惯，这极大的危害了他的心理健康。久而久之，将会导致孩子变得性格内向、郁郁寡欢，这样他的一生怎么会快乐和美好呢？

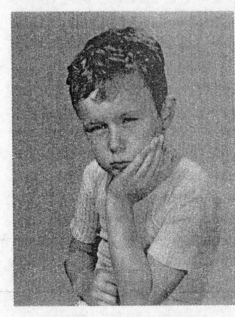

　　所以不论卡尔做什么，只要他没有违反最基本的原则，所做的事对自己和他人没什么损害，我都会竭尽全力支持他，鼓励他勇敢地去尝试。我想，孩子只要对于失败不心存畏惧，那么在对他进行正确的引导下，事情都会做好的。

卡尔·威特教育圣经

第九章　随时注意夸奖孩子的妙处

　　我反对那种父母将应当由孩子自己做的事全都包了下来。这样时间长了，孩子很可能就会失去了独立行动的能力。所以不论任何事，都让父母去决定，这是不对的。

　　在卡尔的身上就是这样，我总是让他自己去做那些力所能及的事。我从来不让他用"我不会做"这样的借口，来求得我的帮助。每当他说不会做一件事时，我很少会帮他去做。而通常总是这样说："让我来教你怎么做"。

　　由于卡尔在很多方面都得到了很好的发展，所以我和妻子在他遇到挫折时，总会给他提供的帮助和鼓励，他也从我们夸奖之中找到了自信心，从而形成了他现在的那种始终快乐向上的性格。

第十章
努力培养孩子的良好品德

为卡尔的行为作记录

我花费了很多的精力来培养卡尔的良好行为，在儿子刚开始懂事的时候我就给他讲述一些有关行善的故事。每当小卡尔做了善事，我就会立即赞扬他的行为，有时甚至还会在儿子的母亲和朋友面前称赞说："儿子今天做了一件好事，表现得非常的好。"

不过，我赞扬卡尔会掌握分寸，从来不超过尺度，免得儿子以后会形成骄傲自满的情绪。我表扬儿子时，只跟一些了解他的亲朋好友说起，并不会去四处宣传。

此外我还开始教卡尔诵读一些道德诗。我们国家有不少是歌颂仁爱、友情、勇气等各方面品德的优秀诗篇，这都是对孩子进行培养良好行为和品质的珍贵财富。我总是让儿子感受这些美好的诗篇，因此，卡尔很小的时候就可以非常流利地背诵出这些诗篇。

我给卡尔制作了一个行为记事录来鼓励他多行善事，把儿子所表现出的良好行为都一一记录下来留作纪念。这样儿子就会经常做善事。我每当看到儿子有良好的行为就将它记录下来时，卡尔也会为此欣喜若狂，常常翻阅这些记录。这时候，他总会流露出幸福快乐的神情。

我在对儿子进行良好行为的教育时就跟培养卡尔其它方面

的优秀表现一样，我从不压迫孩子去做任何事，而是在让儿子感到这样做是一种乐趣的基础上来让他自愿地行善和感受克制自我的愉快。虽然让儿子懂得这些愉快的滋味不太容易，但也是可以做到的。只要对孩子进行耐心地培养，他就可以体会到行善和克制自我的喜悦。

我希望卡尔能成为一个品德高尚的人，因此我花费了很多精力来培养儿子的良好行为。我喜欢运用一些典型的反面教材来作告诫儿子行善的方式。我经常跟他讲一些不法分子做了坏事没有好下场的故事，并对这些人的不良行为给予严厉的指责。

有不少的家长在孩子的成长过程中看到孩子有一些不良行为而常常抱怨不已，比如："为什么我家的儿子一点都不诚实，整天撒谎？""为什么孩子没有善心，不会善待小动物？""为什么孩子总是很任性？"家长们无可奈何地面对孩子的这些不良表现，这些困扰让他们感到非常的痛苦，甚至有些后悔让这个孩子出世的想法。父母亲不知道该怎样来教育孩子改正那些不良行为，对自己教育孩子的方法没有信心。也有些家长说我费了很大的精力来教育孩子，也不能改正他的恶习，孩子还是像以前一样任性霸道和撒谎，一点都没有悔改的迹象。其实只要对孩子采用适当的教育方法，孩子的恶习会去掉的。

社会道德法则会约束人的行为，它并不是虚无的理论，也不是玄奥的观念，而是一种包括每个人形成的思想感情和行为的规范。孩子刚开始的约束就是来自于他身边最亲近的人。要是孩子最亲近的人善良正直，这个人的优良品德就会影响到孩子，让孩子受到教育。家长要注重孩子的健康成长，让他们的精神充实丰富，而不应该让他们只懂得物质享受。

家长最基本的要求就是希望能将自己的孩子培养成正直善良、负责任的人。孩子是否能对美善与公正正确理解，决定着他将来是否能成为这样的人。家长要是在这方面不加重视，很容易让孩子沾染上一些恶习。一个没有道德良知的孩子将来很可能成为不法分子，他们没有责任感和爱心，只会扰乱治安、冷漠无情地去伤害别人，让人们感到憎恶。这些人本来也是能够为社会作出贡献的，但是现在却沾染上恶习变得如此堕落。父母们看到孩子这样的不良行为，常常为此感到痛心疾首。

只对孩子进行奖罚的教育方法不能让他懂得识别是非对错，很多家长就喜欢用这种方式来对待孩子。当孩子有良好的表现时就给他奖励；要是孩子的表现不佳时就对他加以处罚。其实这是家长不负责任的教育方法，不肯在孩子的身上花费精力的表现。要是孩子掌握了家长的这种奖惩方式，会觉得这只是一种互换关系，于是他就会想出一些计策来对付。因此家长要是不了解孩子的心理，不对他进行耐心地教育，将会导致孩子不能很好地明辨是非。如果家长不再对孩子进行奖赏时，他也就不会再守规矩了。

对孩子进行惩罚的方式，只不过是一种暂时有效的方法，孩子往往会有这样做会受到处罚，那样做就能得到奖励的想法，但是并不会因此而懂得分辨是非。所以，这种方式并不适合对孩子进行真正的教育。我在对卡尔进行教育时，从来不用简单的奖惩方法，而是经常运用一些适当的方式来让孩子明白善与恶的区别，让他真正领悟到做善事的愉悦。

品质、才能、健康能全面发展的人才算是最理想的人。要是仅仅只注重孩子的身体状况，那他将来可能会是个没有智慧的蠢人；要是只注重孩子的品质，那他将来很可能是一个弱者。

第十章　努力培养孩子的良好品德

要是只注重孩子的智力发展，那他将来可能会是个没有作为的废物，甚至会成为社会中的无赖。这些人将来对国家都是毫无用处的，因此，最好能让孩子的德智体得到全面的发展。

孩子像是父母的复制品，父母则是影响孩子的榜样。我给儿子传授知识，首先自己要做好。对卡尔进行品德培养的时候，我的行为处处小心谨慎，以便能给孩子一个好的榜样。

我非常注重培养卡尔从小勤奋好学的良好习惯。懒惰是导致各种坏习惯的源头，而勤奋却是孩子重要的品德之一，是得到快乐的基础，要是一个人的聪明才智不用到正处，就会误入歧途，那将是令人感到非常遗憾的。

"谁也不希望自己将来成为一个对社会有危害的坏人。"我经常运用柏拉图说的这句话来提醒儿子，并要求他养成严于律已，热心助人的好习惯。孩子养成的不良习惯大多都是由于家长的教育方法不正确所导致的。家长应当培养孩子从小就养成勤奋向上、热爱劳动、关心他人的良好习惯，这样孩子将来就能成为一个对社会有帮助而又快乐的人。

勇敢是一种优秀品质，我要求卡尔能成为一个勇敢的孩子。很多家长每当看见孩子受到委屈时就心疼地哄劝他，这反而会让孩子觉得自己委屈而感到更难过，家长的这种作法是非常不正确的。遇到这种情况时，最好不要过分地去劝慰孩子，应当及时地转移孩子的注意力来帮助他遗忘苦恼。要是一个人总是没有骨气地依靠别人的同情和怜悯生活，这将是非常悲惨的人生。不过，勇敢并不代表着冷漠无情。我时常告诫卡尔要成为一个勇敢又热心的人。自己怎样去对待他人，别人也会用同样的方式来回应你，让儿子懂得这个道理很重要。

劝戒孩子做好事和与培养孩子的善行是有一些差异的，我常常用钱作为小奖励来对儿子进行行善的引导，而当孩子做了一件好事时，我就不用钱来奖励他，而是将他的良好表现写到记事录上。

我对卡尔说："学习可以给我们带来知识和快乐，行善则可以让我们得到上帝的奖赏。"

让孩子懂得如何花钱

卡尔5岁时就已经存有一笔不小的积蓄了。于是，我就开始教育他怎样正确地使用那些积蓄。

在对孩子从小进行严格教育的同时，也应当要指导他怎样正确地使用钱，这种理财教育是我对儿子进行教育的一个重要部分，同时也是教育卡尔素质的内容。它是关系到人生幸福的很重要的因素。

理财是孩子将来成人独立生活所必须具备的重要的能力之一，理财能力的培养应当从小就开始，教育得越早，收到的成效就越好。

儿童时期是很容易做错事的一个阶段，孩子没有经济来源，也没有成熟的金钱意识。他们有花钱的需求和欲望，却往往不懂得如何去管理自己的钱，这就容易导致孩子不正当的花钱，这种错误将会影响他们的健康成长和发展前途。因此我对儿子理财的培养也跟其它的教育一样，从孩子年幼的时候就开始进行培养。

我对很多孩子进行了观察，我发现他们的行为都存在着相似的错误，比如：乱花家长的钱，喜欢赊账；没有勤俭节约、储蓄的良好习惯，支出比收入要多得多；认为金钱是可以买来

卡尔·威特教育圣经

吃喝玩乐的好东西；没有钱之前就有多次购物欲望，从来都不为自己作计划；购物时喜欢将钱统统用完，只在消费购物时才能得到满足。

以上都是孩子们在花钱上常犯的错误，家长们有责任和义务帮助孩子们改正这些缺点，树立正确的金钱观来培养他们将来的有些家长总是给自己的孩子提供大量的零用钱，无限地满足孩子来纵容他过分的物质欲望，这会让孩子滋生恶习。孩子成年后独立生活时，就会为自己的经济境况而困窘，他们没有良好的独立生活的能力。

我给卡尔一些钱作为奖励，就是要让他从小知道如何合理地花费钱，并且让他深刻地体会到付出与回报之间的关系。我从不会无条件地给儿子钱，总是要当卡尔有良好的表现时才给他一些钱作为奖赏。

一般3岁的儿童就开始有自我意识，"我自己能做"、"我来做"的表现欲望很强烈。因此我在卡尔3岁的时候就开始对他进行理财方面的培养。这种培养对孩子是恰当合理的，它也跟别的教育一样能对孩子的健康成长提供良好的基础。一些家长严令禁止儿童接触金钱，这种做法是很不正确的。

对孩子进行理财培养是一种教育手段，其目的并不只是让孩子学会积蓄，而是要让他成为一个真正健全有能力的人，这样，家长对孩子进行道德品质的培养也非常的重要。

卡尔·威特教育圣经

　　家长首先应当要培养孩子诚实的品质。这决定着孩子将来用何种态度去面对关于钱财的工作，以及将来的社会公众会对他进行怎样的评论。孩子要是不够诚实，这将会影响他的健康成长和光明的前途，甚至会给他造成非常严重的不良后果。

　　我要教会儿子诚实时，就运用讲故事的方式来对他进行教育。我经常给卡尔例举一些可以说明诚实品质很重要的实例或者是书中的经典故事，让儿子更深刻地理解诚实的真正含义以及诚实所带来的美好结局。

　　我常常认真地自我反省，仔细地回想我的所作所为给孩子造成了怎样的影响，有没有在卡尔面前表现得不诚实。

　　我通过平常生活中对儿子的培养来让他诚实的品格个性化。尤其是孩子到了上学的时候，我鼓励卡尔用自己的道德标准来判断行为的正确与否。我教育儿子在面对生活中的两难选择时务必要做到诚实守信。

　　我经常告诫儿子不要为了金钱而丢失尊严。

　　金钱在现实生活中是不可缺少的，但也是最容易让人丢失尊严去做违心事的物品。但要是一个人能够在钱财的诱惑下仍不放弃自尊，不违背自己的良心，那这个人就会受到人们的崇敬，最终金钱也会屈服于他，因此，他的事业就会取得更大的成功。

　　在对儿子进行教育时，我非常注意自己在对待金钱方面的行为，以便能为孩子树立自尊的好榜样。卡尔通过以前的各种教育跟学习我的榜样，已渐渐地形成了自尊的好习惯。

　　家长应当给孩子提供一个稳固的家庭，更要学会去倾听孩子们的心声，不管是在何种情况下，遇到问题都应该先征求孩子们处理这件事情的建议。

　　任何一个孩子都有想要在某件事情上取得成功的心理，因此，让孩子有感到满足的成就感也非常的重要。家长要经常给孩子们营造一些增加自信心的机会。家长替孩子作决定的这一习惯要尽量避免，应当准许孩子自由地选择他自己感兴趣而愿

卡尔·威特教育圣经

为之努力奋斗的事情。

能让卡尔感受到自身价值这是我非常注重的一点。孩子一旦发现了自己的价值就会感到高兴不已，那种来自内心的幸福是世上任何事物都不可比拟的。家长经常表扬孩子的特长对他保持自尊很有帮助。

在培养儿子理财的过程中，我要求他学会勤俭节约。决不允许孩子毫不珍惜地对有价值的东西毁坏或抛弃，要他必须懂得每一件物品的价值所在。勤俭持家对任何一个家庭来说都是十分重要的，家长们应当让孩子知道每余年件物品的价值，从而去珍惜爱护它们。

我常常教儿子做一些简单的家务活来让他获得一些课外知识；还让卡尔明白木材和金属是怎么形成的，并跟他一起讨论地球上的资源，让他懂得这些物质是非常有限和宝贵的。要是儿子滥用或者不小心让物品受到损坏，我就会严令卡尔亲自去将它们修整好为止。

世上都非常喜欢钱财，但是我常常告诫儿子，喜爱财物人之常情但也要有限度，不能过分贪婪。因为钱财虽然能够让我们物质生活更丰富，但它却是没有意义的。

由于我是一个简朴自律的人，因此我特别重视将这种良好的作风传授给卡尔。孩子是国家的未来，要是孩子们只会一味贪婪享受、萎靡不振，那么这个国家也将日渐衰落。我经常告诫卡尔不要贪婪，并对他说："孩子的简朴习惯常常建立在满足的基础上，孩子对物质的要求很低、非常容易满足的态度，绝对可以对形成简朴的良好品质的帮助。

我还跟儿子讨论简朴节约怎样让人感到自由快乐和话题，并围绕着心灵美和纯洁的友谊进行研讨，我要让儿子懂得人类精神的富有要比物质的丰富有价值得多。

要培养孩子形成勤俭节约的良好习惯不是很容易的，但只要家长经常提醒孩子将"不管对待任何事物都要忠于俭朴。"这句话牢记在心，那么孩子就会渐渐地养成简朴节约的良好习惯。

母亲是儿子的外交家

卡尔的母亲在儿子的成长过程中给予了亲切的关怀，妻子为卡尔付出的精力决不会比我对儿子培养时所花费的精力少。儿子能有优良的品质和活泼健康的性格，这跟卡尔的母亲对他精心的教育是紧密相连的。

卡尔的母亲就像是儿子的外交家，教儿子如何跟别人交流沟通，如何跟他人和睦相处等，妻子甚至教会儿子如何得体地穿着。

不管是成年人还是孩子，都会反感别人禁止他们这样做或者命令他们那样做。卡尔的母亲总会在这方面采用一种巧妙的办法来避免，她从来都不命令儿子干这样或者禁止他做那样。卡尔的母亲知道命令或者强迫孩子学习是没有效果的，对于孩子只能用适当的方法来引导他端正学习的态度。卡尔的学习虽然是由我全权负责，但妻子也给我提供了不少的好方法。

作为孩子的母亲就应当要保持自己在孩子心中的权威形象。有些孩子的母亲由于懒散，整天衣冠不洁，走在街上招惹人们的讥笑；还有些孩子的母亲喜欢穿花里胡哨的怪异服装，将自己打扮得花枝招展，同样会成为别人的笑谈。当孩子看到别人讥笑自己的母亲时，心里就会觉得非常的难过。这样就会给孩子造成心理上的创伤。母亲们的行为举止一定要端庄检点，不能懒散得衣冠不整，也不应打扮得太过娇艳。否则，就会降低母亲的完美形象，这样对孩子进行教育的时候就很难取得成功。有不少孩子的母亲都认为自己的衣着行为不会影响到孩子，因此并不注重这方面。事实上，很多孩子都是在母亲这种不检点的行为中没有得到良好教育的机会，有些孩子还越来越差。

很多事例都可以说明母亲的形象要是在孩子的心中倒塌将

卡尔·威特教育圣经

第十章　努力培养孩子的良好品德

会导致不良的后果，妻子曾跟我提到过的一件事就是很典型的例子。一位母亲要将自己的女儿送到学校去念书，这位母亲就用平时勤俭节约省下来的钱，为女儿买了一套娇艳无比的衣服给她穿上。但是她的女儿很讨厌自己的母亲将她打扮得花枝招展的行为，这位女儿有一次抱怨着对我的妻子说："我很不喜欢母亲穿着花哨不得体的衣服到学校里来，她让我觉得很难为情。我从记事的时候起，就一直看到母亲这样穿着，这让我感到很难堪。"

这位母亲的打扮是很不得体，她虽是好心为了女儿着想，但最终还是没有得到女儿的尊重。有些家长可能会批评这位母亲的女儿冷漠无情，但是我却能理解这位女儿的心情。虽然这位母亲给女儿打扮一番后将她送到昂贵的女子学校去念书，但是这位母亲仍然没有尽到自己的责任。

孩子常常会模仿家长的行为举止。如果作为孩子的母亲自己都不修边幅，那么孩子更会这样去行事了。像懒散、不爱整洁这种不良的行为常常会跟随人一生，这是非常有害的事情。现实生活中有很多人就是因为不爱整洁而没有得到很好的发展。因此，人们都应当要保持自己的衣着整洁，这也是一件不可小视的事。

卡尔的母亲就很注重这方面，她不仅将儿子打扮得干干净净、整洁大方，自己也同样衣着整齐、端正得体。妻子对我说："一个人要是衣冠整洁，他的精神也是饱满的，要是一个衣冠不洁的人，精神上肯定也是散漫的。"妻子给卡尔穿着的衣服虽不

卡尔·威特教育圣经

华丽但是都非常的整洁。

　　整洁干净的着装可以让人产生自信心。不但人类如此，就连马也是这样。我们要是给马配上一副破旧的鞍，它就立刻丧失壮志，萎靡不振起来；要是给马配上一副好鞍，它就马上表现得精神饱满，志气高昂。马都懂得着装对自己的重要，更不用说孩子们了。要是一个孩子总穿着不得体不整洁的衣服，他将来也是不会有什么作为的。

　　卡尔的母亲不仅注重孩子的服装得体整洁，她还特别重视卡尔保持身体的清洁干净。她告诫儿子要梳头，勤洗手勤洗脸，养成早晚刷牙的良好生活习惯，身体的清洁干净也可以让孩子保持健康的自信心。妻子很会掌握分寸，她没有因此而让卡尔养成好打扮的恶习。孩子们爱虚荣漂亮的坏毛病一般都是受到家长的影响，这一点我们家长要特别注意。

　　我们活着就必须要让生活过得充实丰富，不能整天无所事事。有一部分母亲对培养孩子和个人的素质修养并不感兴趣，她们常常将精力用来攀比打扮，这种行为很不利于孩子的健康成长，家长们一定要避免这种行为。

　　妻子在对卡尔进行教育的时候，还很注重孩子的玩耍。很多母亲由于琐碎的家务拖累就不太关心孩子们的游戏，当孩子要母亲看他做游戏时，她置之不理。孩子因此而觉得很没意思，有些母亲还会批评斥责正在玩游戏的孩子，这种做法是非常不正确的。

　　妻子为了培养卡尔良好的品德，每一个星期就给儿子制作一张品德表，内容包括：亲切礼貌、服从宽大、坚毅勇敢、诚实快乐、整洁干净、勤奋好学、律己行善。要是卡尔有跟这些品德相符的行为，妻子就会在品德表中相符的地方贴上一颗小红星，要是儿子没有做好就给贴上一颗黑星。每到周末的时候就进行统计，如果红星多，儿子下个星期就能够得到跟红星数目相等的书、果品等礼物，要是黑星比红星多，儿子就没有奖品了。

卡尔·威特教育圣经

每周六统计过品德表以后也不允许卡尔将它们扔掉，妻子这样做的目的就是要让儿子下决心改正缺点来消灭黑星。这样对培养卡尔的积极心态很有帮助，因为要是黑星总是存在，就会让他觉得很灰心。

儿子有一次独自在家，他牵着我们家里养的一只小狗到屋外院子里玩，然后就将小狗拴在院子中。不一会儿下起雨来，但是卡尔只顾自己跑到家中避雨并没有将小狗牵进来。小狗在外面被雨水淋得"汪汪"叫，还冻得直发抖。

就在这时，卡尔的母亲回来了，她急忙把小狗牵进家里问儿子：

"你怎么可以让小狗淋雨呢？你为什么要这样做？"

"我想我……我没有看见它，忘记将它牵回来了。"卡尔吱吱唔唔地回答。

母亲知道卡尔没有说实话，因此很生气地说："你难道连小狗的叫声也没有听见吗？"

卡尔仍辩解着说："我听别人说小狗淋一会雨是不要紧的。"

"那好吧，我将你也放到屋外去淋淋雨，也不会要紧的，怎么样？"

"不，妈妈，我不愿意淋雨，会感冒的。"卡尔对母亲说。于是母亲耐心地卡尔说："你看，儿子，你自己知道淋雨会感冒，小狗在外面淋雨就不会感冒了吗？小狗被冰冷的雨水淋湿后也会生病的。你这样做对小狗来说是一件多么残忍的事啊！

卡尔·威特教育圣经

要是有人将你也扔在外面淋雨而感冒了，妈妈会多伤心啊！"

　　卡尔听了母亲的话后红着脸低下了头，他向母亲承认了自己的错误，并保证以后一定会好好地保护小动物。卡尔的母亲常常用生活中的小事来对儿子进行教育，并耐心地培养他的善行，教他做人的道理。

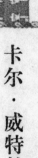

卡尔·威特教育圣经

第十一章
让孩子形成好习惯

学会专心致志

"为什么卡尔的学习成绩能那么优秀，他们的孩子每天都在刻苦地学习却没有一点进步。"这是一些家长常问我的问题，并对此深感不解。他们看到自己的孩子是非常地勤奋刻苦了，但是仍然没有取得理想的成绩，是不是因为卡尔确实是个天才，而自己的孩子太笨。

我常常被那些望子成龙的父母们所包围，尤其是我的儿子在学习上有所成就时，他们总是不约而同地向我提出这一问题。

我还真不知道应该如何去回答这类问题，因为孩子的成长是要受到很多种因素支配的。但是我能确定一点，孩子在学习上不能取得理想的成绩，是因为他从小没有养成良好的学习习惯。我不认为那些孩子是天资不足，也不认为卡尔就具备很好的天赋。

其实家长如何去培养孩子，如何去正确地引导他们才是最关键的，而这些却全都在于家长。

有一些孩子天赋很好，从小就特别聪明伶俐、才华过人，但是如果聪明的孩子没有得到家长正确的教导，他们往往会容易对任何事物都感兴趣，对任何东西都想学。

有多种兴趣和求知欲肯定是一件非常好的事，但这需要父母对孩子进行良好的教导。要是孩子没有得到正确的指导，他们可能什么都想学，结果却是什么也没有学好。

我的儿子也是个有很多爱好而又好学的孩子，但是他并不会因为广泛的兴趣而影响学习。这主要是我对儿子从小就进行严格地教育并培养他学会计划和安排。

不管他在学习什么，我都要他必须做到专心致志。思考数学的时候就专心于数学，学语言的时候就只想到语言。如果他在学习的时候想

着玩，在玩耍的时候又害怕学习落下，这种情况我是绝对不允许的。如果不能一心一意做事，那么一切都是徒劳；倘若儿子不能专心致志地学习，就算他整天都在书桌旁坐着，那也只是心不在焉的摆饰，只会浪费时间，同时也是对家长的一种欺骗。

因此很多孩子每天都在书桌旁学习却不能取得理想的成绩，就是因为他们不能专心致志而导致的结果。那些孩子常常在书桌旁捧着书本却心不在焉，或看着外面发呆。在这样的状态下孩子怎么会学好东西？与其这样浪费时间，还不如让孩子到外面去高兴高兴地玩一会。

我多年的一个老朋友有个儿子名叫哈特威尔，我是看着他从小长大的。这个孩子非常的聪明伶俐，比卡尔大 10 岁。哈特威尔幼时也跟其它聪明的孩子一样，对万物有很强的好奇心和求知欲。

我每次去他们家串门时，小哈特威尔就围着我问各种各样的问题。对于他提出的问题我也总是耐心认真地给予解答。从

卡尔·威特教育圣经

此，我就成了小哈特威尔的好朋友。

当哈特威尔开始上学时，他的父母告诉我孩子的成绩总是不理想。我感到很奇怪，因为孩子的父母都是知识分子，他们应该懂得对孩子进行很好的教育，而且哈特威尔也非常的聪明，可孩子的学习为什么总不令人满意呢？

有一天，经过哈特威尔父母的同意，我悄悄地对哈特威尔的学习情况进行观察，以便能解开这个谜。

我偷偷地躲在另一个房间从门缝里观察他，我看到小哈特威尔一到学习时间就像平时那样坐在书桌前背诵荷马的诗。刚开始我还能听见他小声的读书声，可是没过多久，他读书的声音渐渐地就消失了。我看到小哈特威尔抬起头望着外面的天空发呆，他的注意力并没有集中在捧着的书本上。

原来孩子并没有专心致志地念书，而是常常在学习的时候走神，我于是将孩子的父亲也叫过来观察他。当哈特威尔的父亲看到孩子，这种情形时愤怒不已，立刻就要冲进去教训孩子。

我立即拦住孩子的父亲，小声地对他说："你千万不要冲动，让我进去跟哈特威尔交谈一会吧。"

我轻轻地走进了孩子的房间，当我已走到他身后的时候，孩子依然没有察觉，他肯定在想什么东西都入迷了。我在他的肩膀上轻轻地一拍，他就像受到惊吓似的抖动了一下。

"你在看什么？孩子。"我轻声地问。

"啊，威特先生。"孩子似乎还没有完全回过神来，我又轻轻地问他："你刚刚在想什么呢？你为什么在学习的时候走神了呢？"

"我……我没有走神。"哈特威尔吱唔着说。

我拿起孩子的书对他说："那很好，我现在来考考你刚背诵的诗吧。"

哈特威尔回想了很久也没能背出一句，他羞愧得满脸通红。

看到这种情形，我又对孩子说："你刚才如果在用心地看书，怎么会一句也背不出来呢？"哈特威尔不得不承认他在学习

的时候心不在焉，并沮丧地对我说："威特先生，我也不知道什么原因，学习的时候总要去想其它的事情。"

我接着问："那你能告诉我，你刚才在想些什么吗?"。

孩子想了想对我说："我刚刚在想一件很气愤的事情，在我们学校有个身材高大的孩子，他仗着自己身强力壮就欺负别人。我在想，我要是一个武艺高强的大侠那该多好啊，我就一定会挥舞着宝剑骑在高大的白马上去教训那个欺负人的孩子，一定要他也尝尝被欺负的滋味。我还要帮助那些弱小的儿童……"哈特威尔一边说一边还兴奋地比划起来，这时孩子的脸上绽放出了奇异的光彩。

我打断他开导他说："孩子我说两句，你要知道帮助别人是应该的，但不能只想而不做！在你正读的这本荷马的书中，就讲了很多英雄们的业绩，你应当看看那些书中的人物是怎样成为英雄的。目前你还在学习，就应当以学习为主，其它的事情暂时放下，只有学好本领后你才会成为一个真正的英雄。如果你想做一个帮助别人的英雄，不能只坐在书桌前幻想，而是应该学习书上那些英雄的智慧。"

"我懂了。"小哈特威尔恍然大悟地说："我先通过书本，学习那些英雄们的智慧，然后我再到外面去锻炼身体，将自己也炼得强壮有力，那时我就能够真正地去救助那些弱小的孩子们

卡尔·威特教育圣经

了。威特先生，你说是这样的吗?"

我看到哈特威尔已明白了道理，很高兴地对他说:"孩子，你说得很对，就是这么简单的道理，你已经知道自己该怎么去做了。"

"我完全知道了。"哈特威尔一说完，就拿起书认真地学习起来。

孩子的父母后来碰见我就说:"老威特，你的教育方法非常的好，孩子现在地学习进步得很快。"

我发现了小哈特威尔学习成绩为什么不好的原因，主要是他不能专心致志地学习。于是我就用巧妙的方法让孩子一心一意地念书，这样他的成绩就会有显著的进步。

如何做到精益求精

为了让卡尔形成精益求精的良好习惯，当儿子在学习数学和语言等知识时，我严格禁止他马虎了事。

精益求精是一种高尚的品德。如果当孩子在学知识时不对他进行严格的要求，将来是肯定不会收到令人满意的效果的。世上有些人不管做任何事都不进行深入的了解研究，他们做的事让人常常感到只有大的效果，却并不能让人值得回味，甚至在某些地方还犯有错误。

部分学者在言谈或文章中，经常爱用一些深奥的专业术语来显示他们的渊博学识，其结果只能是让人很难理解。这些喜欢卖弄文采的学者往往是不求甚解、才疏学浅的人。我很了解他们，这些学者在我看来都是些劣质品，一些愚蠢至极的人还要将这种伪劣品吹捧为伟大的学者。

我从小就教卡尔不管是对学习还是其它爱好，都要做到"精"，并且能认真地将所有事情都做得尽善尽美。无论什么事情只要做得完美又能给人"精"的感觉，那么这件事就做得很有价值了。

我从培养卡尔画画这一方面去让他懂得精益求精的道理，因为艺术的创造是特别要求完美的。

我给卡尔买来很多名画，并且常常给孩子讲解那些艺术家们是如何精益求精地去创作它们的。卡尔非常喜欢画桥，尤其是在红色太阳照射下的小桥。他对我说："当万里晴空的时候，耀眼的阳光照在小桥上时，那些石头会放出黄金般美丽的光芒；桥下的流水是清清的，经过太阳的照射就变得像翡翠一样翠绿，然而阴影中的水却是深绿色的，自然景物真是美丽神秘而又变幻莫测。"

有一次，卡尔带着画具特意去村外的河边画他最喜欢的那座小石桥。当孩子坐在河边专心地开始画画时，我就在大树底下看书。

我细心地阅读书，偶尔看看坐在河边的儿子。也许是卡尔将我带入一种宁静祥和的气氛中，也可能是当时天气很好，我感到愉快极了。

过了一会儿，儿子好像已经画完了，他拿着那幅画向我走了过来并将画递给我看。

那幅画构思特别的讲究，形象处理也非常细致，小桥跟河流还有旁边的村庄搭配得井然有序，很有美感，画得确实很好。不过我发现这幅画还是有些不足之处。如果是别的家长也许会认为这幅画就算画好了，并会对孩子进行一番鼓励和夸奖。不过我不是这样做的，我一旦发现了儿子的缺点就要给他指正。我对卡尔说："孩子，你以前给我描述过你想画的那种感觉，可是为什么我从这幅画里却没有看到？"

儿子有点不服气地说："我觉得已经把它画出来了。"

我说："你曾经对我说过，河水在阳光下像翡翠那样绿，阴影中的水是深绿的，很神秘，可是我并没有看到啊。"卡尔仔细地对画面进行了一番审视，又看看小桥下的流水，然后对我说："爸爸，我是少用了深绿去区分水中的变化。"于是儿子又坐到

卡尔·威特教育圣经

河边去描绘。没过多久，他又将画拿了过来对我说："爸爸，你看这回比以前好多了吧。"我看了画后，对卡尔说："画得很不错，颜色比以前好多了，这流水的颜色已经体现出来了，不过仍然没有翡翠那种苍翠欲滴的感觉，看不到神秘感。"其实我明白，卡尔的画能达到这种水平已经很不错了。他能准确地将阳光下的流水和阴影中的水用不同的色调区分开来，除了专业画家能做到外，只具有一般美术基础的人是不容易做到的。

　　我觉得这幅画已经算完成了，只是随便给卡尔提些意见，即使画中仍存在一些缺点，他可以以后慢慢地处理。

　　但是卡尔仍不放弃，对我说："爸爸，我再去仔细看看。"说完，他又重新走到河边。

　　卡尔一边仔细地观察流水，一边认真地研究自己的画进行思索。

　　卡尔在河边坐了很久，我看时间不早该回家了，可孩子仍然在那坐着。

　　我就催促儿子："我们该回家了，孩子。"

　　"很快就好。"儿子在远处回答着。

　　突然卡尔一边自言自语，一边埋头使劲地在画面上涂画着，也不知道他在干什么。

卡尔第三次将画拿到我面前时，我简直惊呆了。那流水不仅像裴翠一样碧绿，阴影中的水也具有变化，显得神秘莫测。

我惊讶地问卡尔："孩子，你画得太好了，你是怎么做到的呢?"

卡尔说："我领悟了阴影的奥秘，它其实并不完全是深绿，而是由不同深浅的绿色混合组成的，里面甚至还需要一点红色和钻蓝来呈现岸边的景物在水中的倒影，显得更生动。"

我为儿子具有专业绘画技巧而感到骄傲，平时没有人专门传授给孩子这些知识，完全是他自己领悟出来的。由此可见他有很强的观察力。

"刚才你不停地嘟嘟囔囔说些什么呢?"

"我在说，'翡翠很神秘，翡翠很神秘'，我想只要我专心致志，肯定能表现出这种神秘感的。"

儿子完满的回答让我无话可说，我无法表达自己心中的激动，兴奋地拉着他的手向家里走去。回家的路上，我告诉他第二次就做的很好了，怎么还有那么大的心思做第三次?"无论做什么都要精益求精，这不是你对我说过的话吗?"看着这个天真快乐又懂事的孩子，我紧紧地将他的手握住，一时间不知说什么好。

让孩子学会坚持不懈

在人的一生中，不论是生活当中还是学习上，都会遇到各种各样的问题，和很多预料不到的困难。因此我常常教育卡尔，要是选择好了一件事就一定要竭尽全力，只要能够坚持下去，任何的困难都能够迎刃而解的。

在卡尔出生之前，我和妻子就下定决心要将他培养成一个优秀的人。虽然那时还不知道让他在哪方面取得优秀的成功，但我们都很清楚，只有认准了目标，坚持不懈地努力，才能取

卡尔·威特教育圣经

得成功。所以，从孩子在床上蠕动开始，我们就拿定了主意要对他作持久的训练。卡尔的母亲这一点做得很好，不管孩子遇上什么困难，她总是设法鼓励他再坚持一下，只要坚持下去就能取得胜利。

母亲在卡尔很小时，为了培养他的耐性，着重开始训练他的注意力，因为良好的注意力是孩子行为持久的前提。为了培养儿子的这种能力，他的母亲用了各种各样的玩具来引起他的注意和兴趣。她找了一只黄色的布做成的小猫，然后把那只小猫放在儿子身边不同的部位来吸引他的注意力，看到他对那只小猫有了兴趣后，就把玩具搁在他伸出手却刚够不着的地方，让他去抓那只小猫。当孩子用尽了力气总是抓不着想要放弃努力时，母亲就推着他的脚不停地鼓励他：用劲！再用点劲。在母亲的鼓励下，卡尔通常会用力蹬腿，伸手将小猫抓住。母亲看到儿子抓住小猫后，就欢呼着并亲吻孩子，以此来庆祝他取得的胜利，这种方式可以让他体验到成功带来的喜悦。母亲在卡尔学会爬行后，就加大了对他训练的难度，在孩子快要够着玩具的时候，便将目标放到更远的地方，并鼓励他爬过去拿。这样的方法可以一举两得，既培养了孩子的毅力，又加强了他的爬行能力。当卡尔开始学习知识时，我们依然采用同样的方法对他进行培养，这样久而久之，就让他形成了一种坚持不懈的行为习惯，当然后来所用的工具不是用玩具而是用书本。

每当卡尔在学习上取得很大的突破时，都是他在那次所遇到的困难面前不懈地努力的成果。这种能力使得卡尔在学习上表现得非常的轻松，几乎所有的数学题目他都能非常轻松地做出解答。有一次我找了一道远远超出他的能力范围的数学题，以进一步提高他的这种毅力。

这一次经历让我十分难忘，因为卡尔那天解这道数学题时确实是花了很多的精力，这也充分表现了他身上那种超常的毅力。

卡尔在我给他指定好题目后，就开始一如既往地在书桌前

十分专心地思考起来。而我为了让他有一个安静的环境进行思考，就离开他的房间。

很长时间之后，卡尔依然没有走出房间。这让我感到有些奇怪，因为卡尔过去解题时从没花这么长的时间。虽然那道题的确很难，但也已经远远超出了我给他规定的解题时间。

当我后来走进房间时，看见卡尔仍然坐在那里凝神苦想，而桌子上却放着一张空白的纸，什么字都没有写。

我问他："怎么了，是不是这道题过于难了？"

卡尔一言不发只是抬起头来看了看我。

我看到卡尔一脸通红，并且满头大汗，当时天气并不热，所以我以为儿子生病了。

于是我问他："你不舒服吗？"

"不是的，我只是在想应当怎样来解答这道题。"卡尔说。

"明天再做吧，现在已经超过了规定的时间，要是你觉得太难了就先休息一会吧。"

"我不想休息，多给我一点时间，再等一会儿吧。也许我很快就能找到解题的方法了。"卡尔说完后就继续专心沉思起来。这是卡尔解答问题的关键时候，我为了不打扰他，就又走到了房间外，和妻子开始谈论起这件事来。

马上就要吃饭了，卡尔的母亲终于沉不住气了，她对我说："我想是那道题太难了，你去劝劝他，还是先让他出来吧，这孩子的自尊心太强，如果他做不出来会难为情的。别把他累坏了。"

于是我又进了房间，来到了卡尔身旁对他说：

卡尔·威特教育圣经

"孩子，这道题确实是太难了，你已经尽力去做了，解不出来也没有关系的。"

卡尔说："不行的，爸爸，我很快就做出来了，您曾对我说过不论干什么都要坚持不懈，现在我已经知道怎么解题了，只要再努力一下，我很快就能解答出来了。"

看到执着的儿子，我无话可说，于是我走出了房间，和妻子在外面耐心地等。其实我们当时并不在意儿子是不是能真正解出这道题，只是觉得我们应当尽力支持儿子的这种恒心。"爸爸，快来啊！'"没多久，我们就听到孩子兴奋地喊了起来。从卡尔的声音中我已经知道他解出了那道题，这让我感到十分激动。

果然卡尔手里拿着那张解题的纸，一蹦一跳地从房里跑了出来。我高兴地看了他的解题方法，答案完全正确，另外他用了一种非常独特的解题法，其巧妙的思路超过了标准解题方法。

在晚饭的餐桌上，卡尔兴奋地对我说他是怎样思考，怎样寻找解题的着手处。他说自己还不曾遇到过这样的难题，他说那道题对他而言太难了，他为自己能够成功地解出来这道题感到非常的高兴。

我问他："你解不出来这道题时有没有想过放弃不做？"卡尔对我说：

"当然想过，这道题太难做了，我思考了很长一段时间，脑袋都快裂了。我几乎想要出去对你说我不做了，但每当我想放弃时，就听到心底有个声音说：'要坚持，再坚持一会。'因此我发誓要坚持下去，直到将它解答出来。"

那一晚，卡尔吃的东西比平时多了许多，睡得也很香，因为他感到很累。

从此之后，卡尔的解题能力有了极大的提高。每一道数学题他都能用好几种方法做出解答。

通过这一次的练习，也让卡尔对坚持到底就会成功的道理有了更为深刻的体会。

第十二章
怎样防止孩子骄傲自满

不能随意赞扬孩子

如果卡尔做了好事，我就会对他进行表扬。但是我要告诫善良的家长们：对孩子的赞扬切忌过多。过多的赞扬会失去它本来的作用。

就算卡尔的成绩非常优秀，我也从不过分地夸奖他，只对他称赞到"很不错"这样的程度。如果儿子做了好事时，我对他的表扬会再进一步，对他说："做得很好，上帝也会高兴的。"但也决不会超出这个程度。

当儿子有非常优秀的表现时，我则会拥抱并亲吻他，但我并不是常常这样做。

我之所以这样做，是要让他知道父亲的吻对他来说是十分难得的。这些不同程度的表扬方式，让卡尔明白：善行本身带来的喜悦就是善行最好的回报，这也是来自上帝的奖赏。

为了不让孩子骄傲自满，我尽可能适当地表扬他，因为如果孩子一旦养成了骄傲自满的习惯后，就很难再改正过来了。

我传授给儿子很多知识，但却从不对他指明哪些是物理上的知识，哪些是化学方面的知识，这样做的目的就是防止他骄傲自满。

有很多跟我的想法完全相反的父母，他们总是喜欢在别人面前夸耀自己的孩子在某方面有超前的才能，他们完全不知道，

这种做法可能会将一个很有潜力的孩子毁掉，因为他们在别人面前夸耀小孩，非常容易让孩子形成骄傲自满的情绪。

俗话说"10岁神童，15岁才子，20岁后是凡人"，这一谚语说明一个没有受过早期教育而只是依靠天赋的神童实质上是一种不太健康的现象。并且这种神童一般很容易短寿。一些很有天赋的孩子后来却没有发展成栋梁，就是因为他们骄傲自大的缘故。骄傲自大可以将天才毁掉，对孩子来说这是世界上最可怕的事情了。有一个从小就很有天赋的孩子叫莱恩，他一出生时看起来就非常的聪明伶俐，人们都议论说这孩子肯定是天才，他将会有辉煌的前途。当时有人说："这孩子看起来那么的机灵，他将来会成为伟人，要不就是一个伟大的将军。"还有人认定他将会成为一个享誉天下的艺术家。

虽然他们说的都没什么错，但事实却并不是这样，这个孩子的确在两岁时在音乐方面表现了过人的天赋。

莱恩的父母想要在音乐方面对他进行最好的培养。于是他们专门给他请了家庭教师，果然这孩子非常的聪慧，老师所教的那些知识他很快就掌握了。他到四五岁时就已经学会了基本的乐理，而且能够演奏很多乐器，尤其精通钢琴和小提琴的演奏。于是在他很小的时候就举办了个人的音乐会。

众人全都夸他是一个伟大的天才，音乐神童，就如同历史上的伟大音乐家幼年的杰出表现一样。他的父母更是将他看成全家的宝贝，并将自己的心思全部都放在了他的身上。他们常常见人就夸自己的儿子，说儿子将来肯定会成为像巴赫那样的音乐大师，他现在的音乐水平已远远地超过了教他的老师和那些同时代的音乐家。

夸奖声让孩子沾沾自喜，莱恩陶醉在这些过多的赞誉声中。

他的音乐老师有一天告诉他说："虽然你的技巧现在的确已经很不错了，但在音乐的表现上还存在着很大的不足。因为单靠技巧是无法将音乐的魅力全部展现出来的。"

老师的话将莱恩激怒了，他非常恼火地对老师说："你说的那些音乐的内涵我早已经明白了，你认为我仅仅会技巧吗？"

老师说："我的确在你身上发现了这些问题！"

莱恩说："不是这么回事，我是根据我所理解的曲子有意演奏成那个样子的。"为了让莱恩弄清楚音乐表现方面的知识，老师给他做了一次示范。在示范演奏中莱恩抓住了老师犯的一个小错误叫了起来：

"喂，亲爱的老师，你没弹对吧，就您这种水平还有资格来教我吗？"他带着嘲笑的口吻说道。

老师听了他的话非常生气，尽管他认为莱恩很有才华，但他还是坚决辞去了这份工作。莱恩的父母尽力地挽留他，希望他能原谅孩子说的话，但他头也不回地走了。

后来，我和这位音乐老师见面时谈起了莱恩的事。他对我说，当他离开莱恩的时候，突然间对这个孩子有了新的认识，他觉得莱恩很难像自己过去想像的那样将成为一个杰出的音乐家，自己过去的判断是有问题的。而后来的事实证明，这位音乐老师说的没有错。

莱恩自从老师离开届就越加得意了。他认为自己是了不起的天才，常常随意改动音乐大师的作品，并说这些作品也不过如此而已。从此，他不再让父母给他找老师，在他的心目中老师完全不适合教他这样一个百年难遇的才子，那些老师全都是没有才华的庸人。这样过了几年，后来我听人说莱恩已经坠落成为了一个酒鬼，他经常愤愤不平地说，世人们不能真正理解他这个伟大的天才。虽然我很明白有很多杰出的大艺术家在没有成名以前很难被世人们所理解，但是莱恩绝对不可能是一个

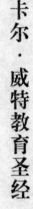

卡尔·威特教育圣经

卡尔·威特教育圣经

伟大的艺术家，因为他不仅没有创作过精美的作品，就连平凡的作品也没有写出来。再加上他过度的喝酒，酒精已经摧毁了他敏锐的听力并麻醉了他灵活的手指，他不仅不能弹奏出优美的音乐，只怕连最简单的音阶都不可能再弹奏了。

在对卡尔进行教育的过程中，我最害怕的就是孩子会骄傲自满。为了防止卡尔产生骄傲自满的情绪，我花了很多时间和精力在他身上。我还将狂傲莱恩的悲惨故事说给孩子听，让他知道骄傲自满是一种多么大的危害，狂妄自大的人最终的结果又将是多么的可悲。

决不给孩子过多的表扬

在教育卡尔的过程中，我不仅不让别人称赞孩子，自己也决不过多地表扬他。如果有人要赞扬卡尔的时候，我会不让孩子听，把他叫到外面去玩。一些喜欢经常夸奖卡尔而又不听我的劝告的朋友，我就会谢绝他们到家里来做客。为了这件事，我被朋友们当成是一个不懂情理的老顽固。但是，为了防止卡尔形成骄傲自满的坏习惯，我是不会去计较别人对我的评论的。

我常常这样对卡尔说：善行可以博得上帝的赞赏，知识能够受到人们的尊敬。世界上有很多没有学问的人，因为他们本身没有什么知识，因此那些人就会对有知识有学问的人特别尊敬。世人们的称赞是不会长久的，容易得到也容易消失，但是，上帝的赞誉却是来之不易的，你必须要累积了善行才能得到，然而这才是恒久的，因此你不必将世人们的称赞放在心里。

喜爱得到世人们赞扬的人必定容易受到别人的伤害。最愚蠢的人就是听到别人对他的评价而感到欢喜或忧愁的人。如果说被人贬低而感到伤心的人很蠢，那么听到别人的表扬就得意忘形的人更是白痴。我总是这样教育儿子。

为了不让卡尔形成骄傲自满的不良习惯，我想出了各种方法来对孩子进行教育，虽然这样做要费很多精力和时间，但我相信最后的结果一定会是圆满成功的。

卡尔在这个世界上是最受人们欢迎并被广为称赞的孩子，但他却没有形成骄傲自满的坏习惯，这主要是我在尽力教育孩子不要被赞扬声冲昏了头脑，才使他没有受到其害。有一天，塞恩福博士来我家做客，看到聪颖能干的小卡尔，就忍不住问我："这个孩子平时骄傲吗？"

"哦，不，卡尔一点也不骄傲。"我回答说。塞恩福博士不相信我说的话，认定卡尔是个骄傲的孩子，对我说："你的儿子是一个很聪明的孩子，他那样的神童不骄傲这是不可能的事情，他一定是骄傲的，这是人之常情。"

于是，我把卡尔叫来，让博士与他交流交流。通过谈话，博士终于知道卡尔是一个虚心上进的人。事后，博士对我说："我真佩服你能将这么聪明能干的孩子培养得这么谦虚，没有一点骄傲自满的情绪。不知道你是怎么对他进行教育的？"我让儿子回答塞恩福博士的问题，并让他把我的教育方法说给博士听。

博士听了以后很佩服地对我说："如果要孩子不产生骄傲自满的情绪，就要施行这样的教育。"

有位名叫克洛尔的督学官，他是从外地来到格廷根的。由于他的亲戚和我们来往的很密切，所以他在来格廷根之前就已

卡尔·威特教育圣经

经听说了卡尔的事，对卡尔的情况十分了解。克洛尔先生很想测试一下我的儿子。因此他就托他的亲戚来邀请我和卡尔到他那里去做客。

我和卡尔接受了他的邀请。

克洛尔先生对我说想要考考卡尔。我接受了他的请求，同时按照惯例，我也让他答应我的条件，那就是："不论测试得怎样，绝不能对卡尔进行表扬。"

由于克洛尔先生对数学很精通，所以他说主要想考考卡尔的数学才能。

我对他说："考什么都无所谓，只要不随意夸他。"

一切谈妥后，我就让卡尔进来，开始了测试。克洛尔先生先问了一些有关世故人情的事，然后就开始测学问。卡尔对他所提的问题都做出了使他感到满意的回答。最后克洛尔先生进行了自己所擅长的数学测试。

由于卡尔也很精通数学，所以随着测试的进行，克洛尔先生越来越感到惊异。他出的每一个题卡尔除了按照克洛尔先生所要求的去解答外，还能用其它的两三种方法来解答。这时克洛尔先生就不由自主地对卡尔夸奖了起来。

于是我赶忙向他递了个眼色，他这才停止了夸奖。

但是，考试并没有结束，由于他们两个对数学都很精通，所以很快就对更深的领域开始探讨，最后连克洛尔先生都感到有些吃力了。于是他又不由自主地叫道："了不得，这孩子已经超过我了。"

我一看情形不妙，就急忙赶过来泼冷水说："您过奖了，这半年卡尔在学校里总是听数学课，所以做起来很顺手罢了。"不料克洛尔先生更来了兴致，他又出了一道更难的数学题来考卡尔："你好好想想这道题，当年欧拉先生考虑了三天才找到了解题的方法，你要是能解出来，那就很伟大了。"

他的话又让我充满了担心。我并不担心卡尔解不出太难的数学题，而是担心他要是真的把那道题解答出来后，会因此而充满骄傲。

但我又不能阻止卡尔去解那道题。因为克洛尔先生毕竟不了解我们，他会误以为我这样做是担心卡尔解不出那道题。

于是我只好在一旁不出声地看着。克洛尔先生出的那道题，是说有个农夫想把一块地分给三个儿子，并给出了地的图形，然后要把它分成三等份，并且分出的每个部分都要与整块地的图形相同。克洛尔先生将题说完以后，问卡尔以前是不是曾听过，或者是接触过这个题。卡尔说从来没有见过。于是克洛尔先生说："那好吧，你现在就开始做做这道题。"

说完后他就和我退到另一房间里去了，并对我说："不论你的孩子有多聪明，这道题他也不可能做出来，我之所以出这道题是想让他明白世界上还有这样难解的数学题。"

就在克洛尔先生说完没多久，我们就听到卡尔喊着说："我解出来了。"

"怎么可能呢?"克洛尔先生叫着走到卡尔那边。

卡尔对他说："这道题是要让三个部分都相等，并且每个部分的形状都与整块相似，是这样吧?"

克洛尔先生看了他解的题后疑惑地问："你

卡尔·威特教育圣经

一定是以前就做过这个题吧?"

　　卡尔感到非常的委屈,他含着眼泪反复叫着:"没有,我以前不知道的。"

　　在这种情况下,我打破了沉默,向克洛尔先生保证着说:"我儿子是从不撒谎的,我很清楚卡尔所做的一切,这道数学题他的确是从来没遇到过。"克洛尔先生听后赞叹地叫起来:"呀,你的儿子比大数学家欧拉还要伟大了。"

　　我赶忙掐了一下他的手说:"哪里,这不过是偶然碰巧了而已,瞎猫有时也能捉到死老鼠。"克洛尔先生明白了我的意思,他点了点头说:"没错。"接着他在我耳边小声地说:"真佩服,用你的这种教育方法,不论你儿子取得多大的学问,他也不会骄傲自大的。"

　　让克洛尔先生更为惊异的是,卡尔在这种情况下一点也没有表现出骄傲的情绪,他很快就和其它人谈起了别的事情。

　　我特别高兴对卡尔的教育能取得这么显著的成果,我常常告诫儿子:不管一个人如何的聪明和有知识,他也不能跟万能的上帝相比,人只不过是世间的沧海之一粟。如果为了一点点的知识和成果就产生了骄傲自满的情绪的人,那他的结果可想而知是十分可悲的。要知道世人们的恭维话大部分都是虚假的,只有愚蠢的人才会千真万确地相信那些奉承的话。

第十三章
禁止儿子养成恶习

如何防止儿子养成不良习惯

　　因为我对卡尔的教育取得良好的效果，因此有很多家长都慕名而来向我请教关于教育孩子的方法。一些家长还问我很多令他们感到头疼的问题，比如：为什么孩子一点也不爱学习整天贪玩？孩子很顽皮怎么办？怎样让孩子除掉恶习？等等诸如此类的问题。

　　家长们面对孩子的这一大堆问题的确会很为他们操心，不过只要家长注意观察孩子，站在他们的角度去看待问题，任何事情都能轻易地解决。一位家长向我抱怨说："我的儿子脾气很不好，经常莫名其妙地就发火，我怎么管教都没有用，真不知道该怎么办才好。"想让孩子改正缺点变得有修养，家长首先就要明白孩子喜欢发脾气的原因所在。

　　儿童的感情非常脆弱容易受到伤害，所以他们性格暴躁往往喜欢发脾气。孩子年龄小还不够理智，他们受到伤害时常会感到手足无措，无法去遏制心中因受挫而形成的怒火，就通过发脾气这种途径发泄出来。孩子发脾气时会忘乎所以尽情地去发泄，他虽然也觉得痛苦害怕，但是却控制不了自己的感情。他们发火时就像受着魔鬼的控制一样可怕。家长不但要认真分析孩子发脾气的原因，而且还要采取一些适当的方法来避免他们发火。

卡尔·威特教育圣经

147

第十三章　禁止儿子养成恶习

卡尔·威特教育圣经

家长应当给孩子营造一个良好的生活环境，让他们少受挫折，即使孩子仍会遇到挫折，最好也是在他们可以容忍的限度之内。对孩子最好不要强迫他去做任何事情，也不能过份地禁止他的自由。家长是应当对孩子进行严格教育的，但任何事情都有它的最高限度，对孩子的要求最好不超过他们所能承受的极限。不要说孩子，成人也有承受不了的事情。因此，要是家长的要求过于苛刻，就会扼杀了孩子自由的天性，导致他们情绪恶劣脾气暴躁。

当孩子遇到挫折而情绪恶劣时，最好不要用过激的话去招惹他。等孩子心里恢复了平静之后，父母再去耐心地跟孩子谈话来漫慢开导他。要是孩子发火了，就应当采用适当的方法去教育他，防止形成不良后果。

我在教育卡尔和仔细观察其它孩子的过程中渐渐地总结了一些经验：要是孩子为了不愉快的事就要发脾气时，首先家长必须要保持冷静的心态，不能给孩子火上加油，更不应当用粗暴的行为来制止他。当家长遇到这种情形，正确的做法是立即转移孩子的注意力，让他暂时忘却烦恼的事。等孩子渐渐地平静下来后，家长要安抚体贴他。有些孩子正在发火时不让人靠近抱他，那么家长就不必强硬地去抱他，如果那样做就等于给孩子火上浇油。这时，家长只需将家里一些易碎的物品保管好，避免孩子受到伤害就可以了。不管遇到什么事，等孩子平静下来之后再说。

　　家长不要在孩子正发脾气的时候跟他讲道理，因为这时候孩子是没有理智、蛮不讲理的，他是听不下任何理论的。家长遇到这种情形时，更不要向孩子发火怒斥。要是采用发火的方式来制服发火是缺乏理智的行为，最后会导致怒火越来越旺，脾气也越发越大。

　　家长不要对孩子的粗暴脾气进行奖励或惩罚，而是要让孩子明白发火是没有用处的。有的孩子由于不愿意吃饭就发脾气，但是发完脾气后，他还是一样要吃东西，不过家长要给孩子讲清楚道理。要是孩子以前吃饭后有奖赏，那么发完脾气后吃饭仍然要给他奖赏。

　　要是孩子在众目睽睽下发火，家长绝对不可以顺从他。不少家长因为担心孩子当着别人的面发火就常常顺着他，这种做法是非常不正确的。儿童虽然年纪小，他也会有狡诈的办法，他们往往掌握了家长爱面子的弱点发起进攻。家长要尽量避免孩子知道自己的弱点。做好这方面也很容易，要是孩子在大庭广众下提出要求，家长可以给予他帮助，如果是合理的要求就答应他。要是等到孩子发脾气再给他帮助，那就不好了。父母亲应当有选择地满足孩子的要求，对于过份的要求可间接地答复他，可以对他说回家后再说，或是等客人走了以后再说。

　　孩子之所以会发脾气是因为他们太弱小，常常遇到问题时就无能为力。当孩子渐渐地长大后，他们的能力也随着增加，在生活中遇到的挫折就逐渐减少。他也会渐渐地成长为一个通情达理的好孩子。

　　有很多的孩子常常莫名其妙地又哭又闹，将家长弄得一筹莫展。于是父母亲只好常常迁就他们，其实这种做法是很不正确的，这样会导致孩子得寸进尺，更加地任性起来。通常父母亲对孩子是非常了解的。他们十分地清楚孩子的脾气和性格，知道小家伙们哪种情形下会发生任性行为。所以父母应当在孩

卡尔·威特教育圣经

子做出任性行为前，采取一些有效的预防措施，从而防止孩子发脾气。比如，家长遇到孩子吵着要买一些没有必要的玩具时，就应当告诉孩子："好孩子，我先回去征询你姨妈的看法，像你般年纪的孩子是不是适合玩这种玩具，要是她说可以，我就给你买。要是说不适合你，我就不买了。"家长首先将不买的可能性告知孩子，让他进行自我调节，做好有可能不买玩具的心理准备，这样就能够避免孩子任性行为的发生。

在对儿子进行教育的过程中，我很认真仔细地观察他心理的变化，这样做主要是为了培养儿子良好的性格。一个人是否能够成功，他所具备的性格是决定成败的关键因素，而不仅仅是依靠学识和能力。刚对卡尔进行教育的时候，我就非常注重用不同的方法来培养他的品性。

卡尔3岁的时候，一位远房亲戚带着自己的小女儿来我家上门拜访，卡尔的表妹跟卡尔年龄差不多大。刚开始，两个小孩子在一起玩得非常愉快，但是他们俩在一起没呆几天，就开始发生矛盾了。

有一次，卡尔跟表妹两个人在院子里玩耍，儿子正在用积木搭建房屋，小表妹也饶有兴趣地跑过来给他帮忙。于是，儿子就像一位总工程师指挥小表妹怎么做。起初两个人配合得很默契，工程进行到一半的时候，小表妹就不服从卡尔的指挥了。她要按照自己的想法将一块方形的积木放到卡尔没有指定的地方，他们为这件事僵持了很久。卡尔将小表妹放在上面的积木拿了下来，但是小妹妹并不服气又重新将这块积木放了上去，然而卡尔非常坚决地要将方形的积木拿下来。这样各执己见，后来两人互不相让地争吵了起来。

我跟亲戚在家里听到他们的争吵声后，赶紧跑出去看发生了什么事。只见小表妹坐在地上很伤心地哭泣，而卡尔正满脸怒气地站在积木旁。

于是我严厉地问儿子："卡尔，到底发生了什么事？"

儿子回答说："表妹不听我的话。"

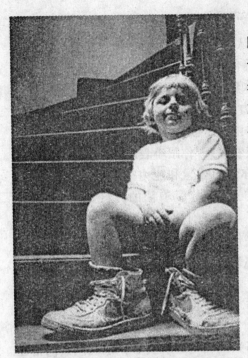

我知道了事情的前因后果后，开始劝导儿子："卡尔，你要让着小表妹，论年龄你比表妹大，应该要懂事些。那块方的积木放那儿不也挺好吗？"

卡尔还是坚持着自己的意见说："放在那儿一点也不好看。"儿子话刚说完，就跑过去将还没有搭建成功的小房屋一脚踢散，然后就飞奔回自己的房间去了。

卡尔这么任性的表现让我觉得非常吃惊，我从没有见过儿子发这么大的火，也从来没有看到他有这种粗鲁的行为。当时，我并没有责骂儿子，也没有马上去跟他讲道理，而是将仍坐在地上哭泣的小侄女轻轻地抱了起来。到晚上吃饭时，我将卡尔跟小表妹安排坐在一起。我问儿子："卡尔，你今天为什么要用那种态度去待妹妹呢？"

儿子仍愤愤不平地说："我只是因为她不听我的话而感到很生气，并没有对她不好啊。"

我接着问儿子："她为什么非要听你的指挥呢？"

儿子自豪地回答说："因为表妹不懂得怎样建筑，而我却很精通这方面。"

我又问："她跟你在一起建筑的时候捣乱了吗？"

儿子想了想说："没有，可是我觉得那块方的积木摆在那儿并不美观。"

"那么你有没有想过表妹为什么要按照自己的意志去做吗？"

卡尔·威特教育圣经

儿子很不在意地说："没想过。"

我说："因为小表妹认为放在那里好看，所以才会那样做。"卡尔仍想说什么，我没等他开口就接着又说："儿子，你知道吗？你以前一个人用积木建房子的时候，我们不去限制你就是要让你发挥自己的想像力。可是今天表妹也在玩建筑的时候，你怎么不给她提供一个自由发挥想像力的空间呢！"

我没等卡尔说话又接着说："你跟小表妹在一起玩耍，不仅应当玩得愉快，还要用你们的智慧和能力去将房子建得更好。卡尔你要知道，一个人的力量是单薄有限的，想要将事情做得更好就需要与别人团结。小表妹对建筑不太精通，你可以教教她，而不应当像今天那样任性地发火。要是当你遇到不明白的事情时，我不耐心地给你指导而是向你大发脾气，这将会造成怎样的结果呢？"

儿子听了我说的话后沉默不语了，我知道孩子心里已经懂得了我的意思。

事后卡尔跟妹妹又高兴地在一起玩耍了，他们俩共同搭建成功了一座非常漂亮壮观的宫殿。

很多家长看着孩子逐渐地成长却发现他们也在渐渐地形成一些不良的习惯，而且是年龄越大越不听从家长的话。虽然这是孩子慢慢学会独立自主的表现，但要是家长管教不当，就很容易让孩子形成一些恶习。

有效的教育方法

孩子得到家长有效的教育是非常有益于他们健康成长的。一些家长对孩子的教育只是用在管束孩子上，让他们中规中距，失去活力和创造性。这种教育方法根本不能让孩子健康地成长，反而扼杀了他们的天赋，还不如不管呢。还有一些家长考虑到孩子的自尊心而不去管教孩子，这种做法也是不对的。

家长教育孩子要遵循的最基本的原则就是，在对孩子的教育和管束上尽量做到既能有效地制止他的不良行为，又能够减小或者不产生负面影响。

我接触过很多跟卡尔差不多年龄的孩子，他们本身具有的一些恶习常常喜欢用自己的理解去得到自我感觉良好的鼓励。家长们去发现并禁止孩子对自己不良行为的奖励是一种不可推卸的责任。

我有一位朋友，他的儿子是一个很顽皮捣蛋的孩子，有些方面表现得特别的与众不同。他还喜欢欺负自己的妹妹和别的小朋友，常常做出一些让人感到心烦头疼的事。

于是，这位朋友来向我请教一些管教孩子的好办法。

朋友抱怨着对我说："我那个儿子很讨厌，他不但喜爱嘲弄别人，就连吃东西也跟别人不一样。我非常讨厌他的一些行为，可他像跟我斗气似的偏要那样去做，真把我给气死了，不知道该怎么对付他才好。"

我听了朋友的话觉得很奇怪，孩子在吃东西的时候都会让父亲生气，他的行为也太与众不同了，我提议去看看这个孩子。第二天，我到朋友家做客一起共进午餐。在用餐的时候我对这个顽皮的孩子进行了仔细地观察。我发现孩子在吃面包时喜欢耐心地将皮剥下来捏成一个球形然后再吃掉，剩下的部分就仍在盘子里。孩子同时还会洋洋得意地对父母亲说：

"爸爸你看，我将面包皮剥下来吃了！"他的母亲看到这种情形就责斥他说："你这孩子怎么总是这样恶习不改，今天竟然还敢当着客人的面这样做。"这时候孩子的父亲好像也要对他发火了，于是我赶紧给朋友使了一个眼色，暗示他不要对孩子发怒。用餐完毕后，我告诉了朋友一个对付孩子的办法。到用晚餐的时候，孩子仍然重施故伎像以前那样，将面包皮剥下来吃掉后对父母亲说："我又将面包皮剥下来吃了，味道真不错。"可是这次，孩子的母亲并不像以前那样责骂他，而只是随意地说："我们已经看见了。"孩子感到有些诧异地问："你们不再教

训我了吗?"

"是的。"过了几天，我的朋友很高兴地来跟我说："我的儿子已经改掉了以前剥面包皮的坏习惯，现在跟我们用一样的方法吃东西了。"朋友对此感到有些不解，并问我是什么原因让孩子能这么快就改掉以前的恶习。道理很简单，孩子之所以那样做就是为了引起别人对他的关注，就算是被家长责骂，孩子也会觉得受到了重视。家长的责骂对他来说就像是一种奖励，而孩子表现的这种不良行为就是为得了奖赏。一旦家长对他的做法毫不理睬，漠不关心，他渐渐地感到乏味了，就会在无形中改掉那种不良习惯了。

另有个小男孩沾染上和别人说话不文明的坏习惯，因为有一个经常跟他在一起玩耍的小伙伴，常常喜欢跟别人说"屁股"这个词，于是小男孩子就学会了带回家去说给父母听。家长很讨厌孩子时常跟他说这是个不文雅的词，就极力反对他这样说话。可是孩子不但没有听从家长的意见而停止说这两个字，说的频率反而更高了，他还一连好几天编造出很多关于屁股的话，比如："可口屁股"，"屁股蛋糕"，"天上有个小屁股"等。家长气愤得不得了，用了很多的办法来制止他也不管用，后来谁电不搭理他了。当孩子看到说屁股这两个字已经不能引起家长的注意了时，也就渐渐地失去了兴趣，再也不说了。

这就是因为孩子开始说粗话的时候得到了家长的奖赏提高了他的兴致，所以他反复地说。后来家长对他的话语无动于衷

卡尔·威特教育圣经

时，孩子就没有了说粗话的兴趣，自然也就不会再去说了。

在孩子的成长过程中，会有各种各样的不良习惯，有些孩子所表现出来的是骄傲任性，有些孩子喜欢用捉弄别人的方式来表现自己，有的孩子甚至会去损坏财物。家长面对孩子的这些问题，应当采取适当的方法去解决，以便可以收到最好的效果。

儿子小时候特别爱在墙上乱写乱画，虽然我已经给他买来了绘画的物品，但他还是控制不住自己的这种嗜好，常常趁我不留意时偷偷地用笔在墙上画画。

有一次正当儿子在墙上画得高兴入迷时，正巧被我看见了。

我立刻问卡尔："儿子，你在干什么？"

儿子赶紧转过身去将画笔藏在了身后，并用身体遮挡住刚涂抹的画。

我当时并没有马上就训斥他，也没有讲道理给他听，只是阻止了儿子再那样画。于是我让他到自己的房间里一个人呆着。

过了一会儿，我把卡尔叫出来询问他："儿子，你为什么非要在墙上涂抹乱画呢？"

卡尔对我说："爸爸，我错了。我刚刚一个人在房里想了很久，我懂得了，乱写乱画会破坏墙壁的清洁。我有画画的纸张和物品，我应该在纸上作画而不应该在墙上涂抹。您曾教导我不要随便弄脏东西，因此我的行为是错误的，您对我进行处罚吧。"

我当时没有惩罚儿子，而是让他独自到房间呆着，就是要让儿子自己想明白这个道理。因为儿童有时在做事情时只是一时兴起，也许孩子知道这些道理，只是一时控制不住自己。要是我当场就去责骂孩子，或者将以前那些多次讲过的道理再给他讲一遍，肯定也不会有太好的效果。让孩子自己真正地认识到行为的错误，就会加深孩子的印象，从而减少他再犯错误的机会。

我让卡尔无聊地单独呆一会儿，这不算是惩罚。儿子独自

卡尔·威特教育圣经

呆着的时候，他做任何事情都没有关系。我只是想让他将刚刚在墙上画画的那种冲动给平静下来。他能在房里反思自己的行为是再好不过的事了。

其实这种方法适用于很多情况。当孩子们因为发生争执而打架时，他们往往会争吵不休互相告状。这时家长只要让孩子们冷静下来，并将他们各自分开单独呆一会儿，任何事情都可以轻松地解决。孩子们彼此不会有深仇大恨，只因一时气愤发生争执而已。要是家长不采用这种方法将孩子们分开，而是给他们引古论今地讲一些道理，反而会加深孩子们之间的冲突。

有些孩子可能会拒绝到家长指定的地方或者自己的房间里去，有些孩子甚至不服从命令，用藐视的态度来对待家长的命令。要是碰到这种情形，家长还是要坚持将孩子带到指定的地方去，就算孩子哭闹不休，也要强行将他关进房里。家长守候在门外，没有到规定的时间不能开门。一定要让孩子明白对抗是没有用的，他必须要面对现实，让他知道去为自己的行为负责。儿子从小就非常听我的话，因此我也从来没有采用比较粗暴的方法来对待卡尔。我对儿子的表现非常满意并为此感到很庆幸。

孩子贪食的原因

因为家长过分地宠爱孩子，让他没有规律和限制地吃东西，从而导致孩子的食欲功能紊乱。孩子的精力常常只用在消化食物方面，以至他的智力没有得到良好的发展。在这种不合理的状态中，就算实施了良好的早期教育或者别的什么教育也都是白费。家长用这种爱心来对待孩子是一种非常愚蠢的做法，这样的爱心其实是在害孩子。

不合理的饮食习惯会对孩子产生很多负面影响，但却没有引起家长的重视，这是非常严重的问题。我看到不少的孩子常

常不知道饥饱地多吃而导致生病。

贪食的不良习惯并不是孩子天生就具备，而是因为家长的无知和纵容造成的。在很多家长的心中，只想到加速孩子的成长让他的身体变得强壮，从而就使劲地对他增强营养。一听说有什么食品可以让孩子强身健体，就不惜重金地给孩子买回来并让孩子毫无节制地吃下去。我和妻子都很重视这一点，我们严禁卡尔随意进餐或者吃点心零食。我跟妻子为了给儿子增强营养，对他规定了吃点心的固定时间，并对此作了适当的安排。为了卡尔的身体健康，也为了避免他形成贪食的不良习惯，我经常对儿子讲贪食的害处。我告诉卡尔：

"一个人要是吃得太多就会让脑袋发笨，心情也会随之变得不好，有时还会导致疾病。人一旦病了，不但觉得难受和苦恼，而且也不可以自由高兴地学习和玩耍了。如果你生病了，爸爸妈妈就要为了好好地照顾你，很多事也要耽搁下来不能做了，人生病了会给家人们带来很多的麻烦。"

为了让儿子明白身体健康和合理饮食的重要性，每当遇到朋友的孩子生病时，我都会带卡尔前去探望，让儿子有机会更深刻地体会到疾病带给人的痛苦，这是对孩子很适当的教育。

有一天，我带卡尔出去散步，碰到了朋友的一个儿子，我首先问候："孩子，你家人都好吗?"

卡尔·威特教育圣经

孩子回答说："都好，谢谢您的问候。"

"你弟弟现在可能有点不太健康吧?"我问孩子。

朋友的儿子感到很惊讶地说："真奇怪，威特叔叔，您是怎么知道我弟弟生病了的呢?"

我说："因为刚刚过了圣诞节，所以我猜你的弟弟可能会生病。"

因为我以前就知道那个孩子非常贪吃，所以孩子过了圣诞节后肯定会闹病的，事情果然不出我的预料。于是我就带着卡尔前去探望那个生病的孩子，到朋友的家里我们看到那个孩子哪儿也不痛只是呻吟不止。

我在跟孩子谈话的过程中知道了他生病的原因，跟我预测的一样，孩子就是因为贪食而生病了。我跟孩子交谈的同时，常常注意到要让在旁边的儿子知道事情的真相。

为了不让儿子在饮食习惯上受到伤害，我非常注重培养他良好的饮食习惯。在用餐的时候，我尽量让儿子心情愉快地吃东西。让卡尔能愉快地用餐，对增进孩子身心的各方面发展都有帮助。

食物不应当是对孩子的一种款待和义务，切忌用食物来贿赂孩子，也不要运用禁止他进食来惩罚他。家长不必去花费时间和精力将食物当作惩罚奖励或者威胁的手段来教育孩子。要把管教孩子跟食物之间的关系区分开来，给孩子营造一个轻松的用餐气氛和环境，让他能独立愉快地进食。

很多家长因为常常担心孩子不会吃或者是吃得太少，以至于正用餐时如临大敌，用尽全部精力去管教孩子，这样吃不好，那样吃不对，挑东拣西，无形中给孩子造成一种心理压力。日子久了，孩子就将进食当成一种负担，这不仅会给孩子吃饭时带来负面影响，还会给家长带来不必要的麻烦。

家长只要给孩子提供足够的食物，就完全可以放心孩子绝对不会挨饿。只要孩子不贪食，就应当让他感觉到进食是非常愉快和重要的事，一件自己能轻松自如的想做和能做的事。不过家长一定要注意，不能让孩子认为进食就是最好的乐趣，切忌不能让他养成贪食的不良习惯。

孩子并不是天生就贪吃的，一般都是家长给他们提供了过多吃的机会。我的儿子从来没有由于吃得过多而伤害了胃。到朋友家里去做客或者拜访，主人常常要热情地拿出精美的点心之类的东西来款待。但无论是多么可口的糕点，儿子都不会动心，卡尔坚决不吃。朋友们看到他这样的表现，以为这并不是孩子真心的，也许是我对他严格管教的结果。其实这完全是出于儿子自愿的，他已经养成了正确的进食习惯。

我的朋友们会那样认为，是因为他们在用自己的孩子的标准来看待卡尔，他们不知道我儿子的自制力。其实只要家长对孩子从小进行这方面的健康教育，他们也会像卡尔那样形成良好的进餐习惯，这没有什么困难的。

卡尔·威特教育圣经

第十四章
培养孩子良好的心理素质

培养孩子的勇气

　　一个人积极进取的动力就是勇气，我对卡尔进行教育的过程中，把对孩子勇气的培养和开发作为一项非常重要的内容。卡尔的心中现在形成了这样的一种概念：胆小懦弱是会被人蔑视的，勇敢和坚忍才会受到世人的尊重。

　　害怕孩子受到意外的伤害，是每一个家长都非常担心的事。不过我认为，家长因为担心孩子的安危，就过分地强调事物的危险性，去避免孩子接受锻炼的机会，这样就会让孩子失去良好锻炼的机会，培养他的勇气也就无从着手了。其实这样做是非常自私的表现，家长是害怕自己的孩子受到伤害，但事实上

是孩子如果受到了伤害，更大程度上是伤害了他自己的感情，这就是家长避免受到感情伤害的一种自我保护。要培养锻炼孩子的勇气，也可以说是对家长自身勇气的

一个考验。我的儿子从小就知道勇气的价值。有一次，他跟小伙伴们在一起玩游戏时，他的手指被同伴们不小心弄出了血，儿子感到非常疼痛，难受得都快要流出眼泪来了。但是他仍然在心里不断地告诫自己：要坚强勇敢，要忍住。后来，儿子强忍住痛楚，仍装得若无其事跟伙伴们继续玩耍。

儿子后来跟我说："我不能让伙伴们看到我的软弱，我要是哭出来了，同伴们会看不起我的，也许以后再也不会跟我在一起玩耍了。"

我一直非常注重培养卡尔的勇气，同时也很欣赏那些力求让孩子变得勇敢的家长们。相对来说，英国人在这方面是做得比较出色的，他们经常带小学生组成的童子军去野外探险，让孩子们在险恶的环境中生存。这样做的目的就是为了培养锻炼孩子的勇气和探索精神，以及在艰苦恶劣的环境下继续生存的本领。

一些在成年人的眼里看来是非常危险，不适合孩子们做的事情，实际上孩子们是完全能够胜任的，只是家长出于爱心和缺乏对孩子能力的正确认识，从而阻止了他们去探索新的事物和环境，剥夺了孩子锻炼自身的良好机会。我觉得在家长的呵护中长大的孩子，会缺乏解决困难的勇气，这对他将来的人生会有非常不良的影响。一个人能否获得成功的重要因素，就是看他是否具有勇气和自信心。我经常对卡尔鼓励说："你一定能行的。"这样就能让儿子充满自信，让他有勇气去做他想做的任何事情。自信心在处境非常困难的时候，尤其显得重要，而决定事情的成败则看他是否具有足够的勇气。儿子很小的时候，我跟妻子就都不会主动去替他做事，就算是对孩子来说有些困难的事情也一样。这样做的目的，就是为了增强儿子独立做事的能力，培养他敢于面对挑战的勇气。我觉得家长过分对孩子进行保护会让他失去自信和勇气，日子久了，孩子就认为自己没有能力去做任何事，从而形成强烈的依赖心理。

我是有分寸地来关心儿子的，从来都不过分地宠爱他，而

卡尔·威特教育圣经

第十四章　培养孩子良好的心理素质

是非常注重培养儿子在各方面的独力能力。家长应当懂得，磕磕碰碰的事情是不可避免的，意外伤害在日常生活中也是随时随地存在的。有时候就不应当让孩子去逃避各种危险，而是要让他学会去面对和忍受，因为孩子长大成人后的生活环境需要忍受的东西会更多。因此，从小培养孩子的自信独立和勇敢精神就是为了他进入社会中，可以更好地生活工作。

一个孩子膝盖被碰伤了是很容易治愈的，而他的自信心受到伤害或者勇气没有培养出，这可是终身难以实现的。

家长没有必要处处操心，事事包办，有很多事情孩子自己完全能够做得很出色。大胆地让孩子做自己的事情，让他认识到他有这个能力将这件事情做好，这一点非常的重要，可以培养出孩子的自信和勇气。

不少家长在教育孩子的过程中最容易犯的错误，就是事先总认为孩子什么事也做不好，因此，他们总要替孩子们代劳，并且会阻止孩子去做任何事。其实家长这样做的结果，只会让孩子渐渐地对自己失去信心和努力探索追求的精神，也会让孩子失去锻炼自己的自觉性。家长们不记得只有让孩子通过各种锻炼和磨炼，才可以让他们成长为一个真正有用的人的道理。

我对卡尔进行教育的时候，总是努力避免这种先人为主的错误观念，常常是用鼓励的办法去激励孩子积极主动地做事，并且不会因为孩子的年龄大小而去阻止他做某件事情。

我对儿子教育首先预定的一个前提就是"你完全可以做好"，我觉得孩子跟成年一样都可以将事情做好，孩子应当随时学习生活的本领，虽然他可以学得不好或者犯错误。这其中的道理就跟成年人学习工作一样，有成功也有失败，不能因为事情做得不成功而去影响孩子发现自身的价值，关键在于孩子是否敢去面对失败，他们的自信心和勇气不受到其影响。我经常鼓励儿子积极主动地去做事情，既不过分地表扬他，也不去打击他，过分的称赞容易让孩子产生骄傲自满的不良情绪，这些观点我以前曾多次提到过。孩子们其实有时候也特别反感家长

卡尔·威特教育圣经

给他过分的保护，曾经有个孩子跟我说："我希望爸爸妈妈不要总是事无巨细地过问，总是过于细致地表现出关心，就好像我是个低能儿一样，这样会让我在朋友们面前很没脸面的。别的伙伴们可以做的，可是我却不能做，这是多不公平的事情啊！"

家长们越是担心孩子去冒险，阻止他们去做事，孩子就越会反感，心理不失衡，有时甚至还会形成逆反心理，固执地去做家长们不让他做的事情。

英国人在锻炼孩子勇气方面的做法是值得我们学习的，我曾听说过这样的一件事：英国的瓦伊河畔，有一所河流探险训练中心是由少年探险组织建立的，它专门为孩子们提供进行探险活动的机会，以此来训练他们的勇气和坚强的意志。

孩子们在这里每天一大早就来到河边，由专门的负责人来教他们游泳和划船。训练往往是紧张而艰苦的，每一次练习都会有孩子落水，也会有人受伤。孩子们在激流中拼搏常常需要具有坚强的意志和勇气，他们在这里不仅学会了游泳划船等技术，更重要的是培养了孩子的意志和勇敢精神，他们同时也懂得了互爱和团结精神。

英国不少地方都有很多类似这样的活动，目的不是为了让孩子学习某种技巧和能力，而是为了锻炼他们的意志和勇敢精神，为他们日后的工作和生活作好全面的准备。英国人的这种教育方法是值得我们大力提倡和推广的。

培养孩子的独立意识

我经常强调一个很重要的准则，孩子自己可以做的事，家长不要替他去做，就让孩子自己去完成。我对卡尔的教育就是按照这个准则去做的。

阻止或者代替孩子去做他们可以做的事，是对他们积极性的最大打击，因为这样会让孩子们失去实践的良好机会，也就相当于是对他们勇气和能力的不信任，这样就会容易让孩子产生危机感。安全感是建立在可以用自己的能力去处理问题的基础上的，要是孩子没有自信心那也就没有安全感可言了。有一个孩子，他的父亲在这个孩子很小的时候就去世了。孩子的母亲因此就倍加地疼爱他，当这个孩子长到 4 岁时，母亲还是整天亲自喂他吃饭，帮他穿衣。当孩子再长大一些时，他仍然不会自己吃饭穿衣穿鞋。但是跟他同龄的那些小伙伴们在做

这些事时都做得非常的出色，这个孩子在相比之下就显得手忙脚乱。有人劝说这个孩子的母亲，要让孩子自己去完成这些事情，像他一般年龄的孩子都应当学会穿鞋戴帽这些基本的技能。可是母亲却说："儿子就是我的一切，我愿意为他做出一切牺牲。"

这位母亲并不懂得这样做是不利于孩子的发育的。她对儿子的爱其实也是对孩子的可怜，她觉得自己是一个合格的好母亲，将自己所有的爱都奉献给了孩子。但是她却不知道自己的做法，实际是在让孩子处处感到自己是没有用的人。这种过分超常的爱，所引起的负面影响是很多的。它会让孩子只顾自己玩耍，不去学习和做任何事情，从而形成极强的依赖性。当母亲有一天不再这样照顾他时，孩子就会有一种失落感了。

母亲的这种无私实际上是非常自私的行为，因为她忽略了

卡尔·威特教育圣经

孩子成长发展的需要。母亲在孩子长大后还是一如既往地替他做事情，导致孩子这样不愿学，那样不会做，让孩子觉得自己样样不如别人，甚至让他形成自卑的心理，觉得自己是一个没有用的人。这样的孩子将来是不会良好地适应社会的。

如果家长替孩子做他们自己可以完成的事，就相当于是家长在告诉孩子，他们比孩子更灵活更有能力和经验。从而显示出家长的伟大，孩子们的渺小。在这样的教育下成长的孩子，一般是仪表堂堂，身强力壮，但却都是缺乏勇气与能力、畏缩胆小的人。他们不具备良好的独立能力，是不可以拥有美好的未来的。妻子在培养卡尔的独立性时表现得很好。儿子应当学会自己穿衣服时，妻子就不会替孩子做，而是让孩子自己去完成。她在旁边指导示范，并看着儿子自己穿好。她并不催促孩子，而是亲切地对儿子说："你一定能够自己穿上它的，别着急，你要知道你现在已经是一个大孩子了。"卡尔要是还坚持他自己不能穿，儿子的母亲也并不理会这些，而是继续鼓励孩子说："慢慢来，妈妈相信你一定行的。妈妈闭上眼睛数数，看看我的孩子要用多久的时间才能穿上。"儿子这时候也许会继续做下去，也可能不再做任何努力开始哭泣。母亲这时就不再理卡尔，当孩子发现自己的哭闹并不能引起母亲的怜悯时，他就会继续尝试靠自己的能力来解决问题的。这样，儿子没用多长的时间就很快学会了自己穿衣服，我跟妻子就是从这些小事上开始培养卡尔的独立意识的。

儿童在德国古代的时候就被当作独立的成年人来对待，贵族们常常让自己的孩子离开家到其它的贵族那儿学习如何才能做真正的骑士。贵族们觉得孩子在离家后独立成长的过程中，能够让孩子具备一个骑士所应有的素质和知识。可见他们对孩子独立意识的培养是非常重视的，这种优良传统对我们民族和国家的发展有着非常重要的意义。

考虑到孩子的性格特点和能力范围，让孩子去挑战困难锻炼胆量，以此来培养孩子自立自强的品质，这种传统意识至今

卡尔·威特教育圣经

仍在沿用，有一部分家长甚至觉得这比教孩子知识更重要。我也是如此来教育儿子的，这种做法值得推崇。

　　孩子觉得不安或者无能时，就会本能地到家长那儿寻求慰藉，他们明白家长会给自己带来温暖和支持。所以孩子为了可以确保获得这种舒心的感觉，就常常把情感的支点靠在家长的身上。他们付出自己情感独立权的同时，也就必须要接受别人对自己情绪的支配。

　　在这方面心理有障碍的人，通常情绪上是高度依赖别人的人。他们没有独立意识，不能为自己创造心理上的满足，他们只有在思想行为上都去依靠别人，常常按照家长或者别的权威者的样子来思考和行动。他们的独立意识其实都是参照别人的反映，因此，当他们依赖的对象一旦坍塌消失，他们顿时就会陷入绝望而危险的境地。

　　一个对自我意识有强烈需要的人，才是真正具有独立精神的人，他们从来不借助其它的依赖就可以形成自己的意向从而作出决定，指引他们履行自己的行为和纪律的往往是自我实现的方向。伟大的人们立定志向不是去满足别人，而是来满足他们自己。

　　因为这种依赖意识更具隐蔽性，因此就对家长提出了更高的要求。家长一定要反省，在对孩子的爱中是不是有这样的成分存在：虽然明白应当让孩子学会独立，但因为担心失去孩子，而常常让孩子生活在自己给他预先安排的状态里。

　　家长阻止或者代替孩子做一些事情，都会让孩子失去实践锻炼的良好机会。更严重的是，家长过分地替孩子做事，其实也就是相当于告诉孩子他是个什么也不会做的低能儿，他必须要依靠别人才可以生活。孩子一旦在这样的环境中成长，他步入社会的时候就会感到束手无策，无所适从。他从来没有独立的意识，只能四处去寻找别人的帮助，但是在社会中是不可能再找到像父母那样贴心的关怀和照顾的，因此，家长这样的做法是不利于孩子们健康成长的。

　　我非常注重培养儿子的独立精神。在卡尔处于婴儿阶段的时候，我就常常让孩子单独睡在摇篮中，而不是睡在他母亲的怀里。卡尔的喂奶时间也有很严格的规定，要是没有到规定的时间，就算他如何哭闹，母亲也不会给他随便哺乳。

　　不少的家长觉得这种做法有些残酷。其实从孩子幼年的时候就开始训练他的独立精神是非常必要的。那些无微不至的关怀，不仅不能让孩子全部接受，反而常常会造成孩子的能力低下。孩子进入了少年阶段，常常跟家长发生冲突，很多情况就是对家长处处关怀他们的一种反抗。孩子们不希望让他人觉得自己是个毫无用处的人，他们需要在别人面前证明自己的能力，因此，家长的一手操办自然就遭到孩子们的反抗。

锻炼孩子的心理承受力

　　从人类的成长规律来看，逆境挫折的情境更容易磨炼人的意志，逆境比顺境更容易培养出优秀的人才。在逆境中经过千锤百炼成长起来的人，具有更强的生存力和竞争力。因为在逆境中成长起来的人更趋于成熟，不仅有成功的经验也有失败的教训。他们将挫折看成财富，明白失败是成功之母，成功往往是建立在失败的基础上的，所以，这些人更具有从容乐观的面对挫折的大将风范。要让孩子具备敢于面对挫折的能力，就必须从小培养他们的心理承受力。

　　挫折可以说就是困难和失败，是这种因素在心理上所形成的感受。这种感觉是非常难过的，它难以实现你的梦想或者是根本就得不到满足。但是对意志品质不同的人来说，挫折的意义也就会完全不一样。

　　我告诫卡尔：一定要做一个意志坚强的人，因为人的一生不可能总是一帆风顺，而是会碰到很多挫折和困难的。我让儿子明白，困难往往容易击垮心理承受能力差的人，但是意志坚

卡尔·威特教育圣经

第十四章 培养孩子良好的心理素质

强的人却常常可以在挫折中找到成功的途径。我要求儿子必须可以接受失败，不然的话，就不能养成持之以恒的坚毅性格。我从卡尔很小的时候，就开始教他学会勇敢地面对失败，忍受它所带来的负面影响。

我要让儿子知道，用逃避的方式来避免失败，是低劣的性格品质。只有那些有不良行为的坏孩子才会这样做，他们常常会拒绝上学来逃避考试，这样会让他的自卑心理也越来越膨胀。他们为了给自己这种不良的行为找个正当的理由，经常会说："我不愿意这样做"，或者去攻击贬低勤奋学习的人"愚蠢"等。他们会进行自我安慰，说："个性强的失败"等，借此来给自己营造一种虚假的自豪感。

"犯错误和失败都是可以走向成功的道路，关键是看自己是否尽了最大的努力。"这是我尽力教育儿子懂得的一个道理。

我告诫儿子，不管在任何情况下都不能走极端。有不少喜欢走极端的孩子，由于害怕不能满足老师、家长的期望而感到恐惧，甚至会用自残的方式来逃避失败。孩子处于少年时期，掩盖失败所带来的恐惧感的最典型的方法就是酗酒打架。这并不是巧合，孩子们的这些不良行为都是由于他们到了最在乎别人对自己看法的年龄段后才开始的。

其实只要家长对孩子们从小就进行培养他们坚强、勇敢、自信的心理，并且用信任理解、鼓励交流的方式来帮助他们，孩子们不良的极端行

卡尔·威特教育圣经

为就非常容易避免。

人自欺欺人的这种能力是没有止境的，所以我非常重视教会卡尔以现实为基础来进行思考。人只有面对现实才会有所作为。有不少的人整天沉迷于幻想之中，不能面对现实，这是对现实的一种逃避心理。

人们常常会受制于逃避心理，因此一定要学会面对现实。我尽量让卡尔的行为有利于自己的同时也能有利于别人。为了避免卡尔形成自我欺骗的心理，我要求儿子按照真实世界的模样来认识它，并且做出适当的反应和决定。

不少家长不但没有教会孩子这些技能，反而教会了他不能面对现实的毛病。由于家长总想避免孩子不受残酷现实的伤害，从而强化了他们的逃避心理。这些家长在无形中对孩子造成的不良影响，是一种不负责的行为。

儿子无论有多么痛苦，我都要求并且帮助他去面对现实。当我向卡尔解释并教他处理问题的时候，儿子就会慢慢地懂得，哪怕是最困难的处境，父亲也有能力来面对和解决它。这时儿子也会自信地说："爸爸，我相信也可以做到。"

让孩子学会争取与放弃

我向来以培养全面的人才作为我的教育宗旨，前面已经叙述过了。在对卡尔的教育中我非常注意强调全面的培养。一般来说，凡是卡尔愿意学的，我基本上都会尽量来满足他。我从不反对那些对孩子成长有益的事情，更不会限制他在这些方面的努力。

有一些家长从自己的角度出发希望孩子成为他们想像中的人才，他们过早地为孩子选择专业，仅仅依靠自己的爱好对孩子进行培养，这对于孩子来说是没有什么好处的。

有的家长自己喜爱艺术，于是他们就逼着孩子去学音乐或

卡尔·威特教育圣经

是绘画。丝毫不考虑孩子的感受，当然也就更谈不上会用有效的教育方法了，他们的这种做法一般会让孩子十分的反感，反而会将孩子本身的潜能抹杀掉。我每看到那些在父母的逼迫下才坐到钢琴前的孩子，心里就不是味道。我感到那些孩子看起来好像不是在受教育，更像是在受一种折磨。他们从小就带着痛苦的心情来学习，以后又怎么会变得热爱学习呢？那些孩子处在父母的威逼下涂抹颜色，将来又怎么可能成为画家呢？

通过早期的教育卡尔学到了很多的知识，同时也形成了许多非常有益的爱好。所有的这些都是在他主动要求下进行的，所以几乎每做一件事他都带着强烈的兴趣。因为他在这种学习中感受到了乐趣，在同时也就享受了童年美好的光阴。

当然对于卡尔来说，我从来不曾要求他能将所有的这些爱好都达到登峰造极的境地。这是没必要的而且也不太可能。培养一个全才并不是说要培养出一个无所不能的超人。人并不是神，不可能面面俱到。因为每个身上都有缺点。

我始终鼓励卡尔去学习艺术。对于他喜欢的音乐和画画，我都给予了有力的支持，因为这些爱好对于增强他的想像力和创造力非常有益。但是我从来没有想过一定要将他培养成艺术家，除非他自己一心想成为一个艺术家，那又另当别论。

父母有责任在孩子迷上了那些与他先天条件不相适应的事物时，帮助他进行选择。因为培养全面的人才并非一定要面面俱到，还必须根据自身的情况和环境来决定。特别是要根据孩子自身的潜力，根据他们的兴趣所在而因材施教。一般来说，孩子小的时候都充满自信，就算是面对无法逾越的困难和无数次失败，他们的自信心也毫不减弱，这是最好不过的事。虽然成人依靠自己的经验早就看出事情不可能成功，但是小孩子却依然会天真地认为，只要坚持就会成功，孩子的这种毅力当然非常令人赞叹的。但是父母亲应当在孩子无法做出正确的判断时，对他们进行必要的帮助。

这是因为我们不能让孩子在毫无希望的事情上浪费宝贵的

时间。所以如果家长遇上这种情况，就应该抓住机会教孩子学会正确思考问题，这样才能帮助孩子成熟起来。

我经常告诉卡尔，遇到难事时能争取的就去争取，如果实在不行就要果断地放弃，这样做也是一种智慧的体现，这也算是人生中的一种考验，大多数人都会面临这样的难题。

在卡尔学习演奏乐器的时候，当时我们的目的只是想通过这种爱好，能让他的手指变得灵巧，同时能进一步开发他的智力，所以有时他弹错几个音时我们也并不会责怪他，更不会因此而感到失望。

孩子们喜欢弹琴，不论他们弹得怎样，总是对他们有好处，不仅可以培养他的兴趣，同时还能开发他们的智力。

卡尔八九岁的时候，有一天他突然对我说，他再也不想学语言、数学等知识了，他希望自己能变得英勇，将来做一名武士。

这种成为英雄的想法，几乎是所有的孩子在成长过程都会产生的想法。我对孩子当时的心情很了解，儿童在刚刚开始懂事的阶段，对未来充满希望而又急于求成，孩子们几乎所有的远大抱负都是从这个时候形成的。我自己八。九岁的时候也这样想过。所以这时，家长对孩子们进行正确的引导就尤其关键。如果让孩子在不成熟的状态下做出了错误的选择，那将会浪费一生中最宝贵的光阴。卡尔想要做一个武士或将军，就完全是这个时期英雄情结的心理作用。当然我不曾像多数父母那样简单地否定他的愿望，因为我想要让他更进一步懂得如何做人，于是我慢慢开导他，对他讲了当一名武士应具备的条件。

"孩子，难道不记得我给你讲的那些故事了吗？故事中的那些东方的武士是多么的英勇！"

儿子憧憬地说："当然记得，我很想成为故事中那种行侠仗义的英勇的武士。"

"你知道他们是怎样成为一名武士的吗？"我接着说："他们很小的时候就拜师求艺，苦练武功，然后才能成为武士。你有

卡尔·威特教育圣经

这样的想法很好，但我们这里又找不到身怀绝技的老师，我自己又不懂武艺，你跟谁去学呢？"

"我可以去东方，去中国或者是日本……"

"你想想就算是到了东方，你就能找到身怀绝技的老师吗？他肯教你吗？再说我给你讲的并不就是真实的，那只是故事中的事情。你想一个人怎么能够跳几十米高呢？根本就不可能的，人类是无法达到那样的极限的。那些故事仅仅是出于人们的想像力。我给你讲它们，是希望你能学习武士们勇敢的精神，并非让你真的去做一名武士。"

听了我的话后，儿子表现得很失望，我又继续对他进行开导：

"你要知道时代变了。古代科学比较落后，那些武士和将军，要拿着刀剑到战场上去拼杀。而现在的将军根本不必要这样，而是要有高超的智慧和掌握各种各样的知识，仅仅凭自己的武艺是不能成功的。"

"孩子，你要知道，每个人都有自己的长处和缺点。对你而言你的数学、语言、文学都是很出色的，所以你必须把握住自己的长处，为什么不去发展它们呢？你将来要是做一个文学家，就能带给人类巨大的精神财富，做一个发明家，就能为人们创造出非常有用的东西。英雄并不只是在战场上，各行各业里都有。只要你能将自己的长处发挥好了，那么不论在什么领域都能成为英雄。而对于那些不适合你去做的，你要学会放弃它。一个真正的大英雄，必须能够真实地面对自己。"

听了我的话后，卡尔恍然大

悟。对于什么是英雄也有了进一步的认识，同时他也明白了争取和放弃的道理。这些理论在他以后的人生中起了非常积极的作用，后来不论他遇上什么样的困境，他都能通过自己的智慧进行正确地取舍。

卡尔·威特教育圣经

第十五章
教儿子怎样与人交往

倾听孩子的艺术

如果一个孩子不知道怎样与人相处，那他将会是一个孤陋寡闻的人。即使这是个非常聪明的孩子，那么他顶多也只能算是个孤家寡人式的小神童。这种性格孤僻的孩子将来是不会成就大业的，他本身所具有的才能也会因此而毫无用处。

如果一个孩子只局限在自己的知识领域中而不会去与人交往，那么这个孩子的知识必定是停滞不前的。他本身所具备的潜能也完全无法体现出来，就算他才艺超群也只能是一个闭门造车的书呆子型的神童。

对儿子进行教育的过程中，我很重视对他进行怎样与人交往的培养。为了让卡尔能成为一个广交朋友、与人和睦相处的

孩子，我给他提出了一些要求：开朗大方、礼貌自尊、有责任心和组织能力等，这些是要求儿子必须做到的行为规范。其目的就是让儿子以这些规

范来作为与朋友们相处的准则进行交往。

　　如果一个人不善于与人交往和相处就会常常碰壁，不仅做事情不顺利而且还让人烦恼；倘若是一个可以轻松与别人沟通交流的人，不仅做事顺利而且还会是个快乐的人，因此，不会跟别人交往的孩子是非常孤独和不幸的。在一次聚会中，朋友对我说起他在家中感到烦恼的事，朋友很无奈地说："在我的家里有时会有一些矛盾，但是我的家人却因为害怕或不好意思，因此就从来没有进行彼此仔细地交流。我们家人全都这样，也包括我。"

　　我对朋友说："你如果想让大家痛快地说出心里话，我可以告诉你一个简单易行的办法，那就是举行一次家庭聚会，在会议上每个人都能自由地发表自己的意见。"

　　朋友听从了我的建议，他给每人都发一个笔记本，让他们在上面记下某人在哪些方面犯错的事，并规定到特定的时间就举行一次家庭会议，每次会议都要选出一个会长来安排所有的事情。

　　后来朋友告诉我，自从家里举行了家庭会议后，家庭气氛比以前浓厚多了。每次到举行会议的时候，家人们就像过节似的欢聚一堂。刚开始大家对一些矛盾彼此还有些顾虑，通过一些交流后，大家就都敞开心扉畅所欲言了，逐渐地那些矛盾也在交流中解决了。

　　以前孩子们因为害怕他的严厉而不敢跟他多说话，他自己也觉察到孩子们对自己有些不满，感到很不自在。现在孩子们说出了心里话，坦露了自己的情感需求，孩子们想让父母每天晚上陪他们一会儿，父母毫不犹豫地愉快答应了孩子们的要求，同时也对孩子们提出了建议，要求孩子们吃饭睡觉要守时。通过语言的交流，他与妻子的感情也更加深厚了。大家都很满意这种沟通方式，家长和孩子都有机会可以轻松愉快地进行交流，而且大家都乐意去实施民主作出的决定。家庭的教育和情感沟通都收到非常令人满意的结果。

卡尔·威特教育圣经

　　家庭聚会其实是家庭教育的一种方式。家人之间很有可能会因为家庭生活而产生一些矛盾和心理隔阂，不过家庭也同时具备积极的团结力量，我们应当充分地用它来消除家庭中所遇到的矛盾。例如妻子要处理一些琐碎的家务活，而孩子们的不讲究整洁更增加了她的负担；丈夫忙了整天的工作回到家，却看到孩子们的吵闹。这时候，家长可能会容忍，但是这种容忍不但不适宜孩子的教育，而且还会让家长感到压抑而产生烦恼的情绪，以至于认为整个世界都对自己充满了敌意。假如对孩子大发雷霆进行责骂又会产生怎样的后果呢？这是更不明智合理的举动，这样会产生家长与孩子们情感上的裂痕。

　　假如家长采用一种积极消除矛盾和冲突的方法，让大家在家庭会上心平气和地坐下来谈谈，这样的提议确实是很有可行性的，并且往往会收到满意的效果。

　　积极的交流不但是教育孩子的重要途径，而且它本身也是一种教育。受家长言传身教的影响，孩子们也能以主动自信的心态去面对他所处的环境，并可以理智从容地解决问题。

　　我从儿子3岁的时候就开始鼓励他参加类似于家庭会议这样的谈话活动，让孩子跟我和他的母亲讨论一些问题。虽然他那时候还不能完全都听明白，但他已经能知道当出现问题的时候，别人是通过怎样相互间的交谈来解决一个问题的，还必须具备什么能力。

　　在家庭教育中有些是会被教育双方忽略的细节，但在家庭会议的方式中却会涉及到很多这种具体而又重要的细节。比如母亲表示，如果她的孩子能帮她做一些家务，她会特别高兴的。然而，孩子则想要父亲能够抽出一些时间来陪他们玩。

　　如果家长能够掌握孩子的这些心理细节，对父母更深入地了解孩子是很有帮助的。父亲对孩子们的理解会令他们更信任家长，也更加地乐意接受父母的教育。通过对卡尔的教育，我逐渐地掌握了和孩子们沟通的方法。学会倾听他们就是我的经验之一。

每天在卡尔睡觉之前，我和妻子都要花一些时间听孩子讲他当天发生的事情。在讲述中，卡尔还会评价自己哪些事情做得好，哪些没有做好。这样卡尔慢慢地养成了反省自己的习惯，也让我们进一步地了解了他的性格和内心的想法。所有的家长都希望孩子能对父母敞开心扉，能够经常征求父母的意见并与他们进行交流。不过父母得首先学会倾听孩子，只有在情感上赢得孩子的信任，父母亲才能真正地和孩子自由自在地沟通。

　　在跟卡尔的交流中，我会承认孩子的一些美好想法，但是我对他的这种理解并不表示着他可以胡思乱想。对于他那些错误的想法，我会给他讲明白道理并让他及时地纠正。

　　有一次，儿子不高兴地走过来对我说："爸爸，我一点也不喜欢我们的邻居布劳恩夫人。"

　　我感到很奇怪就问卡尔："这是为什么呢？孩子。"

　　儿子不满意地说："因为布劳恩夫人一点也不亲切，她从来都不会笑。"

　　我笑着对儿子说："你是因为布劳恩夫人很少有笑容，看上去不和蔼可亲才不喜欢她的呀，这只是事情的一个方面，你并不了解布劳恩夫人，她的确十分善良，要是你对她很友好，她也会同样对你。你们会相处得很好的。"

　　对于我们来说，晚餐是一个非常重要的时刻，我们可以在餐桌上讨论各种家庭问题。所以每当晚餐的时候，我不允许别人来打扰我们。家里的每个成员都可以利用这个机会发表自己的看法，根据我的经验在这种时刻与儿子进行交流效果与平时大不相同。在这种情况

卡尔·威特教育圣经

下，卡尔所谈的事情也能很好地引起我的关注，而他自己也因此而获得一种尊严和满足。

我有时候还会找个机会和儿子聚在一起，有时候我们去田野，有时候去树林中野炊，这种轻松愉快的氛围，可以增加彼此的情感，让我和儿子谈得更加舒畅。

我始终认为"倾听"是种很好的教育孩子的方法，因为倾听能够促使孩子进一步认识自己的能力，同时也对孩子表示了关心和尊敬。用这种方法孩子可以在不受到轻视和奚落的前提下，自由地对任何事物发表自己的看法。这种方法能够促使孩子毫无保留、无所顾忌地发表自己的观点。这样从家里到学校，将来参加工作后在社会上他就可以勇敢公正地处理所遇到的各种事物。

与人沟通也是一门艺术，要充分考虑到时间、地点和方式等各个方面。例如当孩子感情波动很大时，或是希望在心理留有自己的空间时，他们所需要的是内心的安慰，而不是提问，这时我就通过拥抱或抚摸，给儿子传达一种温暖的信息。有时候我会把一些不方便用口头表达的情感写在纸条上，用这种书面的形式，是为了加重它们的分量，让它们显得更加真实可信。

在与儿子沟通上，我想了很多的办法，这些有效的方法不仅促进了我对儿子的了解，也培养了儿子与他人沟通的能力，以便于他将来更善于与人交往。

理解的作用

很多家庭中发生的问题部跟家庭成员之间能否友善地沟通有关，比如孩子心理上的缺陷或者家人们之间情感的冷漠疏远等等，这些矛盾往往来自于彼之间不能很好地理解。

有的孩子经常爱撒谎，这种行为的发生很多时候是在当孩子觉察到家长处于不平等的地位。孩子就认为家长不想去理解他做的事，也不愿意与他一起探讨遇到事情时应当怎样对待，而只会对他犯的错误进行严厉的批评教训，因此孩子就宁愿不将真话说出来。

如果要家庭沟通成功，理解、信赖、尊重、关怀和接纳等这些因素都很重要。理解要求无论家长还是孩子都能设身处地地为别人想想：信赖要求做到既信任自己也信任他人；尊重要求尊重别尤其是尊重孩子的权利、意见和选择；关怀要求不仅要存于内心更要付诸行动；而接纳是要求了解每个人的性格并懂得欣赏他身上具有的特点。

如果能改变孩子只是接受者、家长才是决策人这样的家庭角色，就能树立起一种积极健康的家庭沟通关系。家长在家庭教中应当要能进行角色互换，任何一个家庭成员都能对他讲述的事情给予积极地解说。如果孩子能参与讨论成年人的问题时，他们也就能够很好理解家长了。这时家长可以调动孩子的积极性让自己认识孩子的才能，另外还能得到自己对孩子进行教育的反馈信息。

我弟弟有个很可爱的小男孩名叫维尔纳，他比卡尔小 1 岁。这孩子在我家里住过一段时间，我们全家都很喜欢他。因为维尔纳在我们家里住，为了不让这个小客人有不自由的感觉，妻子对维尔纳极为痛疼爱。这样日子长了，卡尔渐渐地就认为母亲不爱自己而是将她的爱全部都转移到弟弟维尔纳的身上了。

卡尔甚至认定就算他和弟弟发生争执，妻子也肯定会是偏向维尔纳的。这种认为父母的关爱被人分享因而形成心理不平衡的情绪，在孩子身上是很容易发生的。妻子则希望小卡尔在跟弟弟维尔纳相处时，能学会适当地调整自己的心态，学会宽容和照顾别人并消除对他人的敌意，这样往后在跟别人交往时才能处理好关系。

妻子面对小卡尔的懊恼并没有问他："为什么要跟小弟弟过不去？"这类的话，也没有用道理来训服他。而是她很郑重地对卡尔和维尔纳说：

卡尔·威特教育圣经

卡尔·威特教育圣经

　　"我有一个提议，你们俩都是很有理智的好孩子，往后你们自己搞好团结，我不去参与。卡尔我相信你是不会伤害弟弟的，假如你们俩不团结就来找我。"就这样妻子将一个照顾者的任务交给了卡尔，自此儿子和维尔纳之间产生了亲密的手足情。妻子的提醒让卡尔意识到自己是家庭里负责任的人，照顾弟弟是自己的义务，从而慢慢地成熟起来。从此以后儿子对维尔纳细心照顾，不仅陪弟弟

玩耍还教他念书，给他讲故事等等。

　　有时我发现了卡尔的一些问题，但是却希望儿子能够主动地认识到并予以改正，于是我就自己扮演一个疑问者，让卡尔来做决策者。我总是这样来问卡尔："我目前遭到了这样的麻烦，那我应当怎么做才好呢？"这样做更有利于增进彼此的互相理解，建立我和孩子之间的感情。只要彼此之间能互相理解，任何问题都能轻而易举地解决。有一天，儿子和维尔纳要求到田野中去游玩，我答应了他们的请求，但是要求他们俩在傍晚之前必须回家。也许他们俩玩得太高兴直到天黑了以后才跑了回来。对他们俩没有在规定的时间内回来这件事，我当时并没有批评他们。下一次他们再要求出去玩时，我就很忧愁地对儿子说：

　　"我和你的母亲都很担心你们会在约定好的时间内不回来。

你知道吗？上一次可把我们急坏了，你母亲急得都快要哭出来了，不知道你们发生了什么事这么晚还不回来。你看这该怎么办好呢？"

因为卡尔亲自参与这个问题的决定，所以他总是自觉地按照规定去做，往后儿子再也没有不守时间的事情发生。经过共同协商一个问题，父母最后要让孩子懂得"理解、准时、承诺、信任"等这些观念的重要性。协商的方式是最容易让孩子形成理解别人的良好习惯，并会让孩子站在别人的立场上考虑问题。如果上次我对儿子不守时的事不是采取协商的方式而仅仅是严厉地批评，那样卡尔不仅不能真正地理解父母的苦心，反而还可能会反向发展，变得越来越不听家长的话。

我们全家在一次家庭会议上对卡尔的设想进行了一番讨论，儿子打算在每个周末就举办一次野炊，他想尝试尝试我以前发挥的职能的滋味。卡尔选好了野炊的地方，通知出发的时间，并对要使用的物品提出意见。我和妻子偶尔加以表决来推动孩子的计划的进一步开展。大家还认真地在笔记本上作笔记。目前家庭会议对庆祝节日、请客、馈赠礼品、游玩等日常活动作了计划，这已成为全家人生活和感情紧密联系的桥梁。在会议中我们对卡尔的一些设想也有不同的意见，但我们并不急着提出批评，而是采用一种委婉的方式让孩子自己来做出正确的决定。

理解和交流是非常重要的，孩子将来适应社会能力的强弱与家庭中沟通技能方法的掌握学习与培养是紧密相联的。倘若孩子很小就在家庭中学会了跟家人交流的技巧，那么当他步入社会时，他也同样能很轻松愉快地与别人沟通交流。与别人的交流要建立在理解的原则上，这一点非常的重要。倘若每个人都狭隘地从自己的角度考虑问题，人们彼此间不互相地交流、理解，那么你常常会认为自己的观点永远是正确的，而错误总是发生在别人的身上。

一个将自己局限在狭隘自我中的人很难去理解别人，更不

卡尔·威特教育圣经

第十五章　教儿子怎样与人交往

会发现他人的优点，也就无法与别人进行交流。这样的孩子长大后，因为无法理解别人，从而很难与他人合作。那么就算是他自身拥有出众的才能，也无法让事情顺利地进行，因为他已经为自己设下难以逾越的障碍。因此要让孩子成为一个全面发展的优秀人才，理解他人是非常重要的，这也是与人交往的最基本素质。

卡尔·威特教育圣经

第十六章
我的教育理想

卡尔·威特教育圣经

将孩子精心培养成一个完美的人

　　如果要让孩子的一生幸福快乐，生活多姿多彩，家长们就必须要孩子具有文学知识、艺术的鉴赏力和修养。如果生活中没有艺术，那孩子就像生活在单调枯燥的荒野一样。

　　我认为最理想的教育，就是能让孩子成为一个身体和精神得到全面发展的人才。对于卡尔，我十分注重他的品德智力和身体健康等多方面的发展。

　　如果一个人只具备知识，那么他将来也许会成为弱不禁风的书呆子，这样的人是成不了大器的。我不希望卡尔以后成为这样没有用的书呆子。

　　如果一个人没有知识和品德作基础，只具备强壮的身体。那么他们的强壮也只是单薄而无力的。这样的人要么是性格粗暴，要不就是一个朽木不雕的蠢人。这些人对社会只能做出很有限的奉献，大多是

靠自己强健的体魄做苦力来生活。还有一部分人因为没有文化，所以愚昧无知，他们的性格会变得凶狠残暴，这样的人不但不能成为有用的人才，还会给社会带来很大的危害和影响。

我对卡尔的教育不单是让他学习知识，还特别重注他在其它方面的发展。卡尔小时候就是一个非常活泼健康的孩子，他不仅有强健的身体，丰富的知识，还有非常好的道德品质。他在各方面都做得很好，他的全面发展正是我所希望的。

我不仅培养卡尔在学识、品质和身体三方面的发展，同时，还尽量培养他的多种爱好。我希望卡尔将来能够成为在各方面都有优秀素质的人。

我的妻子在生下卡尔不久，就经常一边哼着歌谣一边有节奏地轻拍怀里的孩子。当孩子稍微长大一点的时候，就开始给他唱歌跳舞并讲故事。

我的妻子对我说，哺乳期的小卡尔在喂奶的时候都要听着歌才肯吃奶，顽皮的时候，一听见歌声就乖乖地听话了。小卡尔常常聚精会神地听母亲唱歌，并且还跟着咿咿呀呀地学。要是在他面前跳舞，他更是高兴得手舞足蹈起来。

还不满1周岁的小卡尔，似乎对艺术方面就特别敏感。一次，卡尔的母亲走过来兴奋地对我说：

"小卡尔好机灵啊！我刚搂着他哼了几句歌谣，他自己就又哼又乱晃起小手来，我敢肯定他是听到歌声在舞蹈。于是我哼着歌将他抱到镜子前时，他更加高兴地手舞足蹈起来。"

听了这些描述后，我也觉得非常高兴。虽然这种舞蹈只是孩子的模仿行为，但是模仿却往往能提高他的创造性，而且模仿也是一种潜在的能力，同时还需要父母对孩子的鼓励来增强他的兴趣和信心。

人生的一大幸福就是能尽情地享受艺术的乐趣。

非功利性和抒情性是艺术的最大特点。我在传授小卡尔词汇时，不但教他有用的东西，同时也教他一些看来好像没有什么用处的东西。

卡尔·威特教育圣经

　　我让他观察阳光下的影子和湖水中的倒影，他对那些景象很感兴趣。有一次，他还非常有趣地将小手放在阳光下一摆一摇，很好奇地看自己的手的影子。

　　艺术常常能让人更好地抒发自己的思想感情，这样会有益于孩子扩展联想的范围，扩大视野，形成更多的情感。

　　我总是精心安排一切来培养卡尔的爱好，首先从住宅开始着手，我在墙壁上贴满让人感到心情舒畅的墙纸，并且在上面挂上经过精心挑选的画。房间里决不摆放任何不协调和没有情趣的东西，我总是在室内摆放一些很有情趣的东西，那些不太适宜的物品决不摆放进来。

　　要是有人送给我的礼物与家中的氛围不谐调，我就决不会将它摆出来。在穿着方面，我们也非常地讲究，这并不意味要穿昂贵衣服或者是打扮得花里胡哨，我们总是讲究朴素和雅致。这方面全家人都和我一样，干净利索，衣帽整齐。

　　在住宅的四周我设上一个很雅致的花坛，并在其中栽了各种四季常青的花卉。那些没有什么情趣或是看起来不协调的花卉我是不会种植的。

　　有一次，我看见儿子独自在地上蹲着，不知道在做什么。我悄悄地走到了他身后一点也没有惊动他，我看见他在用小树枝在沙土上绘画。于是我低下头仔细地看，卡尔不仅画出了天上的太阳、云彩，地上的树木和花草，还画了几个农民在田间种地，我真想像不到小卡尔能画出这么一幅完整的画。他的画中包含了很丰富的内容，构图十分精美，一些线条还很具有韵律感，这看起来一点也不像孩子的涂鸦之作。

　　我高兴地摸着小卡尔的头问："孩子，你喜欢画画？"

　　儿子回答："当然了，绘画多有意思啊。"

　　"你怎么会绘画的呢？"我忍不住好奇地问。

　　"我也不知道，只是看到这么美的田野就想把它画下来。"

　　我接着问："你将来想做一个画家吗？"

　　儿子说："我不知道，但是画画很有趣。我在绘画时看见天

　　　　　　　　　　　　　　　卡尔·威特教育圣经

上的云在移动呢。"

听了卡尔的话，我感到很高兴。也许我的儿子将来不一定会成为艺术家，但是绘画确实能培养孩子的观察能力。

于是，我给小卡尔买来绘画的工具和纸张，给他提供绘画的条件。尽管卡尔最终没有选择成为画家，但是我依然小心地把他小时候的画保存着，因为那些作品是孩子儿童时期创造力的体现，同时也是卡尔健康成长的纪念。

除了培养卡尔的绘画爱好，我还尽力培育他对文学的喜好。我经常讲一些有趣的故事给他听，他自己能阅读的时候，我就推荐一些优秀的文学作品给他看。因此，儿子在年纪很小的时候就成了一个文学通。那时卡尔能背下很多诗篇，他非常喜爱荷马、维吉尔等一些伟大诗人的作品，并且很早就学会了自己写诗。

很多人认为，我是为了在别人面前夸耀自己的儿子，才努力培养孩子对音乐、绘画、文学等多方面的兴趣，这其实是对我极大的误解。我从未想过要将卡尔的优秀才能在别人面前炫耀，也不曾想把儿子刻意地培养成天才，我仅仅只想让儿子的一生都生活在充满情趣的幸福之中，希望他能够成为一个快乐而又完美的人。我想这也是所有善良的父母们所希望的。

怎样陶冶孩子的情操

如果一个人没有感情，那他就无异于没有思想、冰冷的机器，不管那个人具备怎样的才能和知识，也只不过是机器的一个零件。除了人类具有感情，动物也是有感情的。能不能培养孩子的良好情操也关系着他未来的幸福。我不想把儿子培养成学识渊博却缺乏感情的人。

不少家长为了陶冶孩子的情操，培养孩子的爱心，经常让他们参加宗教活动，还有的让孩子们养小动物，用这些方法来教育孩子要热爱生活、关爱生命，进一步培养他们对社会的责任心。这是一些很好的方法，我也是这样来教育卡尔的。

大多数的孩子有很好的生活条件，所以他们的生活过得非常优越。但是他们的父母亲由于忽略对孩子爱心的教导，以至于让孩子们变得日益冷漠，不近人情，处处以自我为中心。

父母应当要启发孩子的爱心并培养他们对社会的责任感，这一点十分重要，这是每个家庭都应承担的任务。

不少家庭为了调剂生活饲养了猫、狗等一些小动物，通过这些来培养孩子的爱心。我有意识地用了这种方法去激发卡尔的爱心。

卡尔3岁的时候，有一天，很多朋友来我家里做客，他们正与小卡尔兴高采烈地聊天。就在这时，我们家中养的那只小卷毛狗也兴奋地跑了进来，小卡尔就一把拽住小狗的尾巴把它使劲地往自己的身边拉了过来。

我看到这种情形后，就马上伸手揪住了小卡尔的头发不放。小卡尔被我这突如其来的举动吓了一跳，他一惊，就将拽住狗尾巴的手松开了。

卡尔放开手的同时我也将手松开了。

"被人拽住头发的感觉好受吗？"我严厉地问儿子卡尔。

小卡尔红着脸说："一点也不好受。""你知道这样不舒服，小狗也有感觉的，它同样不会喜欢被别人给揪住，以后再也不许对狗这样残暴了。"我将小卡尔耐心地教育一番后，就让他去屋外玩了。

儿子这种出格的行为，我总会严厉地对他进行批评教育。我这样做，是想要让他能够从别人的角度上来看待问题。在我的严厉管束下，小卡尔渐渐地成长为一个感情丰富、心地善良的人。他无论对人类还是对待动物都特别富有感情，小卡尔也因此成为了受到别人尊敬和喜爱的孩子。

卡尔·威特教育圣经

第十七章
卡尔是世界上最幸福的孩子

一件让人惊异的事

琼斯·兰特福克先生在梅泽堡一所学校任教，1808年5月，他要求我允许当着他的学生的面来测试卡尔，以便能鼓舞他的学生。刚开始我很担心这样会引起卡尔自满的心理，我犹豫再三最终还是答应了他。

不过依照惯例我还是提出了一个条件，因为卡尔还很小，所以关于考试的事，事先不告诉他，此外也要叮嘱学生们不要随意地表扬和赞美卡尔。

当一切谈妥后，在兰特福克先生的正式邀请下。我带着卡尔参观了他的学校。到了学校后，兰特福克先生把我和卡尔带进了教室，我们坐在了后面。

当时正好在上希腊语课，他们所用的教科书是《波鲁塔克》，学生们都为此感到头疼，兰特福克先生想让同学们开开眼界，于是他叫卡尔来回答他的问题。卡尔很轻易地就将学生们弄不清楚的问题全解答了，对兰特福克先生所提的其它的问题，卡尔也一样地对答如流。

接着兰特福克先生又将用拉丁语写的一本《凯撒大帝》给了卡尔，然后就此书提了一些问题。卡尔不假思索地做了解答。后来兰特福克先生又取了一本意大利文写的书给了卡尔让他朗诵，卡尔拿过来读得很流畅。我也在这其间用意大利话向儿子

第十七章　卡尔是世界上最幸福的孩子

提了一些问题，卡尔对此也都作了回答。

兰特福克先生还想测试卡尔的法语水平，但是当时没有找到合适的书，于是他就用法语和卡尔交谈。卡尔十分流畅地回答了他所提的那些问题，就如同在使用母语讲话一样。

兰特福克先生后来又问了卡尔一些关于希腊的历史和地理方面的问题，虽然他在不同的方面提了很多的问题，卡尔全都作

出了相应的回答。最后他还测试了卡尔的数学，最终得到的圆满的答案让在场的学生和老师都大为惊讶。

那时卡尔仅仅才 7 岁零 10 个月，这种幸福的情形让坐在教室后面的我充满了激动和骄傲之感。

过了几天，这件事情在《汉堡通讯》上详细地报道了出来。我清楚地记得，报道的开头写着："前几天，本地教育史上发生了一起让人惊异的事"，而结尾是这样写的：

"但是这个出色的少年并非少年老成，他十分的健康，看起来活泼可爱，一点年少轻狂的傲气都没有，就像从来不曾意识到自己与众不同的才华一样。这位天才的少年就是卡尔·威特，他的父亲是洛赫村的牧师威特博士。"

"一个能够取得这样理想的发展的孩子，不论是从精神方面还是身体方面，他所受的教育方法绝对是非常独特而有趣的，遗憾的是威特博士在这方面没有谈及。"

没过多久，随着各地的报纸对这一报道的转载，卡尔的名

字在整个德国轰动起来。前来拜访卡尔的人络绎不绝，各方面的学者和教育家们都纷纷来对他进行测试，这些专家大都是当代一流的学者。事后，专家们对卡尔十分地佩服，并大大感叹着说：耳闻还不如见面啊。

卡尔对任何访问都从容自若而又不失礼貌地对待，我也经常告诫儿子，无论在何种情形下都不能产生骄傲的情绪。卡尔的心态仍像往日一样平和，并没有因取得成绩而感到骄傲自满，这一点孩子做得非常好，令我感到满意和欣慰。

莱比锡大学的录取通知书

德国从古至今，世人们都非常尊敬有学问的人。因此，这也是我们国家能国富民强，繁荣昌盛的重要的原因之一。

卡尔由于学识过人，很快就成为了一个名扬天下、家喻户晓的人了。一位在莱比锡大学任教的教授决定要卡尔去那所大学念书，他们尽力劝我让本市托马斯中学校长劳斯特博士对卡尔进行测试。

我一开始并不想让他们来测试卡尔，担心他们会胡乱地出考题，就坚决地拒绝了。但是后来，我看到劳斯特博士并不是我所想的那种不通情理的人，而是一个非常和蔼可亲的学者。于是在他们一再地劝说下我终于让步了。劳斯特博士尽量不让卡尔觉察到他们是在考试，这次测试是用谈话的方式进行的。测试的时间是 1809 年 12 月 12 日。考试结束后，劳斯特博士就为卡尔写了一封入学证明书，他是这样写的：

"今天在我的要求下，对年仅 9 岁的卡尔·威特举行了考试。希腊语测试是从《伊利亚特》中选出的段落，拉丁语是从《艾丽绮丝》选出来的，意大利语是从伽利略的作品中选取的。另外还在一本法语中选出了几段。以上所选的内容都是比较艰深的，但是卡尔解答得非常出色。

卡尔·威特教育圣经

第十七章 卡尔是世界上最幸福的孩子

卡尔不仅在语言方面十分的优秀，而且学识也很渊博，有很强的理解能力，这个各方面都很出色的少年是由他的父亲威特先生精心教育出来的。我认为他这种教育孩子的方法非常值得人们重视。这个优秀的少年完全具备了大学入学的条件。为了进一步地研究，让这个少年上大学就学是很有必要的。"

劳斯特博士的这封证明书送到了莱比锡大学，校方很快就同意接收卡尔，并让他在第二年的1月18日去上学。

到了入学的那一天，我带着卡尔到了学校，见到了校长居思博士。居思博士高兴地和我们谈了很久。然后他向市里的掌握权势的那些人发了一封信，信是这样写的：

"卡尔·威特是洛赫村的牧师威特博士的儿子，他虽然才9岁，但其智力和学识已经超过了普通的十八、九岁的青年们。这要归功于他的父亲对他实行早期教育。

卡尔能熟练地使用法语，意大利语、拉丁语、英语以及希腊语翻译诗词和文章。最近有很多学者对他进行过测试，全都为他的渊博的学识而惊异。他还接受过来自国王的考试。由此可见，对儿童进行适当的早期教育，可以让他的智力发展到令人难以置信的程度。"

"在威特先生的教育下，卡尔熟悉了人类有史以来在文学、历史和地理等方面所积累的知识。由此可见，威特先生在教育儿童方面所取得的成就，非常令人惊叹，丝毫不亚于少年卡尔的学识。

这个让人钦佩的

少年非常健康，与其它许多神童不同的是，他不仅乐观天真，而且丝毫没有像其它神童常常表现出来的那种傲慢，这种可贵的品质是非常难得的。只要以后继续对孩子进行培养和教育，他以后必定会对国家大有作为的。

卡尔以前的教育是由他父亲负责的，可是现在卡尔的父亲对孩子的教育工作感到无能为力了。因为，卡尔的父亲收入微薄，农村的学习环境也很糟糕，难以对卡尔进行更好的教育。他的父亲很想能到城里，让孩子既能上三年的大学又能在自己的身边。可事实上，卡尔的父亲仅是一位不富裕的乡村牧师，如果再放弃牧师职务到城里来教育孩子是很不现实的。因此，现在我向各位有识之士深情地呼吁，只要大家每年捐献4个马克，卡尔的父亲就能住到城里来教育这个在大学里念书的天才。为此希望大家踊跃捐款，每年只捐4个马克，捐助三年。

这是世界上最有爱心的事业，我相信大家也不愿意看到一个优秀人才被无情埋没于世的。能将卡尔培养成天才的父亲，他来本地居住还能对其它的小孩进行同样的教育，这对教育研究工作也是非常有益的。总而言之，这是一项高尚而又美好的事业，诚望各位积极参与。"

这封信在当时引起了人们的强烈反响，虽然是预定每年筹款4个马克，但实际上却筹到了8马克。除此之外，当地的领导人聘请我去那里从事牧师职业，给我发双倍的薪水，并再三叮嘱我一定要去。

国王下旨进格廷根大学

我带着卡尔去卡塞尔拜见国王，以便能得到他批准我的辞职许可。当时的国王是拿破仑一世的弟弟，维斯特法利亚国王杰罗姆。

拿破仑一世于1807年在易北河西岸建立了维斯特法利亚王

193

国，杰罗姆就当任了国王。从此，洛赫村和哈雷等地方就是这个王国管辖的范围，但在政治上却是由法国和德国共同管理。我们抵达卡塞尔后，正巧国王不在宫中，出去旅行了。第二天，我携带儿子去拜访拉日斯特大臣，这位大臣对卡尔进行了一番小测试，他感到非常惊讶，又接着对儿子进行了三个小时的考试，确认卡尔是个名不虚传的人才。他认为将卡尔这样的天才送到国外去太可惜了，当时的莱比锡是属于萨克森范围的。他询问了很多关于我教育方面的事情，最后决定要我们父子留在国内。

次日，拉日斯特设宴招待我们与政府的其它大臣们。在宴席上，大臣们也都纷纷向卡尔进行提问，他们对儿子的回答都感到很满意。他们决定让我们留在国内上格廷根大学或哈雷大学，并请国王给予莱比锡市民所承担的一切义务，但是我不想辜负莱比锡市民的心意，因此我拒绝了。还没有得到国王批准辞职的旨意，我们只能继续在洛赫等着。

过了几天，我们收到了维尔弗拉得大臣的来信，信中是这样写的：

"已经向尊敬的国王陛下禀报了您的辞意和令郎的杰出才能，酷爱人才的陛下让我传达他的命令。允许您在今年圣诞节过后辞去职务，等令郎大学毕业后再为您重新安排牧师事业。

陛下下旨让令郎入格廷根大学求学，认为你们不必去国外求学，国内也有很优秀的大学，所以你们应当在国内就学。你们也不需要接受外国的资助，在令郎求学的三年中，每年赐予60个马克。

能向您传达御令我甚感荣幸，并愿意为令郎的教育献出薄量。从现在起至圣诞节的两个月期间可做迁往格廷根的离职准备。"

因此，卡尔在格廷根大学共学习了四年。

卡尔在四年中所学的科目如下：

第一学期：古代史和物理学；

第二学期：植物学和数学；

第三学期：博物学和应用数学；

第四学期：化学和解析学；

第五学期：微积分、实验化学、矿物学和测量学；

第六学期：光学、实用几何学、法国文学、矿物学；

第七学期：政治史、古代史；

第八学期：解析化学、伦理学、高等数学和语言学等。

卡尔·威特教育圣经

卡尔上学时，刚开始由我陪着他一起去学校，对他能进行照顾，这主要是卡尔年龄小，不放心。儿子在校的学习和生活是非常快乐的。有些人会认为一个年仅10岁的孩子跟一些20岁的青年们在一起求学会很紧张，但事实上卡尔的学习非常的轻松。

他能够自由地参加各种体育运动，也能游玩。因此，卡尔经常去野外采集动植物标本。儿子能弹琴、会绘画、也善于跳舞，他也很喜欢研究古典语和近代语。人们都不敢相信，儿子一放假我就带着他去旅游。他们都认为我肯定会用这些假日帮助卡尔复习功课，并会常常跑图书馆去看书。朋友们也劝我应该这样教育孩子。我回答说："如果我打算将儿子培养成一个没有朝气的书呆子，我肯定会用那种方式来教育他，可我不希望孩子将来只能成为一件展览品，我始终认为儿子的活泼健康和见识比学识更重要，何况卡尔的学习时间已经是十分充足的。"

那些人仍认为这是很不可思议的。

在儿子求学的过程中，我对他的健康依然十分重视，无论天气怎样恶劣都要儿子坚持做体育运动。人们经常能看见我们在风雪交加的天气里做运动的身影。

第二学期的期末，国王杰罗姆来格廷根大学视察，国王陛下参观了学校里的很多地方，然后来到了植物园。

年仅 8 岁的卡尔这个学期正有植物学课程，所以他与学生们一起都在植物园听讲义。国王的大臣拉日斯特在植物园中一眼就认出了在听讲的卡尔，并向国王杰罗姆作了介绍。

国王听了很高兴，一定要跟这位小神童进行一番谈话并要求我也去进见。于是随从就将我们父子叫到国王陛下的面前，国王与我们进行了一番长谈，鼓励卡尔以后要更加努力地学习，并表示国家会永远给予孩子帮助，希望卡尔安心求学。

谈话结束，我们刚从国王那儿退下来，贵妇人们就都兴奋地纷纷涌上来搂着卡尔一阵亲吻，为了避免伤害孩子，最后不得不由两个卫士将孩子护在中间，直到将国王陛下送上车才平静下来。

第五个学期的时候，12 岁的卡尔发表了一篇关于螺旋线的论文，这篇论文深受学术界的好评。因为卡尔在报上发表了自己发明的十分简单方便的画曲线的工具，因而更受到国王和人们的赞赏和爱护。

第七学期，他 13 岁的时候，他一边抽时间写三角术的书，一边专心地学政治史。这本关于三角术的书在卡尔离开了格廷根大学进入海得尔堡大学学习后开始出版。

我在 1813 年，也就是供给卡尔三年学费的期限到期的时间，接到国王的旨意，说愿意再续供一年，给卡尔提供四年的学费，并允许孩子可以任意选择他想去的学校去学习。

在拿破仑去年征战俄国失败后，国家军队的势力就渐渐地开始衰落下来，莱比锡 10 月份的一场战争宣告战败后，维斯特法利亚国便彻底崩溃了，于是就将卡尔推荐给了布朗斯维克、汉诺威、黑森三国政府。

卡尔·威特教育圣经

由于正处在战乱时期，每个国家的经济都很萧条，国家有规定只要是不急需的事情就不能用钱。但是，三国政府还是爽快地同意承担卡尔的学费。我为当时人们处在那样艰难的环境中还能这样注重卡尔的才学而深深地感动，儿子在格廷根大学最后一个学期的学费就是由三国政府承担的。

少年博士

1814 年 4 月，年仅 14 岁的卡尔去维茨拉尔旅行，去参观了吉森大学。本学校的哲学教授们非常欢迎卡尔并与他在一起研讨学术上的各种问题，最后大家都认同了卡尔在 1812 年公开发表的学术论文，最后，校长赫拉马莱授予卡尔哲学博士学位。

接着卡尔去访问马尔堡大学，受到师生们的热烈欢迎，该大学的校长也想要授予卡尔哲学博士的称号，但是却被吉森大学抢先了一步。

在格廷根大学最末学期的学费是由三国政府资助的，因此，我们去布朗斯维克领学费时，政府人员将我们介绍给布朗斯维克公爵认识。当时公爵正要外出去旅游，但他依然接见了我们，经过一番谈话，他提议让卡尔去英国留学，并热心地表示只要卡尔想去，他本人愿意资助孩子的学费，并将我们父子推荐给他英国的亲戚。

1814 年 5 月，我带卡尔去汉诺威领取学费时，当局聘请儿子作报告。由于卡尔以前在萨尔茨韦德尔曾作过数学报告，受到了人们的好评。卡尔问汉诺威的人员自己要演讲什么选题时，他们仍然希望儿子讲数学方面的问题。第二天，卡尔就在当地中学的大礼堂里作了一次报告。

那些听众大多都是市内的知识分子，卡尔面对他们时从容自若地用德语讲述得清晰流利。有些人看到整天休息得很晚的卡尔讲演得这么流畅，很怀疑孩子用了演讲稿。于是有的人就

卡尔·威特教育圣经

第十七章 卡尔是世界上最幸福的孩子

绕到讲台的后面看是否有演讲底稿。其实卡尔整天忙于奔波交际，每天总要到深夜才有休息的空闲，根本就没有时间去准备讲演稿。当这些猎奇者看到儿子真的没有讲稿后，都不禁大为惊讶。

儿子也觉察到了人们对他的怀疑，为了消除人们的疑虑，卡尔就有意地离开讲台走到场中继续讲演，当听众们看到两手空空的孩子时，顿时不由爆发出一阵热烈的掌声。

卡尔在热烈的鼓掌和喝彩声中结束报告后，政府不仅认同儿子的才学，而且还给他资助了比以前更多的学费。

还有肯布里基公爵也愿意资助卡尔学费，并推荐孩子去英国留学。我们去黑森时也受到同样的热烈欢迎，经常被请到宫中款待。

我在考虑卡尔从格廷根大学毕业后的出路。倘若要让孩子成为名人，最好的方法就是让卡尔钻研以前所获得的成果的某个领域。但是，我通过慎重考虑还是放弃了这条成名的捷径，我觉得这样做只会让孩子成为局限在一个领域里的学者。为了能让儿子得到更多的知识，我最终决定让孩子去学法学。当一位数学教授知道这件事后，感到特别地遗憾，他好奇地问我：

"你为什么决定让孩子去学法学而不学数学呢？"

我对这位教授说："孩子18岁以后才适合决定他的专业方向，18岁以前应当学习所有的知识。如果卡尔到了18岁很喜欢数学的话，那就让他钻研数学。"

从此，卡尔就进了海德堡大学专研法学，儿子非常受老师和同学的欢迎并且成绩很优秀。

下 篇

Educational Set Of Carl Weter

第十八章
天才的秘密

每个孩子都是天才

在父亲教育我的整个过程中，有一件事我始终难以忘怀，那就是父亲惟恐别人把我当作天才或者神童，并时常提醒我不要有这样的想法。他告诉我，我不仅不是天生智力超群，事实上由于我是个早产儿，大脑发育比同龄的孩子要慢很多，以至村里人一度把我当作白痴。也许正因为如此，人们才会对我日后在知识领域所取得的成就感到惊讶。这时，他们对我的看法又走向了另一个极端，都认为我是个天才，我所取得的成就完全是出于过人的天资。

为了使我对自己有一个正确的认识，父亲真是煞费苦心。我成年后父亲曾经对我说，在我小的时候，他每次带我去亲友家做客，或者让我接受慕名而来的先生们的测试，总是再三提醒他们不要当面夸我。因此，在我的童年和少年时代，我没有听到过多的赞誉，也没有意识到我和其它孩子有多大的不同。多年以后，我整理父亲的手稿看到了相关的记录，才真正体会到父亲当年的良苦用心：他不希望我因为知识丰富而骄傲，他教育我的目的不是让我成为一个学究，而是成为一个身心健康、德才兼备、谦逊而快乐的人。我不敢说父亲的愿望已经完全实现，但我的确在向着他所指出的方向发展，并以自己特有的方式完善着自身。

在天赋上，我和大多数孩子并没有什么不同，按格拉彼茨牧师的说法，甚至"比别的孩子略逊一筹"，但我后来的发展却为我赢来了太多的赞誉。当我9岁考入莱比锡大学，不到14岁就发表数学论文，并被授予哲学博士学位，16岁又被授予法学博士学位，并被柏林大学聘为法学教授时，人们的目光总是集中在我"过人的天赋"上，而忽略了父亲极为科学的教育方法。父亲的老朋友格拉彼茨牧师曾经说过："卡尔的非凡才能确实不是天生的，他之所以有今天的成就，完全是老威特教育的结果。人们只要了解了老威特的教育方法，就不会对卡尔的成就感到惊奇了。我了解老威特的教育方法，所以我深信他最终会取得极大的成功；我也了解卡尔小时候的情况，也许人们所说的'天才'是有的，但绝不是卡尔，如果说卡尔能算天才，那么每个孩子都是天才。"

　　父亲曾经断言，决定一个人一生能力的，绝不是天赋，而是后天的教育。尽管在他那个年代很难搜集到足够的事例，但他还是凭着深厚的学识和近似直觉的判断力，提出了这一在几十年后才逐渐为学界所证实的观点。

　　1853年，霍耶斯特教授在进行了长期的调查和测试后认为，人的大脑功能都是一样的，不管是大人还是孩子，欧洲人、亚洲人、美国人还是黑人，都没有什么不同。如果非要说有什么不同，那也只是"痴呆儿"和正常人的不同。

　　人的大脑生下来并不能发挥作用，诸如感光、判断物体形状、听声音、闻气味这些作用在刚出生时是没有的。即使是英

卡尔·威特教育圣经

国人的孩子，刚出生时也不可能说一口流利的英语。一切外部作用都是从出生之后才开始转化为自身能力的。这种转化正是大脑的功能。

既然每一个人天生的大脑功能都一样，孩子们入学的时间也基本一致，为什么到了小学毕业时，有的孩子变得十分优秀，而有。的孩子却在智力方面明显落后于人呢？事实上，这正是出生之后到小学毕业这段时间，大脑功能锻炼的程度不同造成的。普通人和卓越者之间的区别完全是教育方式的不同造成的，这一点已经成为学术界的共识。

智力的高低不是出生之前靠遗传来决定的，每一个幼儿都有着令人惊叹的天资，我本人和霍耶斯特教授的研究都足以证明这一点。

霍耶斯特教授在和我谈起他的测试时，常常赞叹不已。

"尽管我自己也曾经是一个孩子，但那么小的孩子能在短时间内记住如此复杂的文法形态，还是让我吃惊。孩子们能够毫不费力地从混乱的语词中找出线索，并记住各种词的要素，把它们一一归类。也许很多人都没有注意到这样的工作有多难。如果要成人在这么短的时间内学会孩子所学到的如此大量的文法，恐怕他们的头都要裂开了。

"孩子们在幼年时所能接受的信息量大得惊人，但是，比这更令人惊叹的是他们可以很轻松地完成这些工作。可以说，在我们这个世界上，恐怕再也找不出像孩子这么善于运用头脑的人了，只是大多数孩子都没有意识到自己有多厉害。从学习的能力上说，每一个孩子都是不折不扣的天才。"

拥有非凡才智的关键

30 年前，在教育上和我父亲持同样观点的开姆尼茨博士在杂志上发表论文，指出了孩子这种令人惊叹的学习能力，认为学前儿童的才能到了七八岁就开始衰减，而且其它的素质也在慢慢退化。这番言论遭到了当时教育界一些权威的抨击，被认为非常荒谬，没有任何科学依据。然而，这一事实在今天已经成了一门学问。大量的研究表明，孩子的语言才能在接近 8 岁时就开始下滑，其它的才能也是如此。

　　霍耶斯特教授进行的音乐测试表明：孩子在音乐方面的创造才能，大约从 1 岁 5 个月时出现，在 8 岁时结束。这种说法和我父亲的观点不谋而合。孩子写诗和绘画的才能也是如此。霍耶斯特教授还在画家们的协助下进行过美术教学研究，最后得出结论：孩子年龄越小，就越容易具备天才的素质。这些发现不仅是在艺术和语言方面，如果尽早对孩子进行良好的教育，其它方面也会有显著的进步。反之，如果不给予孩子适当的刺激和训练，那么他们的才能就会快速丧失。

　　遗憾的是，很多人认为，孩子能够像动物一样自然而然地发挥其本能，根本不需要过早地进行智力开发。但是，近年来的科学研究表明，人和动物在智力的发展上有着很大的不同。动物一生下来就能充分表现出自己的本能，而人的本能是在生活中逐渐显现出来的，是通过自己和外界的交往经验建立起来的。刚出生的婴儿，生理和心理上的功能都很不成熟，几乎是

卡尔·威特教育圣经

第十八章 天才的秘密

一张白纸,对这个世界一无所知。为了适应环境,幼儿具有一种特殊的感受力,这种特殊能力会使孩子从复杂的环境中自动选择成长所需要的信息,并主动地尝试、摸索、了解和学习。这种可贵的感受力虽是与生俱来的,但并不能持续很久,到了6岁以后就减弱了。

这种自然而然地学习和创造的能力是成人所不具备的,儿童在幼年时所获取的一切信息都将保持下去,并对一生产生不可估量的影响。

因此,我们必须尽早为儿童提供足够丰富的精神食粮,对孩子的一生的成长来说,这一点的重要性甚至不亚于母亲的喂养和保护。

成人在面对新的事物时,可以利用已有的经验来学习。而孩子从完全黑暗的母体来到这个陌生的世界,没有任何经验,智力上也不成熟,他所感受到的一切都将成为他的学习目标,他会把这些信息转化成自己的知识。婴儿的大脑功能必须有足够的听觉、视觉、触觉等感官刺激,才会渐渐发达起来,刺激得越多,也就越发达。这是一个从无到有快速累积的过程。但是,这种潜意识的摄取,大约到了3岁就会转变成有意识的吸收。也就是说,孩子在3岁前建立自己的各种功能,3岁后开始快速发展这些功能。

父亲早在40年前就已经认识到幼儿期教育的重要性超过其它任何时期,他在《卡尔·威特的教育》里曾经写道:"当婴儿智力的曙光出现时,教育就应该开始了。至于智力的曙光始于何时,也许从第一声啼哭就开始了。只要父母们能抓住这一时机,就完全能使普通儿童拥有非凡的才智。"

父亲所说的"智力的曙光出现之时",用今天的话来说,就是婴儿大脑功能的形成阶段。近年来的科学研究表明,大脑功能形成的重要阶段是婴儿出生后的头三个月,这三个月建立了大脑以后运转的基本模式。因此可以说,婴儿出生后的头三个月就已经决定了他一生的发展方向,这个最重要的时期将为他的智力发展打下基础。

对每一个婴儿来说，从母亲温暖的腹中来到这个陌生的世界，都是一种巨大的刺激。因为外面的温度比母亲腹内要低十几度，而且光线刺眼，嘈杂不堪。婴儿的大脑本来处于休眠状态，现在不得不时刻高速运转来处理不断变化的外界信息。尽管这时大脑已经存在，但还是一片空白，婴儿要想理解外面的世界，就必须将他所接受的信息进行归纳整理，从中找出种种联系来，这也就是我们所说的智力。

婴儿都是用自己的感官来感知这个世界的。如果一个婴儿经常受到语言、表情、声音和温柔动作的刺激，他的思维就会变得更加开阔。因为他的大脑收到了味觉、触觉、听觉、视觉传来的信息，信息量越大，大脑储存的东西也就越多。如果父母不在这一时期经常和孩子交流，并给予足够的感官刺激，他势必不能积累到相应的经验。因此，尽量为婴儿创造能够留下印象的环境，他的感官就能得到很有效的发展。

一个人出生后的头 3 年具有天才般的学习能力。到了 6 岁，大脑的发育已经完成了百分之八十，教育 3 到 6 岁的孩子，难度已经有所增加，必须寓教于乐，把学习和游戏结合起来。到了 7 岁左右，大脑的发育达到了百分之九十，也就是说，到了对儿童进行学校教育的时候，其智力基本上已经定型。

假如一个孩子到了七八岁还没有接受适当的教育，那么，其潜能发展的可能性几乎就完全丧失了。霍耶斯特教授在其论文《人类的智力特征》中首次披露了一个惊人的事例：

英国博物学家爱德华博士在南美发现了一个被狼养大的孩子，爱德华博士收养了这个狼孩。这是个印第安男孩，被博士收养的时候不到 7 岁，博士给他起名为阿尔培。

狼孩还是个婴儿的时候就被母狼叼去抚养，在狼群中生活了 6 年多。他在婴儿期喝狼的乳汁，稍大一些后就吃狼妈妈叼回来的兽肉或鸟肉。他在狼群中学会了用四肢行走，能够像狼一样用四肢奔跑，速度快得惊人，人根本无法追上。他的眼睛

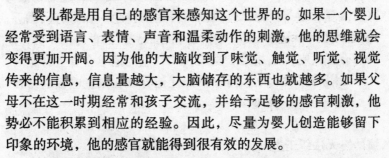

也像狼一样，具有夜视能力，他的鼻子异常灵敏。他吃东西时不会用手，而是直接用嘴去咬。

爱德华博士刚收养阿尔培时，他发育得几乎和狼一样，爱吃生肉，尤其是腐肉。听到什么响动时，耳朵就会紧张地竖起来。生气时，他会像狗一样张大鼻孔，如果在吃东西时候受到打扰，他就会生气地磨牙。他喜欢黑暗，害怕火和明亮的光线。总之，他几乎具有了狼的一切习性。

爱德华博士尽量让阿尔培和别的孩子一起玩，但是在很长时间内毫无效果。他总是流露出警惕的神色，如果有人靠近，他就会龇牙咧嘴发出威吓的声音。他回到人的世界两年后，还是用嘴直接吃地上或盘子里的食物，直到他学会直立行走后，才开始用手抓食物吃。博士设法让他养成在桌上吃饭的习惯，但是他喝水时还是像狼一样用舌头舔，这个习惯始终无法纠正过来。

阿尔培有时候会追院子里的鸡，咬死后生吃，直到被博士收养的第 6 年才不再吃生肉。当猫狗之类的动物来到孤儿院时，他始终会表现出极大的兴趣，并作出嬉戏的姿态。后来，阿尔培和博士很熟了，才跟着博士出去散步，在需要时，他仍会像以前一样用四肢奔跑。

他学习语言非常吃力，和博士一起生活了

近3年，才学会说"吃"和"喝"两个字。到了第4年，才能大概听懂别人说的话，但他这时只能说7个单词。过了5年，他终于学会了使用简单的餐具，并养成了在厕所大小便的习惯。

第6年，阿尔培14岁时，才完全学会直立行走。到了第7年，他能够说出15个单词了，这一年他还学会了说简短的句子、唱简单的歌。

阿尔培活了16年。他在狼群中生活了6年，也就是说，一生中学习能力最强的6年没有机会接受人类教育。尽管后来爱德华博士尽心教育了他10年之久，他最终也只是学会了几个简单的句子，智力和同龄的孩子相去甚远，就是和弱智儿童比也还有一定的差距。

这个例子说明，一个人幼年时的成长环境决定了他将来的发展。阿尔培还是个婴儿的时候就被狼叼去抚养，所以他身上很明显地表现出了狼的习性。当他错过了一生中最关键的学习阶段后，他就基本丧失了转变成人的可能性。他在幼年时养成的狼的习性很难再通过教育纠正过来，即便是博学的爱德华博士也无能为力。

如果一个孩子在接受能力最强的那几年没有受到良好的教育，即便天赋再高，将来也不会在才智上有大的发展。事实上，每一个孩子都可能拥有天才般的才能，但最终成为天才还是庸才，关键在于父母能否把握住教育的最佳时机。

正确认识早期教育

40多年前，父亲对当时普遍的教育方式作了认真的思考，随着这种思考的深入，他越来越反对一些权威的教育观念，像什么教育必须从8岁开始，过早的教育会损害儿童健康，一个人将来的发展是由他的天赋决定的等等。这些观点被当时的教育家们奉为金科玉律，但在父亲看来却毫无道理，他认为，尽

卡尔·威特教育圣经

早对孩子进行适当的教育更符合孩子的成长规律。他从大量的古代文献中了解到，早在古希腊时代，雅典人就有了早期教育传统了，当时的雅典的天才多得令人难以置信，也许原因正在于此。

为了让孩子们受到真正科学的教育，父亲决定探索出一套更利于孩子成长的教育方法来。他查阅了所有能找到的古希腊和古罗马文献，研究其中记载的雅典人的教育理论。通过努力探索，父亲逐渐形成了符合我们的时代需要的教育理论，他大声疾呼，教育应该从婴儿时期开始。由于父亲的教育方法与权威的教育观点不符，所以遭到了许多人的反对，甚至在他把这一方法成功地应用在我身上之后，仍然没有得到多数人的认可。人们似乎更愿意把我的成功归结于我"过人的天赋"。其原因主要是父亲的理论没有得到广泛的应用，人们总是把我当成一个特例来对待。随着岁月的流逝，父亲极为科学的教育方法竟逐渐被人淡忘了。作为他的儿子和这一教育方法最早的受益者，我显然有责任将他的理论发扬光大。

数年来，我和霍耶斯特教授对上千名儿童进行了研究和试验，大量的证据表明，早期教育能大幅度提高儿童的智力。接受早期教育试验的孩子和那些没有参加这一教育计划的孩子相比，他们在智力测试中的得分要高出15至30分，绝大多数处于智力范围的较高水平，学习成绩更是遥遥领先。为了考察早期教育的长期效果，我们对145名接受早期教育试验的孩子进行了为时8年的跟踪调查，最后的结果证明，他们的各方面能力均明显高于同龄人，他们到了8岁、10岁，甚至15岁的时候，学习成绩始终比普通孩子好得多。

我们的试验对象不仅包括正常孩子，也包括先天不足的孩子和孤儿院的孩子，最后的结果仍然是：早期教育对幼儿的成长有十分显著的影响。如果等到孩子5岁以后才开始进行教育，那么最好的时机已经错过了。

有一种理论认为，不应该过早地向儿童灌输知识，否则就

卡尔·威特教育圣经

会剥夺他们童年的欢乐和正常发育的自由。诚然，这种理论有一定的道理，因为有的家长，尤其是中产阶级人士，由于在事业上已经取得了一定的成就，希望自己的子女将来能够继承事业，获得更大的发展，于是过早地对孩子进行成人化的严格教育，总是用填鸭的方式向他们灌输各种所谓的系统知识，结果孩子们只是在死记硬背那些知识，根本就谈不上理解。这样做的结果是使孩子厌恶学习，不仅学不到真正的知识，也失去了童年的欢乐。

但是，真正剥夺了孩子们童年欢乐的并不是早期教育，而是不科学的、急功近利的早期教育。如果有正确的方法，学习对孩子来说就会成为一种快乐的游戏，而不是一桩苦差事。我本人的成长经历就能充分说明这一点。由于父亲了解儿童的心理，在教育上采取了寓教于乐的方式，我在接受父亲教育的过程中从未有过枯燥乏味的感觉，我觉得学习这种"游戏"中有无穷的乐趣，以至于常常沉溺其中不能自拔，有时候父亲不得不打断我的学习，陪我玩耍，或者带我到野外去游玩。但是，即便是游玩也还是一种学习，我的很多生物学知识就是在野外游玩时获得的。事实上，我的整个童年时期无时无刻不在快乐地学习着。

霍耶斯特教授和我经过调查发现，被迫过早接受填鸭教育的孩子容易疲倦，反应也比其它孩子迟钝，长大后不敢面对事业上的失败，缺乏冒险和探索精神。因此，对儿童的早期教育应该是科学的、充满乐趣的，否则将会适得其反。

对早期教育持反对态度的人常常认为，过早对孩子进行教育会损害孩子的健康，使他们缺乏协调性，还会以自己为中心，看不起在能力上不如自己的人，总之，只有聪明的头脑而没有良好的体格和品德。

然而，我们的试验结果正好相反。我们对180名因接受早期教育而获得高智商的孩子进行了调查，发现这些高智商的孩子发育良好，体重、身高都略优于同龄孩子的平均水平，并能

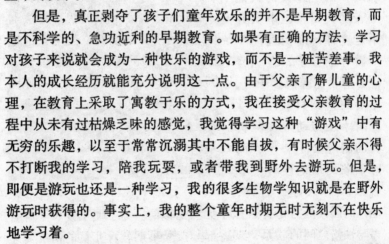

卡尔·威特教育圣经

卡尔·威特教育圣经

友善地与其它孩子相处。由于自小接触优秀文艺作品，他们的感情更丰富，道德观念也比一般孩子强。

有的人认为智力过人的儿童往往是偏才，只是在某一方面的技能上表现突出。但事实并不是这样，接受我们早期教育的孩子，在综合能力上不比普通孩子低，主要的差异只在于，他们对手工劳动等实际科目的兴趣要小一些，而对抽象的理论性科目有着浓厚的兴趣，另外，

他们的阅读能力是普通孩子无法比拟的。为了便于读者了解智力与性格之间的联系，现将部分接受早期教育儿童的情况简述如下：

汉斯，男孩，9岁，智商130，身体状况良好，心地善良，具有强烈的社会责任感。现已学完中学的全部课程。父亲是机械维修工，教育程度不高，但对孩子的教育十分重视。

伊莎贝拉，女孩，15岁，家境富裕，长相漂亮，气质优雅，智商135，完全没有富家子女常有的傲气，能够平等待人。

亨特尔，男孩，10岁，孤儿，智商130。在塞维格尔孤儿院生活，学习进度比同龄孩子领先三年。做事专注，长于绘画，虽父母双亡，但性格积极乐观，与人相处不卑不亢。

戴维，8岁，智商130，父亲是大学教授，母亲出身贵族，有良好的家庭条件。酷爱阅读，其知识量远远大于普通孩子，

但性格活泼开朗，喜欢做游戏。由于自小体弱，对剧烈体育运动没有热情。

F·G，女孩，7岁，智商130，自小怕黑，爱哭，但最近已经有所好转，健康状况良好，懂得关心别人，父母为商店店主。

约翰，男孩，7岁，智商140，拉丁文学知识丰富，诗歌多次在报刊上发表，有很强的独立生活能力，能主动帮母亲干家务，父亲是教师。

莫尼卡，女孩，11岁，智商138，能歌善舞，在学校举行的诗歌、绘画和历史知识比赛中屡屡获奖，喜欢交友，热爱大自然，有丰富的生物学知识。父亲是皮革作坊老板，母亲早亡。

布莱克，男孩，8岁，塞维格尔孤儿院孤儿，智商140，喜欢创造性工作，好动，不怕陌生人，举止大方，对生活条件从不抱怨，招人喜爱。

G·S，男孩，10岁，智商145，学习成绩一直是全年级第一，但从不以此自傲。喜欢收集和制作植物标本，父亲是牧师。

安妮，女孩，12岁，智商150。从2个月起就接受父亲的早期教育，因身体受伤致残，10岁才上小学，两年后已升入中学。虽然腿有残疾，但毫不自卑，出人意料的是，竟然喜欢运动和游戏。

S·T，男孩，7岁，智商145，6岁上小学，一年后即升入5年级，父亲长期在外经商，由母亲对他进行早期教育。尽管才7岁，却很勇敢，做事有原则，是非分明。

以上例子是从1400名试验对象中随机抽出的，我们的调查结果表明，接受科学的早期教育的孩子和普通孩子比，主要具有以下优势：

1、身体发育得更好；

2、注意力更集中；

3、比普通孩子更早使用语言，表达能力也更强；

4、逻辑思维能力远远领先于普通孩子；

5、对于未知的事物有强烈的好奇心和探索欲望；

6、心理素质更好，遇到挫折时情绪更稳定。

卡尔·威特教育圣经

第十九章
为造就天才作准备

父母的职责

　　父亲在阅读史籍时，注意到伟人的孩子往往没有多大作为。这个现象引起了他的思考，从遗传学的角度说，伟人的孩子应该在先天素质上具有常人无法比拟的优势，但为什么伟人的孩子却大多平庸呢？父亲认为，这主要是因为伟人忙于自己的事业，忽略了对孩子的教育所致。他由此认识到，孩子能否成为优秀的人，主要取决于父母为孩子做了些什么。

　　我的成长固然与父亲科学严谨的教育密不可分，但在这里我也要说，母亲无微不至的关爱也起了同样重要的作用。虽然这些关爱往往体现在那些微不足道的细节上，却使我在整个成长过程中有一种温暖幸福的感觉。这是一种无声的教育，使我在不知不觉中学会了与人为善。一个孩子在长大后能否拥有健康的人格和幸福的生活，在很大程度上取决于他以什么样的态度与人相处。

　　玛格丽特曾经对我说，从威廉睁开眼睛以纯净的目光看着她的那一刹那起，她就在心里发誓，只要自己还活着，就决不会停止关心这个可爱的孩子。母爱是女人伟大的天性，完全用不着学习。虽然她们关心的是孩子的生活细节，但正是这些细致人微的关怀给了孩子无穷的动力。母亲的关心、爱抚和鼓励，使孩子们觉得自己是如此重要，因而会不断努力提高自己，不让母亲失望。

从前，"母亲"是女性最重要的一种身份，母爱是她们优势和力量的源泉。作家丹佛·卡斯洛甚至认为不存在家庭生活以外的女性，一个女人只有做了母亲才算真正的女人，而孩子的一切都应该由母亲来负责。这种观念显然过于强调母亲的作用，但是不可否认，母亲所起到的为孩子创造安定生活环境的重要作用，是任何人都无法替代的。

然而现代社会有了一种新的观点，认为母亲们在生产半年后就应该去工作了，孩子可以交给保姆照顾。这种做法的后果就是使婴儿过早地失去了母爱，至少在工作日里无法和母亲在一起。

很多人认为，假如母亲长期呆在家里，精神上就会感到压抑，因此应该出来工作。但是，持这种观点的人也许没有想到，这种压抑感是由于身体劳累造成的，因为在婴儿出生的头几个月里，母亲时刻照顾着孩子势必会导致睡眠不足，身体上的不适会产生心情上的郁闷。

另外一个让母亲们感到压抑的原因是，现代的流行观念认为，如果一位母亲安于在家带孩子，就意味着落伍和没有独立精神。浮躁的现代人忽视了母亲的重要性，他们只看重事业上的成功，而认为女性的相夫教子和无私奉献几乎没有任何意义。似乎优越感和成就感全都来自于工作，没有出息的人才在家做

卡尔·威特教育圣经

家务和带孩子。现代社会所崇尚的个人主义使人们忽视了母爱的重要性，因为个人主义注重的是自我完善，而不是亲密的家庭关系。

以前我们过分强调母亲的重要性，女性都应该在家伺候丈夫和孩子，现在则走向了另一个极端，认为所有的女性都不必这么做，完全否定了母亲在家庭中的重要作用。从过分照顾孩子到对孩子不管不顾，这个变化对社会产生了极大的影响。这种现象是我们不能忽视的，毫无疑问，孩子们缺少了母亲的关怀，将来是很难取得成功的，因为母爱是孩子健康成长不可缺少的条件。

对于刚出生不久的婴儿来说，母亲温暖的身体就是他们的全部世界。当孩子寻求安慰时，没有什么比母亲的身体更舒适的了，孩子躺在母亲的怀抱里会觉得很安全。母亲的怀抱不仅为他们隔开了外界的刺激，还为他们提供了甘甜的乳汁。有了母亲的精心照顾，孩子才能安全幸福地成长。一般来说，孩子总会认为自己的母亲代表着善，因此，母亲的言行会在无形中对孩子产生深远的影响。如果母亲能长时间陪伴年幼的孩子，给他们以安慰，孩子自然就会形成健康、善良的人格。

另外，母亲和幼小的孩子亲密接触也是一种很好的交流，科学研究表明，胎儿在母体内就能倾听母亲的声音，出生后还会记得母亲说话时和别人不同的节奏。母亲的声音是婴儿最爱听的，母亲的每一句话都能帮助孩子了解自我和世界，她是孩子了解外界最可靠的媒介。孩子从母亲哪里得知哪些事情可以做，那些事情不能做，谁友好，谁不友好。可以说，是母亲给他们的内心和外部世界下了定义。母亲还会指导孩子正确表达自己的感受和需要。母亲乐观的心境和语言能够帮孩子树立克服困难和失望的信心。

母亲们必须认识到自身的重要，并像那些贤惠的前辈一样，参与到孩子的成长中去，并从中体会到巨大的乐趣。我这样说并不是要女性放弃自己的理想和追求，也不是让所有的女性都

卡尔·威特教育圣经

不工作，我认为她们可以在孩子出生前去从事自己喜欢的工作，也可以在孩子长大后去实现自己的理想。至少在孩子一岁之前，母亲应尽量在家照料孩子。

　　一个称职的母亲应该懂得怎样去满足孩子的基本生活需求。而母亲为了自身的幸福，同时也应该明白三件重要的事。首先，要拿出足够的时间来陪伴孩子，尤其是刚出生的婴儿。只要母亲长期和孩子在一起，她就会逐渐适应这种生活，并学会靠第六感官来了解孩子的需要。很多母亲有这样的体验，她会在孩子哭泣之前的刹那突然醒来。可见母子之间有一种天然的心灵沟通。孩子有母亲陪伴就会觉得高兴，有时候，他们会以哭闹、纠缠，或者借口要吃奶等方式把母亲留在自己身边。照料孩子对母亲来说到底是一种拖累还是一种幸福，完全取决于母亲自身的观念。

　　我的表妹凯瑟琳娜曾经对我说："我在女儿出生三个月后就回到了工作岗位，我请了一个十分善良的女孩来照顾女儿。我很快就发现，我离开女儿之后非常想念她。保姆是个快乐、负责的姑娘，她在照料女儿的过程中作了看护记录，记下了女儿的第一次快活的叫喊，记下了她第一次品尝酸果汁时的怪模样。可惜的是，作为她的母亲，我却没有和她一起分享这些令人激动的时刻。现在回想起来，我忙于业务而没有亲自照料孩子真是得不偿失，钱失去了还可以再赚，而那样的欢乐时光却永不再来了。"

　　母子间相互依恋的关系是慢慢产生的，母亲和婴儿在长时间的相处中，逐渐熟悉了对方的身体语言，从而产生了越来越多的协调感。因此，如果母亲和孩子相处的时间太少，就很难建立起亲密的关系。

　　母亲需要明白的第二件事是，要懂得在适当的时机离开孩子去休息一下，使自己的身心得到调整。如果一位母亲整天忙于看孩子和做家务，没有丝毫喘息的机会，她很快就会疲惫不堪，甚至变得脾气暴躁、容易发火。不仅仅是看护婴儿的母亲

卡尔·威特教育圣经

需要他人的支持，在孩子成长的过程中她同样需要。孩子能够自由行动之后，就会到处惹麻烦。每一位母亲都曾领教过孩子过剩的精力带来的无尽烦恼。所以，母亲应该懂得在必要的时候向家中其它成员寻求帮助。

最后一点，尽心照料孩子是母亲的天性和天职，但母亲也不必苛求自己，因为现实生活中总是充满了各种问题和矛盾，比如经济问题、健康问题和婚姻问题等等，另外，任何人也不可能承受太多的压力。有一些母亲不敢管教自己的孩子，其中的原因之一就是她们缺乏照顾好孩子的信心，怕自己犯错误。我在调查中曾广泛接触过各阶层的母亲们，却从未听到一位母亲说自己是一个称职的母亲。而事实上，如果她们不夸大自己的那些小过错，很多人已经算一个称职的母亲了。

只要母亲时刻关心孩子，及时纠正不当的管教方式，就称得上是称职的母亲。孩子们并不需要一个完美无缺、永不出错的母亲。母亲自身所具有的优点和缺点会在很大程度上影响孩子的成长。如果一个母亲苛求自己，惟恐出错，孩子就会受到影响，凡事裹足不前，不敢明确地追求自己的人生目标。如果母亲能以积极乐观的态度来面对失误，孩子也就不会有害怕失败的压力，即便失败了，也能迅速振作起来。

和母亲们相比，父亲们在照料幼儿的问题上总觉得自己插不上手。男人的这种不自信和自我否定从孩子出生的那一刻就开始了，由于孩子来自母亲的身体，并喝着母亲的乳汁长大，因此每一个新生儿都会把自己的第一份爱献给母亲。年幼的孩子总喜欢和母亲在一起，因此父亲觉得自己在照料孩子方面几乎是个局外人。

在现实生活中，人们往往认为父亲的首要任务是赚钱养家，而不是呆在家里看孩子。如果一个男人把照料孩子看得比事业还重，就会给人留下没出息的印象。因此一般情况下，都是母亲照顾孩子，她们在这方面更有能力，也更有发言权。一个每星期工作五、六十个小时的男人自然没有什么时间来照顾妻儿，

而且有些母亲也不放心丈夫照料孩子。一位年轻的父亲曾经向我抱怨说，他的妻子每次出门，都不放心把两个孩子交给他看管，总要把各种注意事项写在一张纸上，如喂孩子的时间、喂什么、食物的温度、孩子可以玩什么、不能玩什么等等。

　　其实在孩子心目中，父亲和母亲一样重要。但是很多父亲们还是觉得孩子并不需要自己，于是逐渐忽略了对孩子的照顾，甚至不想尽到做父亲的责任。究其原因，在我们的上一代，父亲的责任是工作养家，同时还充当家庭的保护人，是家庭的支柱，因此在家中享有最高的地位。但是，时至今天，父亲的责任不如从前明确了，以男性为主的家庭体制受到了越来越多的怀疑，很多人接受了新的观念，认为一个好父亲就应该是一个"男性母亲"，应该像母亲一样关怀自己的孩子。

　　针对一些父亲无所适从的现象，心理学家劳伦兹博士通过调查发现，如果一个男人采取"母亲"的方式去关心孩子，很快就会产生心理上的障碍，并最终从孩子的生活中退出。因此，父亲们应该做一些父亲该做的事，而不必像母亲那样温柔体贴。父亲和母亲由于性别的不同，表达爱的方式自然也有所差异，但是，对孩子们来说，这两种爱是同样不可缺少的。

　　劳伦兹博士的研究表明，对孩子来说，母亲主要起促进和安慰的作用；父亲则用自身的活力让孩子感受到生活的激情，让他们兴奋起来。母亲温柔的爱抚能给孩子以安慰，她们平和的声音能让孩子获得内心的宁静，孩子丰富的情感世界主要靠母亲来建立。当孩子遇到挫折时，母亲的抚慰能调节孩子情绪。

卡尔·威特教育圣经

而父亲健康的形象和积极的生活态度，则能让孩子形成积极进取，敢于负责的人生观。由于母亲比较柔弱，因而在孩子们眼里，父亲的爱是威严和充满力量的，父亲所带来的安全感是任何人也无法比拟的。

尽管父亲们在照料孩子方面无法和母亲相比，但仍然可以用他们特有的方式参与孩子的生活。充满活力的游戏、爽朗的笑声、一次野外漫游、带领孩子参加力所能及的劳动、外出回来将孩子高高举起……这一切都能体现出父亲对孩子的关爱。劳伦兹博士对一些家庭进行了长期的调查，最后的结论是，父亲参与孩子的日常生活能极大地促进孩子的情感发展，经常和父亲相处的孩子长大后更有同情心，心理更健康。

在孩子们的心目中，母亲代表了温情和舒适，父亲代表着进取和刺激。经常得到父母关爱的孩子往往会继承两方面的优点，形成既稳重又灵活的性格。因此，称职的父母都懂得以自己特有的方式积极参与到孩子的整个成长过程中去。

孩子出生之前

人们通常认为，人的一生是从降生的那一刻开始的，但父亲却认为，从某种意义上说，一个孩子的人生之路其实从母亲受孕前就开始了，因为孩子生下来后能否拥有好的身体素质，出生后能否有一个好的家庭环境，很大程度上取决于父母自身的素质。尽管父亲反复强调后天的教育决定孩子一生的发展，但他并不否认先天素质对孩子一生的重要性，他认为负责任的父母应该在孩子出生前就作好充分的准备。

父亲认为，在孩子出生之前，父母就有必要维护自己的身心健康，使自身具有健康的体魄和纯洁的精神，掌握养育优秀后代的知识。许多父母对这一点的重要性缺乏认识，以为一切顺其自然就行了。其实，这是一种错误的观点。从生理学的角度看，胎儿的健康在很大程度上取决于父母自身的身体状况和母亲受孕后的饮食起居。

　　我母亲怀上我后，父亲就制定了严格的作息时间，尽可能使生活有规律。为了使我出生后有一个健康的身体，他经常陪母亲到田野中散步，呼吸新鲜空气。父亲作为一个乡村牧师，收入并不高，为了保证母亲能吃到最有营养的食物，他削减了家里其它的开支。我的哥哥夭折后，母亲曾经一度陷入悲痛之中。怀上了我，她在欢喜之余，又时常焦虑不安，惟恐有什么闪失。父亲知道，母亲的情绪会在很大程度上影响胎儿的健康，于是他尽量给予母亲更多的关怀和爱。每逢她心情不好时，就耐心地开导她，使她摆脱不良情绪。

　　我的父母从不向我提起我出生前后他们所付出的辛劳，当时的情形，我更多的是从父亲的手稿和他的朋友们那里了解到的。多年以后，我的妻子玛格丽特也怀上了孩子。当父亲得知这一消息时，写信向我提出了一些十分有益的忠告。玛格丽特晚餐时有喝葡萄酒的习惯，父亲在信中特别提醒我们，孕妇喝酒对胎儿的健康会有不利的影响。

　　"为了生出一个健康的婴儿，母亲应当具有相关的营养学知识。任何一位母亲也不会让婴儿饮酒、吃不好消化的东西，但自己却在妊娠期间吃这些东西，这实际上是间接地给胎儿吃这些有害的东西。"

我和妻子听从了父亲的告诫，并再次研读了他的手稿中关于育儿的那部分。父亲还在信中强调了孕妇的精神状态对孩子的影响，为了让未出世

的孩子将来具有善良的品质和爱正义的精神，玛格丽特经常读有益的书，想美好的事，听优美的音乐。我们常常一起出去欣赏美丽的自然风光和艺术作品，并经常行善事。只有这样，她的身心才能始终处于良好的状态中，才有可能生出一个身心健康的孩子。

给孩子一个健康的身体，只是培养孩子的第一步，更重要的是维持这种健康，使之成为孩子一生的财富。我母亲也在信中告诉我，一个人没有孩子就无法体会到完整人生的幸福和价值。她还提醒我说，为人父母必然会遇到许多意想不到的困难，要有充分的心理准备。她说很多父母在雇人教育孩子，这样的父母是不称职的。

父母的责任不仅仅是把孩子带到这个世界上来，更重要的是培养孩子。孩子的教育必须由父母亲自来承担，因为孩子需要的不仅仅是教育，还需要温暖的亲情。只有在充满爱的环境中长大，他才会拥有美好的心灵。

儿子威廉出生以后，虽然我的经济状况比起父亲当年已经大为改善，有条件雇一个女佣来照料孩子，但我和玛格丽特还是决定亲手照料儿子。我知道，父母的性格，甚至表情都会影响到孩子。所以，我们和孩子在一起的时候，总是尽可能营造出欢乐的气氛。在威廉降生之前，我和玛格丽特就为他布置了一个温暖、漂亮的房间。我们希望他一出生就能看到一个美好的世界，并在欢快的气氛中度过宝贵的童年时光。我深信，儿子在美好的环境中成长，就会常常受到美的熏陶。玛格丽特在怀孕期间，也像我母亲一样，常常在睡前想像美好的事物。玛格丽特认为这种状态能在不知不觉中影响到未出生的孩子。因为美好的想像能使人心情愉快，进而使人的容貌变得更加美丽。我们精心所做的这一切都是为了尽早开发孩子对美的感受能力。

在威廉降生前，我为他腾出了我的书房，这是家中最好的房间，这里空气清新，阳光充足。为了让孩子的眼睛感到舒适，我在墙壁上贴上了米黄色的壁纸，床上用品上绣有色彩鲜艳的水果、花儿和小动物图案。根据父母的建议，我还在墙壁上挂上我收藏的各种艺术品。我希望孩子每天一睁开眼就能看见美好的事物，因而在无形中提高对美的鉴赏力。

我和玛格丽特为威廉所做的这一切，正是遵循了父亲的教导。父亲说过，最早对孩子进行教育的，不应该是学校里的教师，而应该是家里的父母。父母自身的素质以及他们的一举一动，都会在无形中影响孩子。为了使孩子成为健康的人，我们必须先使自己成为健康的人；为了使孩子成为优秀而高尚的人，我们必须先使自己成为优秀而高尚的人。

正确的喂养

威廉出生后，我和玛格丽特首先考虑的是他的健康，我们深知强健的体魄对人的一生具有多么重大的意义。我的母亲对威廉的健康也十分重视，多次在信中告诫我们，千万不能学那些不负责的母亲，为了保持体形而拒绝母乳喂养。

关于母乳喂养，母亲也许还不知道，我不仅完全同意她的建议，事实上，早在 7 年前我就和霍耶斯特教授对一些新生儿进行了跟踪调查，结果表明，母乳喂养的婴儿不仅拥有更健康的身体，而且情绪更稳定，与母亲的关系也更融洽。另外，母乳喂养也对母亲的身体有益。很多母亲都有这样的体验，每当小宝贝轻轻地吮吸她们的乳汁时，她们总会感到极大的幸福。玛格丽特坚持用母乳喂养儿子，她告诉我，每当她看到小威廉吮吸时那副满足的样子，她内心总是充满了巨大的喜悦。

在我还是个婴儿的时候，我的父母很重视我的生活规律，父亲为了使我养成按时进食的习惯，为我制定了严格的喂食时间表。有时候不到哺乳时间我就饿了，但不管我怎么哭闹，母亲都不会给我喂奶。形成有规律的饮食习惯，对孩子的健康和将来的学习都大有好处，不过，从今天的生理学角度看，父亲

卡尔·威特教育圣经

的做法对哺乳期的婴儿来说却未免有些生硬，因为婴儿在生理需求上不同于大孩子和成人。玛格丽特给小威廉喂奶的时候，很注意充分满足他的需求，只要他饿了就喂。无论是白天还是夜晚，她都随时留心儿子发出的信息，及时给他喂奶。在哺乳期间，小威廉享受到了充足的母乳，这对他后来的健康起到了很大的作用。

威廉出生3个多月后，我们开始在哺乳之余喂他一些果汁，并逐渐加上肉汤、土豆泥等。每当我们喂他，他总是快活地挥舞着小手，脸上露出兴奋的神情。在威廉的整个成长过程中，我们几乎从来没有为他的胃口担过心。很多父母惟恐孩子吃不饱，孩子吃的越多他们越高兴，有的父母甚至千方百计哄着孩子吃东西。在吃饭的问题上，我和玛格丽特从不央求孩子，我们认为，如果总是哄着孩子进食，孩子就会把吃饭当成一种额外的义务，对食物产生排斥心理，或者在吃饭时和父母讨价还价。同样的，当威廉犯了什么错误时，我们也从不用不准吃饭来惩罚他，因为我们知道，吃饭是一个孩子最基本的生理需求和权利，父母不应该把吃饭和奖罚联系在一起。

我的邻居杰克逊太太常常为孩子不肯吃东西发愁，当她得知威廉的胃口总是那么好时，就带着4岁的儿子汤姆来向我咨询。小汤姆看上去面黄肌瘦，完全没有他那个年龄的孩子应有的活泼。我了解了情况之后才知道，汤姆比较顽皮，杰克逊太太为了让儿子听话，经常用不许吃东西的办法来管教他。

有一次，汤姆把一桶油漆打翻在家里的新地毯上。杰克逊太太一生气，就罚他不准吃晚饭。到了晚上，小汤姆哭着央求母亲给他一点吃的。杰克逊太太看着儿子挨饿，尽管心里也很难受，但她为了让儿子从这件事中吸取教训，就硬着心肠饿了他一整夜。第二天一早，她给儿子送去了牛奶和早点。但小汤姆一点食欲也没有。从那以后，他再也没有了以前那种好胃口，每天只吃一点点东西，有时甚至什么也不想吃。

我知道，小汤姆不肯吃东西是因为这件事给他造成了心理

卡尔·威特教育圣经

障碍，我建议杰克逊太太带约翰去找我的同事罗伯特教授，他是研究儿童行为的专家。后来，罗伯特教授为汤姆进行了6个月的治疗，才总算治愈了他的厌食症。

　　采取不许孩子吃东西这种方法来管教孩子是很愚蠢的，不仅会损害孩子的身体，更为严重的是会对孩子的心灵造成长久的伤害。我们应该为孩子营造出轻松的进食气氛，让他们带着愉快的心情进食。

　　如果父母总是怕孩子吃得太少、或者不会吃，一到吃饭时就使出浑身解数来对付孩子，就会在无形中给孩子造成了一种压力，久而久之，吃饭就成了孩子的一种负担，这不仅影响了孩子的食欲，也给父母带来很多不必要的麻烦。

　　在威廉的吃饭问题上，我们始终认为应该鼓励他自己进食，让他觉得吃东西是一件轻松愉快的事。在他很小的时候，如果他不习惯某种餐具而更愿意用手抓着吃，我也不会当场责怪他。我会在事后以游戏的方式让他学会餐具的使用。我和玛格丽特也从来不担心他吃的太少，我们相信，只要给他足够的食物，他就不会挨饿。这并不是对孩子漠不关心，而是我们在请教了一些有经验的父母后学到的知识。吃饭的时候，只要威廉不挑食，我们就会随他怎么吃，而且还会尽量营造轻松的气氛。如果他有什么不对，我们也是以提醒为主，尽量不训斥他。

　　在营养方面，我们总是力求全面，因为任何一种营养不足都会影响幼儿神经的发育。在现实生活中，有不少因营养不良引起大脑功能损伤的情况。要想使孩子的大脑正常发育，将来能够胜任复杂的脑力劳动，就必须合理安排幼儿的饮食，以满

卡尔·威特教育圣经

足其身体的营养需求。科学研究证明，合理的饮食能供给大脑正确的营养，帮助孩子提高智商。营养是孩子发展智力必不可少的物质基础，因此我和玛格丽特对这一点尤其注意。

威廉断奶后的一段时间里，我们主要以牛奶代替母乳，并在每天的正餐之间，定时喂他一些肉汤、蛋、水果、蔬菜等作为辅助。威廉两岁后，他的食物以肉类、鱼、蛋、蔬菜、面包、土豆和豆制品为主。这个年龄的孩子往往不爱吃蔬菜，小威廉也不例外。我们知道蔬菜的摄入对调节孩子的生理平衡大有好处，另外，蔬菜中所含的很多营养物质是别的食物无法取代的。我和玛格丽特通过观察发现，小威廉喜欢模仿大人的举止。于是我们在吃饭的时候总是对蔬菜赞不绝口，并作了几次争抢蔬菜的"表演"，同时，玛格丽特还在烹饪技术上下了一番功夫，把蔬菜做得口感更好，味道更美。小威廉的兴趣果然被激发起来了，从此不再拒绝蔬菜。

在我小的时候，父亲非常重视我的饮食规律，在哺乳期就为我制定了进食时间表，没到喂奶的时间，即使我感到饿了哭闹起来也不肯迁就。现在看来，这种方式虽然有些生硬，但这只是个时间问题，有规律的饮食对孩子来说的确十分重要。从威廉两岁起，我和玛格丽特开始正式训练他有规律地进食。一般是每日吃三餐，中间加一点不影响正餐的副食，如水果、小甜点等，让他更全面地摄取各种营养。

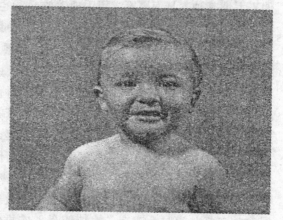

威廉 5 岁时，乳牙已经长齐。这时，我们认为他已经基本上可以吃成

人的食物了，但很少让他吃刺激性的食物。我们为他准备了各种花色品种的食物，粗粮和细粮、肉食和蔬菜都进行了合理搭配。

我认为，注意孩子的营养固然十分重要，进餐时的心情也同样不可忽视。如果餐桌上的气氛过于严肃，或者清规戒律过多，就会让孩子不自在，进而使他对正餐产生排斥心理。所以，威廉吃饭时向我们问这问那，我们一般不会制止他，但如果他喊叫，或者大笑，我们就会想办法把他的注意力引到食物上去。当然，如果孩子吃饭时说个不停，不仅吃得慢，还会分散注意力，长期下去会影响孩子的身心健康，这种情况就有必要进行干涉，但一定要讲究技巧，不能使用过于严厉的语气。

由于每个孩子的具体情况不同，因此训练孩子良好的饮食习惯的方式也应该有所区别，不能完全套用某一种"有效模式"。总的原则是以引导代替训斥，以趣味性消除对立。

练就强健的体魄

小威廉6个月大时已经显得十分健康活泼，有时候抓住我伸过去的手指，力气大得令我惊讶。我在参与霍耶斯特教授的早期教育试验时，曾接触过大量的幼儿，我发现小威廉在肢体的灵活性和强壮程度上都大大超出了同龄孩子的平均水平。这当然和科学的喂养有关，此外还应归功于适当的肢体锻炼。

威廉还在摇篮里的时候，我就开始训练他身体的协调性和肌肉的力量。这种运动很简单，刚开始不需要固定的章法，主要是让他的四肢自由地活动。另外，我们为他洗澡的时候总要按摩他的身体，小家伙很喜欢我们的按摩和抚摸，每次洗澡都很愿意配合。威廉还不满一个月，我们就经常伸出手指让他抓，他出于婴儿天生的反应，立即拉住大人的手指做起了引体向上。一个月大时，我们开始用手推他的脚，促使他爬行。这种肢体

卡尔·威特教育圣经

训练使他的四肢变得强健起来。由于从小就有很好的身体协调性，威廉即使摔倒，也能快速地用四肢支撑住身体。

很多做母亲的惟恐孩子着凉，总喜欢把婴儿严严实实地裹住，使他动弹不得，却不知道婴儿的发育是一生中最快的，肢体的自由活动不仅有利于孩子的血液循环，而且能加快他们对营养的吸收。我和玛格丽特深知这一道理，因此尽量给威廉穿宽松舒适的衣服。

天气好的时候，我们会带他到野外闻闻泥土和花草的芳香，看一看生机勃勃的自然景色。只要气温不太低，我们从不把他包起来，尽量让他自由活动肢体。在锻炼小威廉的身体时，我运用了父亲的一个好方法，就是在他能走路以后，经常带他作短距离的徒步旅行。一方面活动他的身体，同时还可以锻炼他的意志。

威廉5岁时，有一次我带他去郊外拜访莱米兹牧师。那是威廉有生以来最远的一次徒步旅行，那天的气温很低，路上还有薄薄的积雪。我走了一段路之后，刮起了大风，行走变得艰难起来。路上行人越来越少，这种天气连大人都不愿出门了。威廉起先还饶有兴致，不停地问这问那，随着风力加大，他渐渐沉默了。本来我出门的时候没打算带他，是他主动提出要跟我徒步旅行的，临出门时我见天色有些阴沉，就提醒他说：

"威廉，这次旅行也许不像你想像的那么有趣，路远，天气又不好，你受得了吗？"

"没问题，爸爸，我喜欢走路。"威廉兴奋地说。

我考虑了一下。觉得这是个锻炼他意志的好机会，另外也想看看他身体的潜力如何，就答应了，同时也作好了一旦他走不动就在中途雇车的打算。

我曾经带威廉乘马车去过莱米兹牧师家，但他毕竟是个孩子，显然没有估计到徒步走完这段路的艰苦程度。威廉看上去已经不想再走了，但主意是他自己出的，又不好意思反悔，只是一次次仰头看我。他的眼睛告诉我，他想回家了，可以想见，当一个 5 岁的孩子顶着大风走在积雪的路上时，是多么想回到温暖的壁炉旁听母亲讲故事啊。

这时，有一辆马车远远地驶来。威廉再也忍不住了。

"爸爸，快下雪了，也许妈妈会担心我们的。"

"我看你是想回家了，威廉。"我说。

威廉不说话，默认了。

看着威廉冻得通红的小脸，我的心情很矛盾，作为父亲，我当然不想看到儿子受罪，但同时也希望他坚持到底。我知道，当我们顶着寒风到达终点时，那种胜利的喜悦和家里的温暖相比又有另一番幸福感受。

"威廉，你知道我们到了哪儿了吗？"

威廉摇摇头。

"还记得离莱米兹先生家最近的那个村叫什么吗？"我又问。

"博斯皮尔。"威廉的记忆力一向很好。

"博斯皮尔前面呢？"

"雷德村。"

"雷德离博斯皮尔远吗？"

"不远。"

"博斯皮尔离莱米兹先生家呢？"

"也没多远。"

"好吧，威廉，如果你要回去，等那辆马车过来我就叫住

卡尔·威特教育圣经

它。你今天很棒，顶着风走了这么远，离莱米兹先生家只有两个村了。"

威廉又不说话了，那辆马车到了我们跟前，车夫放慢了速度，显然在等我们招呼他。我正要招手，威廉拉住了我："不，爸爸！我没问题。"

我和威廉坚持走到了莱米兹先生家，当他的两个孩子听说我们是从城里走过来的时候，都惊讶得睁大了眼睛。那一天威廉快活极了，因为他体验到了一种从未体验过的幸福——胜利。

很多母亲对孩子的身体担心到了神经质的地步，总要把孩子裹在厚厚的衣服里面，怕他着凉；不敢让孩子自由活动，惟恐他受伤。殊不知这种过度的保护恰恰是对孩子最大的伤害，我和霍耶斯特教授的调查表明，缺少肢体锻炼的孩子不仅体质差，而且大脑反应也比别的孩子迟钝。

智力开发的前奏：身体训练

感觉器官是大脑获取各种信息必不可少的工具，如果在对孩子进行教育之前先将这些"工具"调整到最佳状态，无疑能收到事半功倍的效果。因此，我对威廉的教育是从感官训练开始的。在听觉、视觉、嗅觉、味觉和触觉这五种基本感觉中，我首先训练的是威廉的听觉。因为婴儿听觉的形成是最早的，生理学研究证明，婴儿还在母亲肚子里的时候就能对声音作出反应了。小威廉还未出生，我和玛格丽特就经常去听音乐会，或者去郊外聆听自然界的声音。有时候玛格丽特感到孩子在她腹中躁动不安，但只要听到流水声和鸟鸣，或者优美舒缓的乐曲，母子俩都会重新获得平静和安详。

也许是在母腹中形成的习惯，威廉出生以后，对有节奏的声音和优美的乐曲表现出了很大的兴趣。他哭闹的时候，玛格丽特往往会拿起小提琴拉一段乐曲，于是他会转着小脑瓜四处寻找，当他发现那好听的声音是从妈妈那里发出的时，很快就会破涕为笑。

威廉喜欢模仿大人的行为，有一次我敲着小鼓逗他玩，发现他用小手兴奋地拍着摇篮，居然大致敲出了我的节奏，甚至还敲出了其中的变化。这个发现令我欣喜不已，因为当时威廉才3个月大，竟然能在这么短的时间里记住那些并不简单的节奏。这时我突然意识到，用音乐来锻炼小威廉的记忆力是个好主意。

可以说，威廉的幼儿时期是在他母亲的童谣中度过的。玛格丽特为了让小威廉自小受到音乐的启迪，特地学了很多优美的民歌，时常用温柔的嗓音唱给他听。有一次玛格丽特兴奋地跑到书房来叫我去看儿子，当我走进婴儿房时，发现小威廉眼睛望着天花板，嘴里咿咿呀呀地哼着什么，仔细一听，竟是意大利民歌《我家在森林》里的调子。不仅如此，小威廉还能准确地领会乐曲所要表达的意思，当玛格丽特用小提琴或吉他弹奏欢快的乐曲时，小威廉总是高兴地拍着手，嘴里不时跟着哼上几句。当我在吉他的低音琴弦上弹出一个长滑音时，小威廉睁大了眼睛，露出了恐惧的神色。

孩子最早是以声音来传达喜怒哀乐，也能从声音中接受刺激和获得安慰。每当威廉啼哭，只要父母走到他身旁，用温和的语调对他说话，他就会立刻停止哭泣。有时侯，他在摇篮里不安地扭来扭去，一听到母亲的声音，马上就会安静下来。

也许婴儿并没有听懂父母的话，但不管多小的婴儿都会对父母的话作出各种反应。随着时间的推移，还会自己从各种声音中找出它们的逻辑联系，因此，我们一定要尽早和孩子多说话，并给予他各种各样的声音刺激，以此来开启他的智力。

我认为，通过视力锻炼可以培养孩子的观察能力和判断力。威廉还未出世，我们就为他准备了许多颜色鲜艳的东西，有漂亮的图画，颜色丰富的布娃娃。为了锻炼威廉的观察能力，我们把他的房间布置得十分亮丽，墙上挂了各种美丽的图片，他

卡尔·威特教育圣经

的摇篮和他的小被褥上都有各种色彩的图画。

视觉的刺激对开启孩子的智力很有好处，正如声音一样，色彩也能传达很多信息。比如红色蕴含着热烈，蓝色代表了冷静，黄色让人感觉到温暖，而各种色彩的不同组合又能传递更为复杂的情绪。在威廉还是个婴儿的时候，玛格丽特就经常为他翻各种漂亮的画册。这时侯，威廉总是饶有兴趣地看着，嘴里念念有词，表情随着图案的变化而改变。威廉稍大一点后，我们不仅给他看更多的图片，还给他买来颜料和纸笔，由他去信手涂抹。

从某种意义上说，幼儿和"小兽"没有什么区别，完全不懂文明世界的各种知识，但令人惊讶的是，正是这些无知的小兽，却有着极强的艺术天赋和色彩感觉，他们在这方面的能力往往令许多成人望尘莫及。为了培养威廉对色彩的认识，我给他买了颜料，还耐心地教他区分不同的颜色。断断续续地教了他一个多月后，他居然记住了很多种颜色，不仅能一下就说出红、黄、蓝等常见色，还能指出两种相近颜色间的细微差别，其准确性甚至连我这个老师都自叹不如。

除了让威廉学习绘画，我还经常带他出去散步，让他观察大自然中的各种色彩。他观察远山和天空，区分暗蓝和蔚蓝；眺望晚霞，体会着橘黄怎样过渡到橘红；森林的颜色随着四季的更迭而变化，他向我描述不同的绿给了他什么样的不同感受。威廉通过对周围色彩的观察，不仅形成了敏锐的观察力，更重要的是，这种善于观察的能力对他的智力开发起到了不可估量的作用。

霍耶斯特教授通过长期研究发现，幼儿的形体动作与智力有着紧密的联系。如果一个人从幼儿时代起就经常从事既动手又动脑的活动，那么他将来就会具有和谐的个性和灵活的头脑。因此霍耶斯特教授极力主张，在对幼儿进行知识教育之前，先教会他们正确的姿势和动作。

由于儿童的动作生来就杂乱，因此这种形体教育是很困难的。通常，大人看到孩子不安地扭来扭去时，总是命令他们不许乱动。这样的命令是对孩子没有任何好处，反而会让他们无所适从，因为儿童正在试图从这些动作总结出有用的动作来，这其实是大脑和身体相协调的开始。霍耶斯特教授认为，父母应该鼓励孩子做各种动作，并

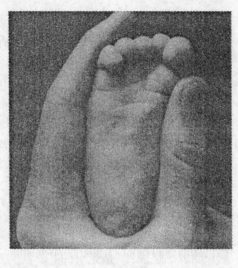

帮助他们掌握正确的姿势和完成他们想做的动作。这种协调性的训练并不需要进行特意编排，只需在日常生活中加以训练就能达到目的。肢体的训练可以培养出孩子的独立、专注、尊重客观规律等习惯。

　　我和玛格丽特非常重视训练威廉正确的行走姿势和日常生活中的各种动作，如接过物品、抓紧奶瓶、洗脸、系鞋带等。我们要求威廉在练习时要掌握要领，并鼓励他将动作做得更准确，更快。威廉蹒跚学步不到两个星期，我们就开始教他系鞋带。系鞋带对他那个年龄的孩子来说的确是太复杂了，我们刚开始没有教他完整的动作，而是将整个过程分解成几个简单的步骤，指导威廉练习。即便如此，威廉还是对系鞋带感到不耐烦，经常把活结打成了死结。

　　玛格丽特想了一个办法，她提出和威廉比赛系鞋带，看谁系得快，系好之后再看谁解得快。威廉求胜心切，手忙脚乱地打了一个死结。这一步，玛格丽特故意输给了他。然而，到了解鞋带的时候，玛格丽特只轻轻一拉就解开了，而威廉却无论如何也解不开自己打的死结。经过这件事之后，威廉系鞋带的时候不再胡乱打个死结了，他开始懂得，要想做好事情就必须

有耐心。

尽早开发幼儿的各种感觉，可以有效促进大脑神经的发育，使孩子将来更聪明。为了锻炼威廉的触觉，我设计了一个"盲人"游戏。我先把威廉的眼睛蒙上，让他触摸某件他见过的物品，然后让他仔细体会物品的形状和质感，说出物品的名称。有一次，我把一个桔子放到威廉手里，他摸了摸之后说那是苹果。

我提醒他："你好好摸一摸它的皮，这是苹果吗。"

威廉又摸了摸，仍然说那是苹果。也难怪，他平时见得最多的就是苹果。我对他说："你好好想想，苹果的表面摸上去是什么感觉。"

他想了想说："是光滑的。"

"那么你手里这个水果呢？"

"不光滑。"

"你见过的水果中，哪些和苹果差不多大、表面又不如苹果光滑呢？"

威廉被难住了，他当时才刚满一岁，对土豆、苹果、桔子、梨、番茄这些形状相仿的东西的表面质感还没有什么经验，但又确实都见过，也曾摸过。他还是答不上来，心里一着急，手在桔子上使劲抓了一下。我注意到了这一细节，于是进一步提示说："在土豆、苹果、桔子、梨、番茄中，哪一些是硬的，哪一些是软的？"

"土豆、苹果和梨是硬的，番茄和桔子是软的。"

"现在我想你已经知道这是什么了吧？"

威廉想了想，兴奋地喊道："是桔子！"说着就要摘脸上的布。

我拦住他的手说："为什么是桔子，番茄不也是软的吗？"

威廉肯定地说："是桔子，因为它不像番茄那么光滑。"

我和玛格丽特都笑了，本来想训练小威廉的触觉，没想到却附带提高了他的逻辑思维能力。

威廉到了 3 岁以后，我们专门为他设计了各种体操动作，因为 3—6 岁是儿童肌肉发育的关键时期。为了使威廉的肌体得到正常发展，我们在动作的设计上听取了霍耶斯特教授的建议，教授认为，这一阶段的体操练习应以走为主。要掌握正确的步行姿态，首先要学习保持身体平衡。我们为威廉设计了一种"踩脚印"游戏。这种游戏是在地板上用粉笔画一条线，再在线上画一串脚印，然后让威廉在线上走，每一步都必须把脚落到脚印里。为了保持平衡，威廉就会像走钢丝一样全神贯注。如果威廉不小心走到了脚印外边，就要受到玛格丽特的惩罚，当然所谓的惩罚并不是体罚，而是在他的下巴上揪一下，我们称之为"揪胡子"。事实证明，这种方法能有效地锻炼出儿童挺拔的行走姿势。

除了做体操练习，我们还教威廉做手工活，我们很少给他买玩具，他的玩具基本上都是他自己做的。我发现，每个孩子都对玩泥巴和玩水有莫大的兴趣。于是我就为威廉挖来一些黏土，再为他做了几个模具，让他制作各种物品。然后我把他捏的土坯烧成陶器。当威廉看到自己制作的各种泥巴器皿变成了漂亮的陶器时，高兴得直拍手。

卡尔·威特教育圣经

第二十章
天才的语言训练

语言与智力

在我小的时候，父亲很重视对我的语言能力的培养。他曾经在《卡尔·威特的教育》一书中断言，学习语言早的孩子在智力上要远胜于普通孩子。尽管父亲的观点在我身上得到了验证，但由于当时缺少系统的理论支持和足够数量的事例，所以一直没有受到应有的重视。

40 年后，慕尼黑大学的语言学家马里奥教授对婴儿的语言能力进行了深入的研究，他向年轻的父母们建议，要经常和婴儿说话，婴儿虽然不能回答什么，但肯定能对父母的话语作出反应，这其实就是一种交流，这样的交流每天至少应该进行半个小时。父母经常对婴儿说话，能够增进孩子的智力，使他们变得越来越聪明。

马里奥教授曾经对 200 名条件相仿的幼儿作了试验，其中 100 名孩子的家长在教授的指导下经常和婴儿谈话，另 100 名孩子则任其以普通方式成长。到了孩子们上小学的时候，教授对这 200 名孩子进行了测试，结果表明，前者的平均智商要高于后者，语言表达能力更是遥遥领先。

英国的一些生理学家也在这方面作了长期的研究，他们对 4000 多名儿童作了调查，结果表明，和父母交谈频率高的孩子无论是智力还是心理素质都要高于其它孩子。

以上结果说明，如果父母自小就为孩子创造一个丰富的语言环境，使孩子从婴儿时期起就时时受到语言的刺激，将会对孩子一生的素质产生至关重要的影响。

人类之所以能从动物界脱颖而出，其中一个最主要的原因就是人类掌握了完备的语言。我和霍耶斯特教授对古往今来的天才作了深入的研究，发现绝大部分天才有一个共同的经历，就是在幼小的时候就受到了很好的语言教育。科学研究证明，5 岁以前的孩子学习语言的能力最强。如果能充分利用这段宝贵时光，那么孩子学会的不仅仅是语言，他们的智力也能得到更好地发展，如果错过这一关键时期，他们的学习将会遇到更多的障碍。

父亲早在 40 多年前就提出了类似观点，然而在当时却遭到了大多数人的反对。时至今日，人们才开始认识到尽早学习语言的意义不仅在于让孩子更早学会说话，还在于它能促进孩子智力的发展。近年来的研究证明，说话早的孩子在思维能力、表达能力上都要高于同龄的其它孩子。我刚出生时各方面情况都不如同龄的孩子，曾被村里人认为是个痴呆儿，但由于父亲抓住时机对我进行了早期语言教育，我很快就在智力上追上并超过了其它孩子。

语言是我们学习知识的主要工具，因此，要想锻炼孩子的大脑，最好的方法就是尽早对孩子进行语言训练，仅仅是普通的训练是不够的，还必须讲究方法。也就是说既要训练孩子掌握清晰的发音，还要使他们明白词语的准确含义。父亲极力反对教给孩子不完整的语言和方言，并主张父母们要时时加以纠正，因为幼儿具有一种自动学习的能力，会在不知不觉中受到周围环境的影响，很容易学会不完整的语言和方言。他同时也指出，只要父母创造一个良好的语言环境，幼儿完全能够在2岁左右学会规范的语言。

　　从儿子威廉出生的那一天起，我和玛格丽特就不厌其烦地对他说话。尤其是玛格丽特，经常抱着威廉走来走去，不停地说这说那。

　　玛格丽特和我都很清楚，在开发孩子的语言能力的过程中，母亲的作用是至关重要的，因为孩子们最早的人际关系就是母子关系。我发现，那些在婴儿时期就经常被母亲抱在怀里的孩子，语言能力更强，因为婴儿被母亲抱在怀里时和母亲一样高，更利于双方进行沟通。另外，母亲抱着自己的宝贝轻言细语时，孩子感受到的不仅仅是温柔的爱，母亲那种夸张的具有音乐美的语调也为孩子以后学习语言打下了很好的基础。

开发语言能力的妙法

　　在我还是个婴儿的时候，父亲为了让我一开始就学会标准的德语，经常抱着我到各个房间走走，向我介绍各种物品，并用标准德语说出它们的名称。威廉出生以后，我和玛格丽特也用上了父亲当年的方法，此外，当威廉要求我们给他讲故事时，我们总是拿出故事书，用标准德语清晰而缓慢地读给他听。

　　很多父母们总认为幼儿不容易学会正规的语言，因此和幼儿说话时总喜欢把完整的语言简单化，比如把苹果、桔子、樱桃等一切水果称之为果果，把面包称为包包，结果孩子长大后还得抛弃以前所学的词语，再花精力来学习正规语言。事实上，

卡尔·威特教育圣经

幼儿有着极强的学习能力，他们学习不完整的语言和方言所花的精力，与学习正规语言所花的精力是一样的。不规范的语言是一种将来不会使用的技能，在孩子学习能力最强的时期去教孩子一种无用的技能，而孩子真正该学的却没有教给他，实在是极大的遗憾。正确地运用语言意味着正确地思考，如果让孩子使用不正确的语言，将会对孩子将来的智力开发带来障碍，因此，不应当教给孩子不完整的语言，以免错过宝贵的学习时机。

多说话给婴儿听，可以丰富孩子的词汇。但仅仅让孩子听是不够的，还要让他学会说，并及时纠正孩子的错误。我和玛格丽特都知道，要想使孩子顺利地理解书本知识，就应该教给孩子书面用语，以利于将来的阅读。

威廉 3 岁时表现出了过人的语言能力，他掌握的词汇量已经达到了 5 岁孩子的水平，发音的准确性和流畅程度都远远超过同龄儿童。很多 3 岁的孩子说话的时候还夹杂着"果果"之类的半截子话时，威廉已经能说一口字正腔圆的规范德语了。他对词汇的熟练使用和超常的逻辑思维能力，常常令初次见到他的人感到惊讶。和我小时候的情形一样，多数人在谈论起威廉时也说他是个天才，而且理由更充分，因为我曾经被誉为天才，因此威廉理所当然地继承了我的天赋。但熟悉我的家庭情

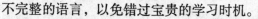

卡尔·威特教育圣经

况的人却知道，威廉表现出来的才华来自科学的语言教育。

　　我的方法并不复杂，我只是让小威廉养成了时刻从周围的事物中学习知识的习惯。其实，学习是孩子的一种天性，婴儿模仿父母的举止，这也就是一种学习。每个孩子都有着强烈的好奇心和求知欲，只要父母善于引导，孩子就会像热爱游戏那样热爱学习。威廉还不会说话的时候，我和玛格丽特就经常抱着他，让他看屋里的各种物品，并指着某件东西对他说其名称。虽然那时他还不能说话，但这些词汇已经在他的脑海里深深地留下了痕迹。由于我们说的是标准德语，当威廉能开口说话时，脑海中的记忆就立刻被唤起，因此很自然地就能说一口标准德语。威廉满了 6 个月后，我就在他房间的四面墙上挂上用彩色纸剪出的字母卡片，以便他随时都可以看到它们，从小就对文字留下较深的印象。

　　威廉在语言学习上之所以有那么快的进步，和他母亲甜美的嗓音是分不开的。玛格丽特经常把小威廉抱在怀里，指着墙上的字母，用歌唱般的语调读给他听，发音即标准又清晰。尽管 6 个月大的威廉还不明白母亲说的是什么，但是，时间一长，效果就出来了。一个月后，威廉就学会了字母。接下来，我们开始用字母卡片教威廉单词。刚开始，我用那些字母卡片拼出最简单的词，如母亲、父亲、手、脚、太阳、衣服等等，都是威廉最常见也最容易理解的词汇。不久，威廉就能自己从卡片中选出字母拼写出他想要的词汇了。

　　我认为，父母在教孩子单词的时候，必须注意自己的态度和方法，尽量使学习充满乐趣，如果孩子感到学习语言文字很有意思，他就会乐此不疲，否则学习就会成为孩子的苦差事。我在教育威廉的过程中总结出了两条经验，首先，必须始终让孩子觉得学习是快乐的；其次，每次学习最好是在孩子还想学更多东西时结束，这样就可以使孩子经常保持意犹未尽的感觉。

　　教育孩子，最忌讳的就是勉强孩子学习，这种方式很快就会使孩子感到厌烦，必定会以失败而告终。为了不让威廉觉得学习是一件困难的事，我们在很多细节上都作了充分的考虑，比如在教词汇的时候，我们把字母卡片做得很大，而且有各种颜色，挂在屋里任何一个角落都可以一眼就看到。有一个时期，威廉房间的墙上到处挂着这样的卡片，威廉经常躺在小床上，转动着小脑瓜东张西望，当看到他熟悉的词汇时，嘴里就念念有词。

威廉刚开始说话时，我发现他经常一个人坐在地毯上嘟哝，反复说着已经学会的几个词。事实上，不仅是威廉，我在参与霍耶斯特教授的研究过程中就注意到，几乎所有的幼儿都有强烈的表达欲望。我利用孩子普遍存在的这种表达欲望，把容易理解又有趣的故事讲给威廉听，然后鼓励他复述那些故事。威廉很喜欢把他听来的故事讲给我们听，那煞有介事的样子，好像那些故事不是从我们这里听来的，而是他自己的作品。不过，说是他的作品也不是完全没有依据，他经常把听来的故事改得面目全非，并且想方设法把自己刚学来的词汇用进去。

威廉到了 4 岁，德语已经说得很流畅了。于是我把那些小故事译成外语让他记，先是译成英语，然后是法语、西班牙语。我发现，这种做法很受威廉的欢迎，他对同一个故事居然能用不同的语言来表达感到很好奇，于是就尽力去记住它们。这对他来说不像枯燥的学习，倒更像一种新奇的游戏，在玩这种游戏的过程中，不知不觉就学会了外语。

我在教威廉语言的时候，并不刻意强调语法，因为在实际应用时，用到语法的机会较少，加上语法容易使孩子感到乏味，因此在威廉上学之前，我从来没有教过他语法。事实证明，通过听和说来教孩子语言，远比教枯燥的语法更有效。

拉丁语的难学是公认的，我在调查中发现了一个现象，许多孩子一提到拉丁语就皱眉头。孩子们对拉丁语有一种深深的畏惧感，在这种心境下，很少有人能够熟练地掌握拉丁语。很多孩子在学校死记硬背学会了一些拉丁语，一旦应付完考试，就会迅速将它们抛到脑后。

卡尔·威特教育圣经

威廉刚接触拉丁语时，也曾经对它深感厌恶。他在语言学习上一直很自信，无论法语还是英语都能很快学会，却惟独不愿意碰拉丁语。有一天，我问威廉为什么不喜欢拉丁语，威廉告诉我，拉丁语是瘸腿教授的语言。"瘸腿教授"是当时流行的对书呆子的戏称。原来威廉认识的一些大孩子由于讨厌拉丁语，就说拉丁语是一种没有用处的语言，只有瘸腿教授才会说这种古怪的语言。看来，4 岁的小威廉已经开始在意别人的观点了。我摸摸威廉的头说：

"拉丁语有没有用处，要看你是否需要它，如果你不喜欢读书，那么它也许就没什么用处，因为在日常生活中确实用不上它。但是，你不是喜欢听故事吗？很多故事就是从拉丁文翻译过来的，当然，有些拉丁文书里的故事已经翻译成德语了，但还有很多没有翻译。也许有一天你不仅可以直接从拉丁文书中去读那些故事，还能把它们翻译成德语，讲给你的朋友们听。到那时候，就没有人再说你是瘸腿教授了。"

小威廉对故事的兴趣完全压倒了他的顾虑，不久，他的拉丁语就大有进步。5 岁时，他不仅能给小伙伴们讲他翻译的拉丁语故事，还能查阅和运用我书房里的拉丁文资料。

早期阅读

父亲主张尽早对孩子进行规范的语言训练，同时教给他们一些书面语，以便让他们尽早开始阅读。近年来科学研究再一次证实了父亲的观点。大量的调查表明，儿童的天然学习能力过了两岁就开始随着年龄的增长逐渐下降，因此从一两岁起就开始教孩子阅读，能够有效地提高他的智商。有的家长担心过早教孩子阅读，会不利于孩子将来的学习。但是，无论是我和霍耶斯特教授的研究，还是外国学者的调查，都足以证明这种观点没有事实依据，只是一种想当然的猜测。事实上，我们了解到的大部分实例恰恰相反，提早学习阅读的孩子无论在智力上还是在体能上都优于其它孩子。

　　还有一种观点认为，孩子读书过早，会变成一个老气横秋的小大人，享受不到童年的欢乐。这是一个流传已久的错误观念。我还躺在摇篮里时就开始在父亲的引导下阅读了，而我却有一个快乐、幸福的童年。如果说在父亲对我进行早期教育的年代尚缺乏足够的实例，那么近年来的调查研究已有足够的证据说明，从幼儿时期起就开始读书的孩子是快乐的，他们的脑子不仅没有像传闻中那样变得僵化，反而更有想像力，处理事情也更灵活，更有办法。

　　尽早培养孩子的阅读能力，不仅对正常孩子大有好处，就连许多智障儿童都受益匪浅。我和霍耶斯特教授对 50 名智障儿童进行了为时 5 年的试验，在他们 3 岁或更小的时候就开始学习读写，结果他们到了入学的年龄，绝大部分都具有了比正常孩子还要高的智商，由于能力的提高，性格也比过去更开朗了。

　　早期阅读训练对智障儿童尚能取得如此显著的成效，对正常儿童的效果就更好了。研究表明，大部分孩子从两岁起就具有了阅读能力，而且年纪越小，其可开发的潜力就越大。

　　很多人认为，由于孩子太小，大脑发育不完全，所以装不下那么多的知识；还有些人则担心幼儿会对书本感到厌倦。而事实上，儿童的大脑具有一种神奇的学习能力，这种能力从胎

儿时期就开始发展，到了 8 岁就达到了顶点，8 岁以后就逐渐下降。其实幼儿的大脑容量大得令人惊讶，更重要的是，这一时期能够吸收的知识

卡尔·威特教育圣经

甚至比往后一生所学到的还要多。另外，幼儿具有无限的求知欲和好奇心，只要引导得当，幼儿不仅不会讨厌书本，而且很愿意读书。如果大人在这一时期限制他们的学习，对他们来说无疑是一生中最大的损失。

反对让孩子尽早阅读的人还有一个观点，就是认为过早读书会损害孩子的身体。但我们的试验结果恰恰相反，读书不仅不会对身体造成什么不良后果，反而能够促进大脑的发育。

近年来的研究证明，孩子过了两岁，对语言文字的记忆能力会逐年下降，因此，使孩子掌握知识的最好办法就是从两岁起开始教他阅读。如果孩子在两岁左右就形成了阅读的习惯，那么他就会把这种习惯保持一辈子，进了学校之后也会乐于读书，随着阅读量的增大，他的学习能力还会不断得到加强，这是因为阅读能提高孩子的注意力和耐心，而这两种素质正是构成学习能力的两大要素。

幼儿时代是使孩子养成良好习惯的最佳时期，应该从孩子两岁起就使他养成阅读的习惯，如果等到孩子上了学才培养他的阅读习惯，就很困难了。因此，培养孩子学习兴趣的关键就是让幼儿多读书，这样，即使孩子上了小学，也不会对书本感到厌倦，而会以学习为乐。

阅读对孩子一生的发展是如此重要，而同样重要的则是为孩子挑选读物，正如母亲们会慎重地为幼小的孩子挑选食物一样，孩子的精神食粮也需要进行认真的挑选。首先我们应该为孩子挑选简单、有趣的故事书，而且孩子的阅读必须从母语读物开始。

我们知道，母语是一个人思考的基础，要思考复杂的问题，就必须有足够丰富的语言，尤其是母语。一个孩子将来的作为，很大程度上取决于他的母语能力如何。这一点已经被近年来的科学研究所证实。我5岁时，同龄的孩子大约只能记住250个单词，而我已经记住了3万个单词。这使我学习其它语言也更加容易，我学意大利语只用了6个月，学英语用了3个月，学希

卡尔·威特教育圣经

腊语用了 6 个月，这和父亲为我打下的母语基础是分不开的。

出于自己的切身体验，我和玛格丽特在威廉两岁之前就开始对他进行母语阅读训练，刚开始给他读的书都是德语的。因此，阅读母语书籍就成了威廉幼年时学习的一项基本内容。

当父亲知道威廉已经开始读书后，就来信告诉我，让孩子早一些阅读固然重要，但并不是只记住词汇或者读若干本书就能够提高智商。要想真正提高孩子的智力，关键是要让孩子理解所读的东西。没有理解的阅读，只能起到一个积累知识的作用，读得再多也只能把孩子变成一个知识仓库。真正有效的阅读是要把读到的知识转化成智慧。因此，在理解的基础上阅读，即使读的数量少一点，也远胜于食而不化的大量阅读。

卡尔·威特教育圣经

第二十一章
学习是件快乐的事

永不过时的好方法

卡尔·威特教育圣经

　　虽然我从小就在父亲的指导下读了大量的书，但父亲反对那些老学究的学习方法和对学问的态度。他经常教育我说，学习知识的目的是为了提高能力，如果只知道做学问，而不懂得把知识转化成智慧，还不如不学，因为那些时间本来可以用来享受生活的。我非常赞同父亲的观点，也为自己有一个这样的父亲感到庆幸。和大多数孩子相比，我的童年是快乐的，因为父亲从来不勉强我学习，也不要求我生搬硬套那些得到了权威肯定的学习方法。他认为，每一个孩子的具体情况不同，学习方法也应当有所不同。

　　我们这个时代，各个领域的竞争越来越激烈，大多数家长意识到了知识的重要性，于是对自己的孩子实施各种教育，为了让孩子不在知识的竞争中败下阵来，很多家长总是把增长学问当成了教育的惟一目的，恨不得把所有高深的知识都塞到孩子的大脑中去。这样一来，孩子就成了一台学习机器，只会机械地接受知识，而不会将知识转化成智力。

　　我在调查中发现了这么一个现象，有些孩子的阅读量大的惊人，一问之下什么都知道，深入一谈，却什么也不明白。这样的孩子掌握的知识已经够多了，但却是一些毫无用处，很快就会忘掉的知识。十几年前，欧洲曾掀起一股发现天才的热潮，各国的报纸上都报道过诸如 3 岁小孩能背若干名著之类的事件。但是随着时间的推移，大部分名噪一时的"神童"却销声匿迹了。那些"神童"从小就被爱虚荣的父母灌了很多学问，

但长大之后却一事无成，这就是大量读书而不去理解的后果。这种教育方法培养出来的孩子，能力还比不上不读书的孩子，学问不仅没有增长他们的智力，反而成了他们思考的障碍。

　　威廉出生之前，我和玛格丽特就开始为孩子的未来作种种的计划。尽管我是父亲的教育方法最早的受益者，同时又和霍耶斯特教授一起对儿童教育进行了多年的研究，但自己的孩子刚刚诞生时，还是令我有些忐忑，惟恐辜负了父亲对他的教育方法所寄予的期望。

　　我和妻子通过整理父亲当年的手稿，对父亲的教育方法有了更深的认识。父亲的手稿中有这么一段话："对孩子的教育应该尽早开始，而且这种教育必须以游戏的方式进行。也许有很多孩子厌恶学习，但我相信没有一个孩子会厌恶游戏。不仅人喜欢做游戏，动物们也喜欢，我们经常可以看见一些小动物在尽情地翻、爬、滚、打。小动物不仅是在玩耍，更重要的是在锻炼自己的生存技能。其实，那些厌恶学习的孩子厌恶的并不是学习本身，而是枯燥的学习方式，如果学习像游戏一样有趣，我相信所有的孩子都会热爱学习的。因此，从这个意义上说，能唤起孩子兴趣的方法就是好方法。"

　　"能唤起孩子兴趣的方法就是好方法"，父亲这句话虽然简单，却包含着无穷的智慧，它充分体现了父亲教育方法的一个基本特点，就是趣味性。父亲用最简单的话说出了儿童

卡尔·威特教育圣经

教育的真谛。

我小时候的阅读范围十分广泛，对各个领域都有涉及。虽然当时我以学习语言为主，但同时也掌握了不少其它学科的知识。我在童年时就对植物学、动物学、物理学、化学、天文学以及数学进行了深入的学习。我重温这段历史并不是想自夸，而是想说明父亲的教育方法产生了什么样的效果。

父亲向我传授知识的时候，并不总是在房间里，从我三四岁开始，父亲就经常带我去野外散步，这种散步并不是随便逛逛那么简单，而是一边走，一边交谈。每次散步，父亲都要给我讲几个有趣的故事。父亲的知识非常渊博，几乎每次散步都会告诉我一些新的知识。

当我们走过小树林时，父亲往往会指着某种植物问我是否知道它的名字。如果我不知道，他就会向我讲解有关那种植物的各种知识。父亲不主张向孩子传授过于系统的知识，因为那样做会使孩子觉得枯燥乏味。因此父亲的讲解有时候显得有些漫无边际，从植物他可以讲到四季变迁，由季节又可以讲到气象和地貌。讲到哪儿是哪儿，从来不勉强我去记住。这些知识在当时看来是那么地零碎，可是当我开始系统地涉猎各个学科，并以令人惊奇的速度攻克一道又一道难关时，才意识到童年时在不经意中学到的那些零碎知识有多重要。其实，学习是孩子的天性，父亲只是利用了这种天性，让我毫不费劲地打下了一个坚实的知识基础。那些零碎的知识就像散落的珍珠，当我开始学习系统知识时，只须用理性思维的线把那些散落的珍珠串起来就行了。

如今我自己也做了父亲，父亲当年的好方法也就成了我们威特家一笔宝贵的世袭财富。当小威廉能够蹒跚学步的时候，我就开始带着他出去散步，随着他身体机能的日趋健全，我们散步的距离也越来越远。

有一次，我牵着威廉的小手在郊外漫步，他突然蹲了下来，原来他发现了一只小昆虫，他好奇地看着那只虫子，然后又仰

卡尔·威特教育圣经

起头用询问的眼光看看我。那一刻，我的脑海中突然浮现出父亲当年为我讲解动物学知识的景象，不禁百感交集。于是，我像父亲教我时一样，开始详细地向小威廉介绍它的生活习性及相关知识。

就像我小时候的情形一样，威廉也对动物学和植物学产生了极大的兴趣。并在不经意中学到了科和目的分类知识。我想，一种真正有效的学习方法是永远不会过时的，它在我身上有效，在我的下一代身上同样有效。

学习就是做游戏

我在考虑怎样教育小威廉的时候，很自然地想起了父亲的一番话，父亲认为，学习不应该是一种义务，更不应该是一种令人痛苦的工作，而应该是一种爱好。对于我来说，读书和学习的确是一种爱好，因为无论在童年时代、少年时代，还是今天，学习总能给我带来游戏般的乐趣。从玛格丽特怀上威廉的那一刻起，我就发誓决不让读书和学习夺走他童年的欢乐，如果学习会使儿子感到不快，我宁可不让他学习。当然，我有足够的信心使威廉爱上学习，因为学习本来就是孩子的天性，我只要加以适当引导就行了。

威廉还在摇篮里的时候，当然不能阅读和写字，因此他在这一阶段最主要的学习（不如说是娱乐）就是听故事。对于儿童来说，最有效的教育方法莫过于讲故事了。故事不仅可以锻炼孩子的记忆力，还能启发想像力，另外，孩子通过听故事还能学到许多知识。比如我在给威廉讲古希腊神话《奥德塞》时，就附带讲了许多有关海洋和航海的知识。有的家长喜欢用填鸭的方式向孩子灌输知识，结果往往收效甚微，甚至使孩子厌恶学习。如果把知识融人故事当中，孩子们就会以极大的热情来接受那些知识，而且，这样学来的知识更容易记住。我经常为

卡尔·威特教育圣经

第二十一章　学习是件快乐的事

威廉讲的故事，除了古希腊神话，还有德国的民间故事以及被我简化了的莎士比亚戏剧中的故事。

当威廉能够自己走路之后，玛格丽特还经常和儿子一起表演莎士比亚戏剧中的情节。后来，在我为威廉讲授历史和地理时，又由我和他来扮演各种历史人物。在表演之前，我和威廉必须先熟悉那些历史事件的背景，这样，自然而然就记住了与这一事件相关的地点、人物等情况。相比之下，学校的历史课是让学生把年代表硬背下来，毫无乐趣可言，久而久之，学生自然会厌恶学习了。威廉用演戏的方法学历史知识，不仅记得牢，而且对学到的知识有了充分的理解。

我曾经让威廉学习过一阵子绘画，本意是要训练他的观察能力，没想到威廉却爱上了绘画。有一个时期，他整天沉浸在自己用画笔构造的小世界里。一天，我走进威廉的房间，发现他坐在地板上，画笔和画板扔得老远。看到他闷闷不乐的样子，我就过去摸着他的头问：

"威廉，你怎么啦?"

威廉不说话，仍然满脸不高兴。我想，这时候去追问他烦恼的原因是白费力气，还不如想办法先让他高兴起来。于是我不再问他，而是把画笔和画板捡起来，开始在上面作画。我画下第一根线条的时候，发现威廉往这边瞥了一眼，接着我很快画了一只小狗，坐在地上，头上长出了枝叶。这时威廉仍然坐

在地板上没动，但好奇心显然上来了。

"小狗头上怎么会长出叶子来?"他问我。

"因为它老是坐在地上，屁股下

已经生了根，当然会长叶子啦。"

威廉愣了一下，随即就明白过来，忍不住笑了起来。我见他心情好多了，就问：

"你不想画了吗，威廉？"

"我想画，可是怎么也画不好窗外那棵树，还有对面的房子。"

我对威廉说："你画不好，也许是因为你太性急，画画是很需要耐心的，其实不仅是画画，干任何事都需要有耐心才行。另外，你画的景物也太复杂了，你要知道，画画不需要你把景物原原本本地画下来，你只要画出你对景物的感受就行了。比如说我画的这只小狗，就是我刚才对你的感受，你坐在地板上，看到我进来了也不动一动，就像屁股生了根。"

威廉又笑了，从我手里拿过画笔和画板，又开始画了起来。这一次他一画就是两个多小时，当他把画好的画拿给我看时，我不禁吃了一惊，简直不敢相信这是一个不到 4 岁的孩子画的。这幅画不仅准确地抓住了景物的轮廓，而且还加进了自己的想像和对景物的理解，色彩的运用十分大胆，毫不拘泥于细节，树冠用了大块的绿色似乎还意犹未尽，连旁边的房子上都零星地涂上了斑驳的绿色。

我非常激动，当即要求他把这幅画送给我。威廉高兴地答应了。直到今天，这幅画仍然是我的珍藏，因为这是儿子用天真的笔触记录下来的美丽风景，在我眼里，它比任何一位绘画大师的作品更珍贵。

我和玛格丽特在教育威廉时，随着教学内容的不同，教法也会随时调整。我们这样作的目的就是为了使他一直保持浓厚的学习兴趣。

我发现，由于幼儿的好奇心强，喜欢新奇的事物，因此对过于理性和系统化的知识有一种本能的厌恶。出于这个原因，我尽量不勉强他学习系统知识，有时候我觉得有必要对某种知识学得更深一些时，也是采取化整为零的方式来教他。比如大

卡尔·威特教育圣经

多数孩子都很害怕的拉丁语，威廉也一度不愿碰它。在这种情况下，我没有勉强他去学，我和玛格丽特想出了一种富有戏剧性的方式来教他。我用木头做了几个骰子，骰子的每一个面上都写上一个字母，然后让威廉来掷，哪一个字母朝上，就让他记住哪一个。

威廉的兴趣立刻被调动起来，这种方法还用于学习词汇和短文。有时候玛格丽特假装自己也不认识那些字母，于是威廉就和他妈妈开始了学习竞赛。玛格丽特有时候故意输给他，让他体会一下胜利的感觉；当然，也不能总让他赢，有时候玛格丽特会毫不留情，来个大获全胜，激发起他的求胜心理。在这种游戏似的竞赛中，威廉渐渐地掌握了拉丁语的发音和拼写。就这样，那个骰子成了我最好的教具，同时也是小威廉最喜欢的玩具。

通过对威廉的教育，我深深体会到使孩子热爱学习并不像有些父母认为的那么难，相反，教孩子学习是件很愉快的事情。"像游戏一样学习"，这是父亲对我的忠告，也是我对所有年轻父母的忠告。

亲近大自然

父亲曾经在笔记中写道："大自然是孩子最好的老师，它蕴藏着无穷无尽的知识和乐趣。孩子一到自然的环境中就会快活起来，求知欲也会变得空前地强烈。在这样的情形下教育孩子，无疑会收到事半功倍的效果。"

无论是父亲对我的教育，还是我对威廉的教育，无不让我深切地体会到大自然对儿童教育所起到的巨大作用。但是很遗憾，我在调查中发现，大多数父母都不懂得好好利用大自然这位好老师，在教育孩子的时候总喜欢把孩子关在屋里，让他们面对四面苍白的墙壁，学习枯燥乏味的知识。

　　自然界蕴含着取之不尽的教学素材，而且自然环境中的一草一木都是我教育威廉最生动的教具。关于大自然，我们可以向孩子讲述无穷尽的美妙故事。在我小的时候，父亲几乎每天都要带我到野外漫步，他给讲我述的那些关于动植物的趣事，极大地拓展了我的知识面。我在教育威廉时，也和父亲当年教育我一样。尽管我们现在住在城里，但我总是利用一切机会带威廉到郊外去散步，利用大自然中的生动教材向他讲述各种有趣的知识，这些故事涉及植物学、动物学、化学、物理学、地质学、气象学等各个领域。

　　在郊外，我们常常在抚弄着野花，或者捉一只小昆虫来研究一番；有时候一块风化的石头，或者小鸟新筑的巢也能让我们玩味良久。威廉4岁的时候，我送给他一只放大镜。结果它成了威廉了解大自然的常备工具，每次去郊外都会带着它。威廉尤其喜欢用放大镜观察昆虫，我至今还记得他第一次用放大镜观察瓢虫时那兴奋的样子。有一次，威廉在拨弄松枝时被毛毛虫蜇了一下，手立刻肿了起来，从此见了毛毛虫就害怕。于是我就告诉他有关毛毛虫的一些知识，当他知道漂亮的蝴蝶居然是毛毛虫变的时，好奇心顿时战胜了恐惧，找来一条毛毛虫仔细端详了一番。

　　很多孩子喜欢搞一些破坏性的活动，在墙上乱写乱画、践

踏花园里的植物、追打小狗等等，都是他们爱干的事。这些毛病十分顽固，父母们往往用体罚的手段也无法让他们改过来。其实，这些破坏性行为是由于孩子的充

沛精力无处发泄造成的。如果父母经常带孩子到大自然中去游玩，孩子一到自然环境中就会有做不完的事，再也没有搞破坏的欲望了。大自然不仅能使孩子的身体变得强壮，美丽的自然风光还能陶冶孩子的情操，使他们的内心变得和谐。如果长期让孩子生活在喧嚣的城里，他们的心情就会变得抑郁和烦躁，并产生破坏性的举动。

我每年夏天都会有一个假期，我总要在工作之余抽时间带着威廉到野外去野营，使他有更多的机会接近大自然。我们的宿营地有时是在森林附近，有时在湖边。我和玛格丽特会和威廉到树林中去采集他喜欢的昆虫标本，同时向他讲解有关各种树木和鸟儿的知识。有时候威廉会带上他的画板，把美丽的自然风景画下来。

由于我住在城里，不能像父亲当年教育我那样每天带威廉去郊外漫游，所以我在屋子后面建了一个小花园，在里面种了各种植物。威廉对这个小花园有着无比的兴趣，他亲手在里面种了十几种花草，坚持每天浇水和拔除杂草，仔细观察它们的生长情况，从中得到了极大的乐趣。我发现，收拾小花园能使人获得一种平和的心态。每当威廉情绪不好时，我就叫他去小花园里给植物松松土，或者看看他栽的玫瑰开了没有。等威廉从花园回来时，早把不快忘到了九霄云外。

威廉4岁时，我的同事霍耶斯特教授送给他一只小狗。威廉高兴极了，给它起名为贝塔，经常照料它，和它一起玩。

在喂养小动物的问题上，我和父亲有一些不同的看法。在玛格丽特怀上威廉时，父亲曾来信告诫我们，不要在家里养小动物，尤其是在家里有孕妇的时候，否则会给未出世的孩子带来不利的影响。当时，我和玛格丽特考虑到胎儿的健康，听从了父亲的劝告。我认为，让婴儿接触小动物当然不妥，但孩子到了几岁以后是可以和小动物接触的，因为动物也是自然界的一部分，尤其是小狗，不仅能给孩子带来欢乐，还可以锻炼孩子的能力、培养孩子的爱心。父亲不同意饲养小动物，是因为怕动物传染疾病。这种担忧当然有一定的道理，我权衡利弊之后，还是认为既然威廉喜欢小狗，也不妨满足他的这个愿望，只要多注意卫生，相信能够最大程度地降低危害。

每天只学两小时

　　在我们周围有很多这样的孩子，他们有强烈的求知欲，学习也非常勤奋，但总是不能取得好的成绩。有人把这种现象归结为他们天赋不够。这种说法是没有依据的，我和霍耶斯特教授对一些成绩不好的学生进行了研究，发现其中大部分是因为学习方法有问题。主要是他们幼年时受到了过于严格和刻板的教育。

　　很多家长在教育孩子的问题上持有一种错误的观念，认为学习是一件十分严肃的事，学习本来就意味着吃苦，还搬出一句格言作为依据——"今天种下辛苦的种子，明天会有幸福的收获。"然而，正是这种观念让那些正在求学的孩子们感到了难以承受的压力，最后对学习产生一种发自内心的厌恶。在现实生活中，付出和收获之间并不能完全划等号。要想有好的收获，除了要付出必要的劳动，还必须有好的方法才行。如果方法不当，付出再多的劳动也很难有好的收成。孩子的学习也是如此，一个人精力和学习热情是有限的。因此如何提高学习效率就成了我们必须考虑的问题。

　　当很多家长在为孩子不愿学习大伤脑筋的时候，我却经常提醒小威廉，该出去玩一会儿了。事实上，对于小威廉来说，学习和玩基本上是一回事，我所说的玩，是指户外的游戏和运动，或者说是另一种玩法。很多时候，当别的孩子正在房间里苦读时，小威廉却在玩耍中获得了许多知识。

　　我的邻居莫尔太太对此感到不解，她问我："威廉好像每天都在玩，并没有花多少时间去学习，为什么反而会有那么好的

成绩?"

我回答说:"他的确每天都在玩,可同时他也在学习呀。因为他是以玩的方式学习,或者说以学习的方式玩。"

我这样描述威廉的学习情况,并非哗众取宠,事实就是如此。当然,威廉也并不完全像莫尔太太以为的那样,整天在外面玩。其实他也和别的孩子一样,每天都要在书房里学习一段时间。书房对于他来说是个让人着迷的地方,他很愿意捧着书本长时间沉浸在知识的海洋里。大多数父母看到自己的孩子长时间苦读都会感到欣慰,而我和玛格丽特却为小威廉立了一个规矩:每天总的阅读时间不能超过 2 小时,一般情况下连续学习时间不能超过 1 小时。

有一次,一位来访的女教师在了解了小威廉的学习成绩后问我:"威特先生,你的儿子学到了那么多的知识,我想他一定是个非常用功的孩子。"

我说:"是的,他的确很用功。"

这位女士说:"看来,要想有好的成绩就必须付出比常人更大的努力才行。我教的孩子中也有几个很用功的,他们每天的学习时间都在 6 小时以上。"

"是吗?"我说。

那位女教师见我有些不以为然,就问我:"那么,威特先生,你的儿子每天学习多长时间呢?"

我告诉他小威廉每天只学两个小时,她感到非常惊讶。

我说:"有时他阅读的愿望特别强烈,实在不愿放下书本,

卡尔·威特教育圣经

我会破个例，让他多学 1 个小时。"

"这么说每天最多不超过 3 个小时了？他掌握了那么丰富的知识，还能流利地说好几种外语，每天只学习两三个小时，这怎么可能呢，只有天才才能做到，你不是说威廉的天赋并不比别的孩子高吗？"

"威廉的天赋确实不比别人高，也许是他的学习方法比别人好吧。"

正说着，小威廉结束了一天的学习，从屋里走了出来。他礼貌地向客人问好。这位女士一见到威廉，就迫不及待地问道："威廉，你真的每天只学习两三个小时吗？"

在得到威廉肯定的回答后，这位女士又问："难道你就不能多学几个小时吗？"

威廉微笑着看了看我，然后告诉客人："我可以多学几个小时，但父亲规定的时间是两小时。"

这位女士转过身来问我："这我就不明白了，孩子愿意多学习，这是好事啊，你为什么不让他学习呢？"

我说："不是不让他学习，而是不让他老是用一种方式学习。孩子要学的知识并不全在书本里，让他去外面走走、和大人谈一谈、和小朋友们玩一玩，都可以学到东西，又何必整天坐在屋里呢？总是坐着不活动对身体没有好处。其实，像威廉这个年龄的孩子学习能力比我们成年人强得多，只要他集中注意力，每天学习两个小时就足够了。我让他每次都在兴致正高、不舍得放下书本的时候结束学习，正是为了使他长久地保持学习的兴趣呀。"

很多家长也和这位女士一样，总以为要使孩子取得令人满意的成绩，就必须增加他们的学习时间。霍耶斯特教授经过长期的观察发现，长时间的学习对年幼的孩子没有好处。对于大多数孩子来说，两小时是学习的一个时间界限，超过了这个界限，孩子的精力就开始分散，这时候，延长学习时间只会使孩子感到厌倦。试验结果表明，孩子们集中精力学习 30—60 分钟

卡尔·威特教育圣经

的效果比长时间的学习要好得多，关键就在于注意力是否高度集中。因此，当威廉在房间里学习的时候，如果不需要我们的指导，我和玛格丽特决不会去打扰他。只有在他连续学习时间过长时，我们才进去提醒他出来活动活动身体。

有一次，威廉在房间里做一道比较难的数学题，由于过于专注而忘记了我们给他规定的学习时间。我见他超出了半个小时还没出来，就走进书房对他说："威廉，时间已经到了，你该出去玩一会儿了。"

威廉说："爸爸，我还没有做完出这道题呢。"

我说："没做完就先放一放，出去活动一下再回来做，效果会更好。"

威廉说："这道题特别难，我要把它做完再休息。"

我拿过他的练习本一看，那是一道很复杂的运算题，达到了小学五年级的难度，而当时威廉才4岁。但威廉是个要强的孩子，显然跟那道题较上劲儿了。

我放下练习本说："这道题的确很难，但我相信你一定能做出来。不过，要是你不休息的话，脑子就会被它套住。相信我，威廉，你先到花园里去给小树苗浇浇水，脑子里不要去想这道题，等你再回来的时候，肯定能很快解开它的。"

威廉听了我的话，将信将疑地停了下来，和我一起到花园里做起了园艺。

在他给树苗浇水的时候，我对他说："威廉，你要学会控制自己，当你费了很大的劲也做不好一件事情时，就说明你的脑子被它套住了，这时候你越使劲就套得越牢。如果你懂得控制自己，及时地调整一下心情，当你再去想那个问题时，就会有一种新的思路，这时候再集中精力去做那件事，也许一下就成功了。"

在花园里待了半个小时后，威廉的表情轻松多了，当他再次回到书房后，只用了十几分钟就把那道题做出来了。他兴奋地说："我明白了。以后我再被难题套住的时候，我就到花园里去把绳子解开。"

我和玛格丽特会心地笑了，不仅为他做出了那道题，更为他明白了一个做事的道理。

玩耍中的点点滴滴

有一次，勃莱斯勒中学的校长雷登先生慕名到我家来看望小威廉。雷登先生来的时候，小威廉正在花园里用泥巴搞他的雕塑，"雕塑"是好听的说法，实际上，说他在玩泥巴也未尝不可。小威廉有一段时间特别喜欢玩泥巴，我由他去做，一般来说，只要不伤害他的身体，我就不会对他的玩法作什么限制。

既然雷登先生对小威廉的情况感兴趣，我就建议他去花园看看威廉在做什么。当雷登先生看到小威廉时，简直不胜惊讶。他完全没有想到眼前这个满脸泥水的玩泥巴的孩子就是那个"小天才"。

雷登先生问我们是怎么教育小威廉的。我告诉他，我和玛格丽特从来不强迫威廉学习，也不让他觉得学习是一件非做不可的大事，至少不是一件比玩耍更重要的事。

"这么说，您认为学习不重要喽？"雷登先生不解地问。

"我并不是说学习不重要，正因为它很重要，我才不让威廉觉得重要，因为孩子对严肃和重大的事情有天生的抵触情绪，他一旦觉得学习是一件非做不可的重要事情，就会感到紧张，就会对学习失去兴趣，

卡尔·威特教育圣经

这样一来，学习效果反而不好。所以我让威廉觉得学习的重要程度和玩耍差不多。"

"孩子总是贪玩的，加上他们自制力差，如果告诉他们学习不比玩耍重要，是玩耍还是学习由他们来决定，那么他们当然会选择玩耍了，您说呢，威特先生？"

"是啊，一般来说是这样。"我回答说，"但问题是，大多数家长和老师总是摆出一副如临大敌的架势，要求孩子严肃对待学习。很多父母对孩子的期望过高，为了使孩子成才，给他们安排了很多不适合孩子学习的课程，使他们每天除了吃饭和睡觉，就是关在房间里啃书本。那些家长不让孩子出去玩，也很少带他们出去玩，学习几乎成了他们惟一能做的事。结果呢，适得其反。很多孩子的童年是在紧张中度过的，不仅没有丝毫快乐，也没有真正学到知识，顶多是装了一肚子没有消化的学问而已。用这种方式教育孩子，孩子就会强烈地意识到学习和玩耍是截然不同的两回事。"

"您的分析有道理，但是，难道学习和玩耍不是两回事吗？"雷登先生问。

我说："也许是有区别，但学习和玩耍决不应该是对立的两件事。如果把学习变得像玩耍一样有趣，那么就可以说学习就是玩耍；如果孩子在玩耍时能够学到知识，那么也可以说玩耍就是学习。"

我并不是故弄玄虚，事实就是如此，威廉的大部分知识都是以游戏的方式获得的。举个例来说吧，有一次，我看见威廉和邻居家的孩子汉森在花园里玩。汉森想知道自己一年之后能长多高，他站到一棵树下，要威廉在头顶的位置刻一道痕迹，以便明年来作个比较。威廉对汉森说："你这样量不准确，因为你在长，小树也在长呀。"汉森恍然大悟。我听了他们的对话，就走过去对威廉说："你错了，威廉，在小树上作记号是可以的。"

"为什么，难道小树不再长高了吗？"威廉不解地问。

卡尔·威特教育圣经

"小树当然会继续长高，但你要知道，树是从顶部生长的，树干下部不会再长高，只会增加年轮而变粗。"

"年轮是什么？"两个孩子问。

于是我就给他们解释什么是年轮，年轮是怎么形成的，又由年轮讲到了四季变迁。两个孩子听得入了迷，不知不觉学到了一些植物学、地理学和气象学知识。

最后，我告诉威廉，凡事都不要想当然、草率地下结论，而要学会多观察。

孩子们都有一颗好奇的心和一双探索的眼睛，因此我们可以利用他们的这些特点，引导他们去探索未知的世界。小威廉总有问不完的问题，树叶为什么会落、蝉为什么会蜕壳、人如果装上翅膀能不能飞起来等等，一般来说，我不会立即给出一个完整的答案，而是要他自己想一想、看一看。

有一次，小威廉画了一个装满水的玻璃杯，杯子里有一把汤匙。老实说，那幅画画得不错，玻璃杯和水的质感都表现出来了。我先是夸奖了他一番，然后说："威廉，有一个小细节不对，你注意到了吗？"

威廉拿起自己的画仔细看了看，没有发现问题所在。

我说："你看看那把汤匙。"

威廉又看了看，说："汤匙也没什么不对呀。"

我说："这样吧，你拿一个杯子倒上水，再插上一把汤匙和你的画对比一下。"

威廉作了对比之后，终于发现了问题所在。

"爸爸，汤匙好像断了！"他惊呼道。

"不是断了，这是水的折射造成的。"

不用说，这件小事又让威廉学到了一些光学知识。威廉的知识就是在这样的小事中一点一滴地积累起来的。类似这样的观察与发现几乎天天都有，事实证明，强塞给孩子的知识很快就会忘记，而孩子们自己通过观察和思考得来的知识却会保留一辈子。而且，这样的学习方法可以使书本上极为晦涩的知识变得生动有趣起来。

在教育小威廉的过程中，我和玛格丽特从来不会给孩子灌输术语和公式，而是诱导他自由地发挥出潜能去思考，去实践。而对于孩子来说，最佳的诱导方式当然是玩耍了。可以说，只要善于利用，玩耍给孩子带来的知识和对他们智力产生的影响是任何其它方式也无法比拟的。玩耍是所有动物的本能，只要以进入玩的状态，孩子天才般的潜能就会被最大限度地激发出来。

别违背孩子的天性

在我小的时候，父亲非常注意培养我广阔的视野，他认为教育幼小的孩子应该着重拓宽他们的知识面，而不必在某一种技能或学问上下太多的功夫。

有些人不同意父亲的看法，他们认为让孩子专攻某一项知识会学得更精，而学得太多容易分散精力，最后一事无成。这种观点固然有一定的道理，但反对父亲的人也许并没有真正理解父亲的话，父亲的意思是说，孩子对什么都感兴趣，但兴趣也特别容易转移，由于孩子的天性就喜欢新鲜事物，因此要求幼小的孩子把一门学问学得很精深是不现实的。与其强迫孩子去啃那些艰深的成人知识，还不如培养他们广泛的兴趣，为将来打下一个良好的知识基础，并为他们人格的发展作好准备。父亲在《卡尔·威特的教育》一书中曾经说过，他的教育宗旨是要把孩子培养成一个身心健康的人，而不是一个迂腐的学究。尽管当时没有系统的理论和实例支持，父亲还是凭着他超前的眼光断言，一个视野狭窄的人走入社会后很容易产生心理上的障碍。

事实上，利用孩子的好奇心引导他们涉猎各个领域的知识，并不一定会造成博而不精的弊病，相反，如果到了一定的时机加以引导，还会使他们迅速精通某种技能和学问，因为各种知识都是相关联的，它们之间存在着相互影响的关系，比如要精通物理学，就必须有相应的数学知识；而历史知识丰富的人从事人文科学研究会有水到渠成的效果。孩子在很小的时候就钻研一两门学问，会使他们的视野局限在狭小的范围中。这种教育方法有时候固

然能使孩子在某一领域取得一些成绩，但他在其它领域的无知却最终会阻碍他朝更高的境界发展，这样的人很难有大的作为。

十几年前被公众称为数学天才的卡洛斯就是个典型的例子。报纸上曾连篇报道了这位"天才"的事迹。当时卡洛斯只有 5 岁，却有着超人的数学天赋，具体说就是过人的心算能力，他能在十几秒的时间用心算出复杂的运算题，而同样的题别的孩子要在纸上算好半天才能得出答案。一时间，人们都在沸沸扬扬地谈论着这个数学天才，异口同声地断定这个孩子将会是一位伟大的数学家。卡洛斯在数学方面很突出，但在其它方面却远远落后于同龄人，他甚至到了 6 岁还经常把鞋穿反。然而，卡洛斯的这种无能却被一些人当作天才的证据来加以宣扬，人们总是习惯性地认为，天才就是在某一方面天生突出的人。

我和霍耶斯特教授在 8 年前曾经访问过卡洛斯和他的父亲肖恩先生。这位父亲对两位学者的造访感到很高兴，拿出许多获奖证书给我们看，并诚恳地要求我们指导他的儿子。卡洛斯的房间里堆满了各种数学专著，其中一些书连霍耶斯特教授读

起来都感到吃力。卡洛斯是个脸色苍白、目光呆滞的孩子，始终捧着一本大部头的数学书坐在桌前，目光却盯着墙壁发呆。他父亲带我们进去时他似乎没有任何反应。我奇怪地问肖恩先生：

"卡洛斯怎么啦？"

肖恩先生说："没什么，他运算难题的时候总是这样的。"

"他坐了多久了？"霍耶斯特教授问道。

"恐怕有3个小时了吧。"

"3个小时一直保持这种姿势？"我问。

"通常是这样。"

"为什么一定要以这种方式思考？"

"呃，"肖恩先生说，"报上的那些报道说得有些过头，其实卡洛斯的才能并不是天生的。我本人就不相信什么过人天赋，我宁愿相信后天的努力。卡洛斯很小的时候就对数学感兴趣，我为了使他将来成为了不起的数学家，一直对他严格要求。正如两位所看到的，他时刻在考虑着数学方面的问题。事实上他的天赋并不比别人高，可以说他的那些成绩完全来自于努力。"

"除了数学，卡洛斯还学什么？"我问道。

"数学已经占用了他的全部时间，怎么可能再学其它的东西。而且我认为只有用心钻研一门学问才能取得成就。既然想当数学家，那么牺牲别的科目也是没办法的事。"

我和霍耶斯特教授总算明白了为什么卡洛斯的反应会那么迟钝，这个不到6岁的孩子脸上似乎有着老人的神情。卡洛斯在父亲长期的"严格要求"下，已经成了只会算数的机器，在其它方面几乎是个白痴。他不仅缺乏最起码的生活常识，而且身体素质也远远比不上同龄的孩子。

我和霍耶斯特强烈要求肖恩先生改变一下教育方法，遗憾的是肖恩先生固执己见，认为要想成为杰出人物就理应付出一些代价，而让卡洛斯牺牲玩耍和学习其它知识的时间，换来数学上的成就是值得的。

8 年后的今天，曾经名噪一时的数学神童在数学上并没有取得什么骄人的成绩。据我了解，卡洛斯不仅在数学上没有取得进展，还因为体弱多病退学了。

很多父母从孩子生下来那天起就对他寄予厚望，这当然没有错，但千万不可以勉强孩子像成人一样钻研学问，因为这样做违背了孩子天性，必然不会有好的结果。

帮助孩子克服急躁情绪

所有孩子都有一个共同的特点，就是急于求成，这一特点在学习上表现得尤为突出。孩子总是喜欢新鲜事物的，一旦他们对某件事不再感到新奇，很快就会厌弃。他们刚学习新知识时往往有极大的热情，但随着学习的深入，他们的注意力就开始转移，学习也就开始停步不前。有的父母总是急于让孩子掌握某种知识或技能，一遇到这种情况，往往会催促孩子加紧学习。这时，学习对孩子来说就成了父母下达的一个任务，而不再是一件有趣的事。孩子觉得执行任务是一件折磨人的事情，因此想尽快把它完成，结果总是事与愿违，因为一个人在急躁的情绪下是做不好任何事情的。

有的父母喜欢以自己的标准来要求孩子，当孩子在学习上遇到困难时，他们不是想办法使孩子的心态平静下来，反而对孩子说"你怎么连这么简单的问题都不明白？"或"你再不快点就完不成功课了。"如果父母自己都处于焦急的状态之中，孩子就会变得更加急躁，这样一来，往往会把简单的事情搞复杂，本来很快就能做好的事，由于着急反而要花很多的时间才能完成。

我认为，要想避免孩子产生急躁情绪，父母首先要有一个平静的心态。我在指导威廉学习时，从来不催促他，更不以自己的标准去要求他。当威廉出现急躁情绪时，我会想方设法使他平静下来，把不好理解的知识分解成若干步骤，一步一步地解决，并对他每一点小小的进步给予表扬。

有一个周末，威廉的朋友汤姆过生日，汤姆的父母要为儿子举行一个生日聚会，邀请了汤姆的一些小朋友参加，威廉也接到了邀请。聚会的时间是晚上 7 点，还不到下午 4 点，威廉就有点坐立不安了。他一边在房间里做数学题，一边不时地看墙上的钟。这一天，威廉的的功课并不多，但他用了整整一个下午还没做完。按他平时的速度，不到 4 点就应该做完功课到花园里玩了。

看得出来，威廉在为晚上的聚会分心，他快速地在纸上算来算去，但那几道并不难的运算题在这个下午却难得出奇。威廉接连出错，越错越心急，最后，他终于控制不住心中的焦急，开始"罢工"了。

我见威廉在房间里迟迟不出来，就走进他的房间看看。发现他仰面躺在床上，纸和笔扔在地板上。

"威廉，你怎么了？"

"唉！"威廉叹了一口气，"这些题太难了，我怎么也算不出来。"

我捡起他的练习本看了看说："并不难呀！你怎么会做不出来呢？"

"谁知道呢，我就是做不出来。"威廉赌气说。

我一看他的模样。就知道他现在很急躁，心里总是想着汤姆的生日晚

卡尔·威特教育圣经

会，无心做功课。本来我并不主张勉强孩子学习，若在平时，威廉不想学习，我就会让他出去玩一玩，换换心情。但今天威廉是因为急躁而做不好功课，我想正好可以利用这个机会锻炼他的耐心。我看看钟，刚到4点，就对威廉说："威廉，你不用着急。时间还早呢。"

"也许别的孩子都已经到了，可我还在这儿做数学题。"

"不会的，约好的时间是7点，汤姆家又不远，十几分钟就到了，你6点半出发也来得及。迟到当然不好，但去得太早也会打乱人家的安排的，也许汤姆需要布置一下他的房间，在布置好之前被你看到就不好玩了。"

"可是这些题真的很难。"威廉还是不愿再做。

"如果你心里总想着别的事，它就很难；只要你专心做题，不想别的任何事，它就很容易。不过现在离晚会至少还有两个小时，你不想再试试吗？当然，如果你真不想再做，就去休息吧。"

听我这么一说，威廉的心情放松了。

"好的，爸爸，我再试试看。"

由于威廉打消了顾虑，结果不到半个小时就把那些题全做出来了。他跑到我跟前，快活地说："真的很容易，爸爸，真怪呀，怎么突然变得容易了呢？"

"你说为什么呢？"我笑着问道。

"是因为，"威廉想了想说，"我越着急它就越难，我越不急，它就越容易。"

高效率的学习

大多数人有这样一种观念，就是认为孩子的兴趣爱好太多，就不可能学得精深，在他们看来，博大与精深是对立的。这种说法固然有一定道理，不过父亲在这个问题上有他自己独到的见解，他认为在教育孩子时，如果博大和精深不能兼得，那么他宁可先要博大，因为任何一个具体的专业都牵涉到许多其它领域的知识，一个人只有具备了广博的知识，才有可能在某一个方面取得更大的成绩。那么这是不是意味着孩子在广泛涉猎各种知识的同时就不可能在具体科目上取得好成绩呢？父亲用他的教育实践否定了这种观点，如今，我又通过对威廉的教育再次证明，只要合理安排时间，让孩子养成高效的学习作风，那么，就算业余爱好和学习的科目都很多，孩子仍然可以取得很好的成绩。

威廉的兴趣十分广泛，除了正常的学习，他还喜欢绘画、弹琴、旅行、做游戏和读大量的课外书。但是，他并没有因为这些爱好而影响学业。一些家长常常问我，威廉有那么多业余爱好，仍然能把功课学得很好，他是怎么做到的呢？一般说来，孩子的业余爱好太多的确会影响正常的学习，不过我认为，威廉之所以能做到学习和爱好两不误，主要由于他从小养成了专心的好习惯。不过这种好习惯并不是天生的，而是在学习的过程中逐渐养成的。

威廉曾经也和别的孩子一样，什么都想学，什么都学不好。有一次，威廉在房间里学拉丁语，学了一会儿，听到窗外传来鸟叫，就放下书本，拿起笔在纸上画起鸟来。还没画完，鸟儿就飞走了，于是又拿起书翻一翻。刚看了几页，又去弹弹钢琴。半天过去了，什么也没有做好。看到这种情况，我没有立即指出他的缺点。到了晚上，我问威廉：“你今天学习了吗？”

“学了。”威廉回答。

“学会了些什么？”

威廉想了想，有些气恼地说：“什么也没学会！”

“怎么会呢？”我故意作出惊讶的样子。

“我就是学不会，什么也学不会！”

“为什么？”我问。

“我要学的东西太多了，真让人心烦，我刚学了一会儿拉丁

语，就想练习画画，画了一会儿又想弹琴，可是心里想着拉丁语的学习计划还没完成，琴也弹不下去了。"

"你应该做好一件再做下一件呀!"

"那要等到什么时候才能做完啊!"威廉说。

我知道威廉急于想把所有的科目都学好，结果不能静下心来学好任何一门知识。于是我耐心地告诉他怎样合理地安排时间。

"更重要的是你要让自己静下来，做一件事情的时候就不要想别的事，专心把眼前的事做好。只要你能做到这一点，那么你学习一小时的效果要比平时学一天还好。"

"一小时比一天还有用，这怎么可能呢?"威廉怀疑地说。

"不信你明天试试。"

第二天，威廉按我说的办法去做，不到一个小时就完成了当天的学习计划，然后开始练琴，由于完成了学习计划，心里没有了负担，钢琴也练得很顺畅。吃午餐时威廉对我说:"爸爸，专心学习果然又快又好，我一件一件地做，很快就做完了。"

威廉养成了专心致志的习惯后，一旦开始做某件事，无论有什么样的干扰也不能使他分心。原则上我要求他每天正式用于学习的时间不能超过两个小时，很多人对此无法理解，他们不相信一个孩子每天学习两个小时就能达到威廉的知识水平，然而他们又不得不承认这是事实，因为他们总能在玩耍的孩子们当中看到威廉的身影，也许，威廉用于玩耍的时间比他们认识的所有孩子都要多。

卡尔·威特教育圣经

不要舍弃生活的乐趣

卡尔·威特教育圣经

　　我在格廷根大学上学时，由于我是该大学有史以来年龄最小的学生，加上我的各科成绩都在学校名列前茅，我自然就成了公众关注的人物。当地报纸不时有关于我的报道，那些文章观点不一，有的围绕父亲的教育方法进行讨论，有的说我是德国历史上少有的神童，有的则说我的成绩完全是通过日夜苦读换来的，言下之意是说我为了学习牺牲了自己的健康和童年的欢乐。有一位署名为费特罗的作者对父亲的教育方法妄加猜测，说我是在父亲的逼迫下拼命学习的。还有人说我是一架可怜的学习机器。甚至有人指责父亲，说他不配做父亲，为了光耀门庭，不顾我的健康。

　　有趣的是，这些议论我的人，包括那位为我的健康担忧的费特罗先生接连不断地发表文章谈论我，却从不到学校去了解一下我的实际情况。如果他们见到我本人，一定会为自己的武断感到惭愧，因为我的身体非常健康，尽管我刚出生时体质比别的孩子差很多。如果他们问问校方或我的同学就会知道，我从来不曾日以继夜地苦读过，事实上，我用于学习的时间比大多数同学还少。父亲不但从来不逼迫我学习，反而经常提醒我"该休息了""该出去玩一会儿了"，他常常对我说："不要去做一个学究，不要因为学习而失去了生活的乐趣。"

那些好心的人们对我的担心是不必要的，因为我在格廷根大学的生活不仅轻松愉快，还时常和同学们一起参加各种课外活动。此外，我因为练习吉他而结识了一群兴趣相投的好朋友。

在我小时候，父亲除了让我学习书本知识以外，还非常注重培养我的艺术修养。我从小就会弹奏钢琴和吉他，听音乐和创作乐曲成了我生活中不可缺少的享受。上大学后，由于没有条件弹奏钢琴，我就把对音乐的兴趣倾注到了吉他上。吉他的确是一种非常美妙的乐器，不仅能演奏丰富的和声，也能弹出美妙的旋律，贝多芬曾经说它是"一个小小的交响乐团"。

我刚上大学时对大学有一种神秘感，由于我是格廷根大学最小的学生，刚开始我担心自己跟不上大学的课程。于是就把所有的精力都放在了学习上，其它的爱好，像绘画、音乐、旅行等等都放弃了。

有一天，父亲问我："卡尔，怎么好长时间没听到你弹吉他了？"

"练习吉他太费时间，我不能再弹了。"

"费时间？那么你的时间用来干什么？"

"我想，我已经是个大学生了，应该把所有的精力都放在学习上。"

"你不再喜欢音乐了吗？"

"喜欢还是喜欢的，只不过音乐不是最重要的事。"

"不，我可不这么看，我认为既然喜欢，那么就是重要的，从某种意义上说，学习也是为了满足你的爱好。学习的意义就在于使自己获得快乐，如果为了学习而失去了生活的乐趣，那么学习就违背了你的初衷。"

"那么，你认为我应该怎么做呢？"

"如果你真的对音乐失去了兴趣，你就应该放弃它。如果你仍然喜欢，那么我劝你继续坚持练习吉他。因为它不仅可以给你带来快乐，还能调剂你的生活。只要你合理安排时间，你就会发现每天弹弹吉他反而会使你的学习更轻松。"

父亲的教导让我对学习与爱好有了更深的认识，也对人生的意义有了更深的领悟。我又恢复了以前的爱好，不仅在吉他演奏上取了很大的进步，也通过吉他认识了一些兴趣相投的新朋友。后来的事实果然如父亲所说，我的学业并没有受到影响，正因为有了丰富的业余爱好，我的大学生活才能过得如此轻松愉快。

做一个全面发展的人

我14岁时发表的一篇数学论文引起了学界的重视，著名的数学家米开斯维里读了我的论文后，专程拜访了父亲。米开斯维里先生认为我在数学方面有过人的天赋，如果对我进行专门的培养就能使我成为一个杰出的数学家，并表示愿意接受我做他的学生，以便进行专门辅导。父亲谢绝了米开斯维里先生的好意，他认为一个孩子从14岁起就确定以后的专业方向，未免为时太早。

"为时过早？"米开斯维里教授不解地问，"让孩子早一点专攻一门学问不是更容易学得精深吗？"

"从眼前来说也许是这样。"父亲说，"不过卡尔今年才14岁，我认为他应该趁着年轻多学一些知识，至于专业，我想等他18岁以后再作决定。在这之前，他应该尽可能多学一些知识，因为每一个学科都不是完全独立的，相互之间总存在着种种联系，我认为先让他具有广博的知识，再让他根据自己的兴趣选择一个专攻方向，将来的成就也许会更大。"

"让他自己选择？"米开斯维里教授有些遗憾地说，"难道你不希望卡尔成为优秀的数学家吗？他在这方面天赋很高，如果不利用就太可惜了。"

父亲说："我当然希望卡尔在数学方面取得很大的成就，但他毕竟是一个独立的人，他的人生道路应该由他自己来决定，如果他到了18岁仍然愿意从事数学研究，我一定会支持他的。"

米开斯维里教授尽管有些遗憾，但还是很理解父亲的想法。他离去的时候对我说："卡尔，数学其实是一门有趣的学问，不是吗？我希望几年以后你仍然喜欢它，如果你愿意和我一起研究，我随时欢迎你。"

我从格廷根大学毕业后，打算到海德堡大学研修法学专业。在我离开格廷根时，米开斯维里教授前来送行。

"我很抱歉，教授。"我对米开斯维里教授说，"我还是没有选择数学。"

"卡尔，也许你父亲是对的，你的确应该多学一些知识。你选择了法学，我虽然觉得遗憾，但我还是为你感到高兴。不过我希望你在学习法学的同时，别忘了数学，因为数学是世界上最迷人的一门学问。"

由于法学是我以前从未接触的新领域，加上几年前拿破仑法典的颁布对人们思想观念的冲击，我对法学产生了极大的兴趣。进了海德堡大学后，我如饥似渴地学习着法学知识，把所有的学

卡尔·威特教育圣经

习时间都倾注到了法学上。这样一来，我在不知不觉中冷落了其它学科。

假期我回到家里，父亲知道这一情况之后对我说："卡尔，如果你现在就荒废了其它学科，那真是一件令人痛心的事。"

"没办法，爸爸，法学文献实在太多了，我的时间不够用，就只好先把别的学科放一放了。"我向父亲解释道。

"文献？"父亲问道，"这么说你把那么多的时间用来研究文献？"

"对啊，这是法学家欧文提倡的。"

"卡尔，"父亲关切地问我，"你在信中总是说你的情况很好，现在你老实说，你这一年是不是觉得特别累？"

父亲说得很对，在海德堡大学一年的学习的确让我疲惫不堪，我知道一切都瞒不过父亲那双敏锐的眼睛，只好点头承认。

"我的孩子，你之所以觉得累，我想是你的方法出了问题。研究法学并不等于往脑子里填塞资料，掌握一定的材料虽然是必要的，但更重要的是摸清法学发展的脉络，掌握它的发展规律。这就需要你跳出法学的范围，从更高的高度来看法学。你要知道，法学的发展和人类的整个文化紧密相关，如果你局限在法学的范围里研究法学，那么你最终只能成为一个皓首穷经的老学究，不可能取得真正的成就。所以，你在荒废了别的学科的同时，其实也就等于堵死了在法学上取得突破的途径。"

父亲的话使我茅塞顿开，我找到了自己在法学研究上进展缓慢的原因，更重要的是，我对父亲"教育的目的是要使孩子成为一个全面发展的人"这一原则有了深切的理解，并把这一原则运用到了日后的教育实践中去。

第二十二章
良好的成长环境

为孩子的成长创造条件

　　我出生以后大脑发育比别的孩子迟缓，一度被村里人认为是个痴呆儿，母亲为此十分伤心，但父亲认为所有的婴儿都如同一张白纸，将来的成就如何主要看后天的生长环境，就算我的先天素质比别人差，只要父母为我营造一个好的教育环境，我完全可能赶上甚至超过别的孩子。后来的事实证明父亲是对的，父亲科学的教育使我的潜能得到了充分的发展。

　　每一个孩子都离不开父母的培养，婴儿的教育当然也是从父母创造的环境中开始的。孩子的能力是在与家庭成员接触的过程中得到提高的。婴儿通过与家人

卡尔·威特教育圣经

273

的接触，不断学习理解他人的意思，并和他人沟通。可以说，父母所创造的家庭环境的好坏，决定了孩子能力发展的前景。

为了把孩子培养成身心健康的人，父母应该营造出欢乐的、充满爱的家庭环境，这是教育孩子的首要的条件。夫妻之间的互相尊重和互相帮助看起来于教育孩子无关，其实这是给孩子上的第一课。刚出生的婴儿大脑中一片空白，在每天的日常生活的刺激下，大脑逐渐把外界信息进行归纳整理，形成了智力。所有孩子的能力都不是天生的，而是在适应环境的过程中产生出来的。因此孩子的成长环境是至关重要的。

小威廉降生后，玛格丽特没有像时下流行的那样雇女佣来带孩子，威廉的饮食起居都是她亲自照料的。我们知道，要想使威廉适应这个世界，最好的办法就是让他时刻和我们在一起，他自然会仿效我们的言行。

威廉3岁以后，我们为他提供了一个能激发他生命潜能和创造力的生活环境。这样的环境，每个家庭都会有所不同，但我认为它必须具备这样一些条件：

首先，它是一个有规律、有秩序的环境。孩子首先要在家庭中学会遵守规则和秩序，将来才可能适应社会的规则和秩序。

第二，它有漂亮又实用的生活设备。如果条件许可，应该专门为孩子设计一个书房和卧室。书房里要有一张适合小孩使用的书桌，孩子可以轻松自如地取放各种属于自己的物品。墙壁上可以挂一块小黑板，孩子可以在上面绘画写字。还可以让孩子自己贴上喜欢的图片。卧室应该干净，通风良好，最好是大窗户，以便孩子观察外面的世界。此外，有了孩子以后，家里的餐厅也要考虑一下儿童的兴趣特点，要尽量避免沉闷的布置，孩子在明快、亮丽的环境中进食会有更好的胃口。

第三，要有足够的书籍和学习工具，这对促进儿童智力的发展很有好处。书籍要以轻松的儿童读物为主，学习工具最好具有玩具的外形和功能。

第四，孩子必须有自由活动的时间和空间，最好有一个院子或花园，孩子可以在户外活动，养养小动物，种些花草都能带来很大的乐趣。

我们为威廉布置了一个书房兼游戏室，他读书、写字、绘画、做手工、玩游戏都可以在这个房间进行，我这样安排，本意也就是要让他觉得学习和游戏没有多大区别。我在他的书房里放了一个很大的书架，上面摆满了各种各样的书，在威廉很小的时候，我们经常为他朗读。此外，我们还经常带他去参加音乐会，参观博物馆。

当威廉还是个婴儿时，就不断接触漂亮的颜色和好听的音乐，丰富的视觉和听觉刺激对开发他的智力起到了很好的作用，另外，我们还让他参与大量的人际交往活动。每次进行这种刺激时，我们都会仔细观察，以便根据小威廉的反应随时调整。度过了婴儿期后，我们开始改变刺激方式，比如提出一些有趣的问题，训练威廉的思考能力，或者和他谈论一些抽象的东西，锻炼他的想像力。

我们经常带威廉到郊外漫步，这对威廉来说既是游玩又是学习。我们在自然的环境里，常常为一些小小的发现感到惊喜。每当威廉对某种植物产生兴趣时，我们就停下来，开始谈论不同植物的生长方式。这样的讨论刚结束，威廉往往又会对一块漂亮的石头或者别的什么新奇事物产生兴趣，于是，一堂地理课又在愉快的气氛中开始了。

通过对威廉的教育，我们深切地体会到，良好的环境会把孩子培养成为身心健康、反应机敏的人，而恶劣环境会把孩子培养成为心灵扭曲、感觉迟钝的人。也许有的家长没有条件为孩子创造良好的物质环境，但我相信，只要肯努力，每一位家长都能为孩子营造一个愉快、温暖的家，其实，这正是良好环境的要点所在。

卡尔·威特教育圣经

家庭矛盾的根源

卡尔·威特教育圣经

在我们的传统观念中，孩子对父母有着与生俱来的尊敬和服从的义务。很多父母认为自己为孩子操尽了心，孩子应该无条件服从父母。通常，父母对孩子总是百般呵护，宁可自己受苦，也要尽力让孩子过得舒适。但是，这是否就意味着父母理所当然地要得到孩子的尊重呢？时代在变，许多传统的道德越来越不能适应人类社会的发展了。那么，在这个时代，父母应该以什么样的态度来对待孩子呢？

在威廉的成长过程中，我发现在他很小的时候，对我们几乎是完全服从，因为他那时候对外界事物是完全无知的，一切都得依靠父母。但随着他的逐渐长大，独立的愿望也越来越强烈，这时候再要他服从我们的安排就有些困难了。我常听到一些父母向我诉苦，说自己为孩子尽心尽力，结果却根本得不到他的尊重。

很多孩子嫌父母罗嗦，把父母的话当耳边风，和父母发生激烈冲突甚至离家出走。威廉和我们也会发生矛盾，但并没有出现难以解决的矛盾，其中的原因主要是我和玛格丽特都有一个原则，就是不要求儿子绝对地服从我们。因为我们知道，一切事物都是相互作用的，我们怎么对待威廉，威廉就会怎样对待我们。

我认为，家庭矛盾的根源就是缺乏平等的气氛。丈夫与妻子、父母与孩子之间的矛盾全都源于不平等。父母由于抚养了孩子就以孩子的恩人自居，认为孩子理所当然要回报自己，不能以平等的态度对待孩子，而孩子随着自己年龄的增长，独立意识会越来越强，于是矛盾就产生了。养育和教育孩子不是件容易的事，如果不以真诚的态度来对待，就很难获得孩子发自内心的爱和尊重。如果父母总是以恩人的姿态向孩子发号施令，

提醒孩子必须履行报恩的义务，时间长了，孩子就会产生强烈的抵触情绪。由于孩子太小，还没有能力在物质上独立，更没有能力偿还父母的"债务"，这无疑是对他们的自尊心的强烈打击。父母和孩子之间一旦建立了这种"债务"关系，孩子就会把对父母的服从看成是"还债"，这样一来，哪里还有什么家庭温暖可言。当孩子有一天终于忍受不了"债务"的重压时，就会和父母爆发激烈冲突，甚至离家出走。

　　如果父母们能够真诚、平等地对待孩子，他们和孩子的关系就是一种爱的关系，自然就会得到孩子的尊重。我认为，每一个孩子都具有天生的反叛精神，他们的反叛并不是对父母有什么恶意，而是急于想证明自己的能力，这种心态是成长过程中不可避免的，这是一种幼稚反叛，父母完全可以一笑置之。如果我们能够以真正平等的态度对待孩子，就不会首先抱怨孩子不尊重自己，而是先检点自己的行为是否值得孩子尊重。其实，这种自我反省的态度本身就是对孩子最好的教育。

　　我和玛格丽特在教育威廉的问题上有一个共识，就是没必要以权威的身份对孩子发号施令，我们相信，只要我们自己能够以身作则，孩子一定会跟我们学的，和空洞的说教相比，行动要有力得多。

　　威廉小时候有很强的表现欲，总想向所有的人展示他的才

卡尔·威特教育圣经

华。有一段时间他迷上了绘画，于是家里的墙壁上到处都是他的大作。这种行为对他那个年龄的孩子来说是正常的，当我发现他在墙上乱写乱画时，尽量以温和的态度制止他，当然，我最常用的做法还是转移他的注意力，向他提供一种更新奇的玩法。

有一天，我从外面回来，发现我挂在书房里的一幅画被涂上了歪歪扭扭的彩色线条，我知道这又是威廉的"杰作"。这幅画是我喜欢的法国画家大卫·杜米埃的作品，我向来十分珍爱，威廉的破坏活动让我又惊又怒。但我没有立即责备他，因为我知道自己正在气头上，很容易说出不理智的话来。

第二天，威廉在自己的房间里专心画画，我走到他身后说："不，威廉，小狗不应该这样画。"

威廉回头看我一眼，问我："那我应该怎么画？"

"狗尾巴再长一点就对了。"

威廉迟疑了一下，按我的意见把小狗的尾巴加长了一点。

"不，这样不好看，还要长一点。"我说。

威廉疑惑地看了我一眼，不太情愿地把狗尾巴又加长了一点。这时小狗的尾巴已经长得很不协调了，如果狗真有那么长的尾巴的话，一定会拖到地上去的。

"还不够长！"我继续要威廉修改。

威廉终于忍不住了，不满地说："不，爸爸，我觉得越加越难看了。"

"可我觉得狗尾巴越长越好看，我看你还应该加长一点。"

"不能再加了，越加越难看！"威廉气恼地说。

"是啊，"我赞同道，"小狗原来的样子最好看。"

"那你为什么要我加长呢？"威廉对我的态度的突然转变感到很惊讶。

"我只是让你知道，别人把你不愿意看到的事情强加给你的时候，你会有什么感觉。"

威廉不解地看着我，没有明白我的意思。

"威廉，"我用温和的口气说，"你昨天是不是到我的书房里去了？"

威廉点点头。

我接着说："那幅画上的线条是你加的吧？我和你母亲都觉得加上那些线条不好看，可你为什么要这么做呢？"

"我想画一条河，我觉得房屋旁边有条小河就更好了。"威廉解释道。

"你觉得好，人家可能觉得不好。如果我给你的小狗加一个长长的尾巴，你会喜欢吗？"

"不喜欢。"

"所以啊，你一定要懂得尊重别人的选择，那幅画是杜米埃先生送给我的，它不仅是很好的艺术品，也是很有纪念意义的收藏品，我不希望它遭到任何的损坏。如果你觉得在那幅画上加一条河更好，就应该先征得我的同意，问问我是否愿意你那么做。"

从这件事以后，威廉懂得了一个做人的道理，彻底改变了到处乱写乱画的毛病。可以设想一下，假我当时不冷静，气急败坏地把威廉训斥一顿，虽然可以在短时间内使他顺从，但并不能从根本上解决问题。要改变孩子的不良习惯，最好的办法是让他从心里认识到那种做法是错误的。这就需要讲究方法，规矩是需要的，但一定要在理解和沟通的基础上加以贯彻。

人们习惯认为，要维护规则就必须用强硬的手段。一个国家的规则，也许有必要通过一定的强制力来维持，但对儿童来说，最有效的方式莫过于平等的沟通和交流。

规矩与自由

很多成人把规矩看得高于一切，在他们眼里，凡是守规矩的孩子就是好孩子；一旦孩子触犯了规矩，不管是有心还是无

卡尔·威特教育圣经

意，都要给予严厉的惩罚。当孩子在某方面显露出过人天赋时，他们不但不加以引导来发展这种天赋，反而首先用各种清规戒律去压制它，使它符合常规。这种教育方式不知扼杀了多少天才。这种教育只能使孩子学会循规蹈矩，却不可能使他们具有创造力和独立精神。

父母们总希望自己的孩子拥有一切美好的品质和过人的能力，然而各种品质和能力之间往往存在着冲突，比如守规矩的孩子往往缺乏独立性和创造力，学得太多太杂往往不能做到精深等等，令许多父母顾此失彼，难以取舍。教育孩子最首要的目的是什么？或者说对孩子最重要的素质是什么？父亲对此曾有过论述，他说："对孩子来说，最重要的素质应该是独立性和创造力。我宁可让小卡尔成为一个不听话但有头脑的孩子，也不让他成为一个守规矩的呆孩子。然而发生在小卡尔身上的事实却是：他既是一个懂规矩的孩子，又是一个有头脑的孩子。"

霍耶斯特教授很赞同父亲的观点，他认为孩子的生命潜能是通过自由活动得以发展的，他曾经撰文批评一些限制儿童自由的教师，认为他们把孩子教育成了执行命令的机器，而真正合理的教育应该给孩子足够的自由，允许他们按自己的本性活动。

规矩和自由创造之间看起来有着不可调和的冲突，但实际上是可以统一起来的，父亲和我本人的教育实践都足以证明这一点。父亲的教育思想并不是只重能力而忽视品质，恰恰相反，他甚至把品质看得比能力更重要，他只是主张孩子在具有了独立性和创造性的前提下学习规矩。因为孩子来到这个世界上，对一切都感到陌生，他必须通过各种各样的尝试来摸索这个陌生世界的规则，在这个过程中难免会破坏规矩。如果大人只是生硬地加以限制，就会使孩子感到压抑，其结果不是变成一个呆板的小老头，就是成为一个粗野的叛逆者。

因此，教育儿童首先要知道的一件事就是给孩子足够的自由，或者说给他们一定的犯错误的空间。当然，给孩子自由并不是放任不管，而是在培养孩子独立性和创造性的前提下讲秩序。

正是基于这样的认识，我和玛格丽特在教育小威廉的时候，允许他按照自己的想法自由地选择学习和玩耍的方式，只要这种方式不具有太大的破坏性。有人会有疑虑，认为允许孩子自由选择无异于纵容他的"兽性"，会对社会造成破坏性的恶果。其实，要避免孩子搞破坏并不难，只要保持一种尊重孩子的态度，在孩子用他幼稚的方式去探索这个世界时，不随便加以干涉就可以了。

我对小威廉的教育实践说明，自由与秩序完全可以很好地结合在一起。威廉可以自己决定玩耍的内容和时间，但是，这种自由有一定的前提，他必须遵循一定的规矩。比如，在玩耍之后必须自己收拾残局，然后才可以玩下一样。尽管要遵守一定的规矩，但由于威廉有了充分的自由空间，他过剩的精力就有了正当的去处，自然就不会破坏秩序了。

小威廉和所有的儿童一样，也喜欢在墙上乱写乱画，或者毁坏物品。有一次，他把我的台灯上的金属罩子摘下来放到炉火上烧，当我发现时，那个精美的灯罩已经烧得变了形，里面装着一块泥巴。我顿时感到一股怒火涌上心头，真想在他屁股上狠狠地打几下。小威廉发现我神色不对，知道自己惹祸了，

卡尔·威特教育圣经

不由得紧张起来。这时我才意识到我刚才的样子有多可怕。我调整了一下情绪，深深地吸了一口气，然后平静地问他：

"威廉，你为什么要把灯罩放到炉子上去？"

"我想帮妈妈烤面包。"威廉小声说。

"好样的，"我摸摸他的头，"可是这里面只有泥巴没有面包呀，难道你要请我们吃泥巴吗？"

"我找不到面粉。"

"所以就用泥巴代替了？"我笑了。

威廉紧张的神情也放松下来，点了点头。

"妈妈是用灯罩烤面包的吗？"我问。

"我打不开烤箱。"

"你想烤面包为什么不叫妈妈帮你呢？"

威廉不说话。我突然觉得这个问题很多余，其实威廉只是想给我们一个惊喜。

这件事使我开始认真考虑孩子的纪律和自由的问题，由于孩子不懂事，往往会干一些破坏性的，甚至是伤害自己身体的事情，因此我对威廉的行动作了一定的限制，比如我不允许他随便玩火。但这类限制不是通过命令来实现的，而是通过转移注意力，因为孩子有好奇和叛逆的天性，他们最乐于尝试被严令禁止的事情。为了让威廉从事有益的自由活动，我为他精心布置了一些他喜欢的活动场所，我家后面的小花园就是他的乐园。还有他自己的房间，我鼓励他自己布置，他可以把蝴蝶标本钉在墙上，也可以把自己的画贴得到处都是，但是有一个原则，就是只能贴在自己的房间里，如果想贴在别处，必须征得别人的同意。我在给他自由的同时，也让他学会了尊重别人的自由。

让孩子自由活动，他们就能体验到力量增长的喜悦，这是激励他们努力学习的最大动力。规矩当然是要的，但一定要建立在自由的基础之上。事实上，只要为孩子创造一个自由活动的空间，他们就会沉浸其中而无暇去搞破坏。

从自己做起

在教育小威廉的过程中，我深切地体会到，父亲是孩子最早的学习对象，父母的品行将会对他们的一生产生不可估量的影响。在我们周围，有很多严厉的父母，他们总是向孩子发出各种命令，要求孩子必须这样，必须那样，却不肯先从自己做起。有的父母要求孩子早睡早起，自己却天天参加晚会，跳舞、喝酒到深夜；有的父母自己十分懒散，却要求孩子努力学习。这样的父母是不可能教育好孩子的，尽管他们是在无意中对孩子产生了坏影响，但他们仍然有不可推卸的责任。

我认识一位父亲，对儿子寄予了很高的期望，自己节衣缩食，却让儿子上最好的学校，在生活上也是有求必应。尽管他为了使儿子成才煞费苦心，儿子却一点也不喜欢这个父亲，甚至经常与父亲发生冲突。这位苦恼的父亲不得不带着儿子来向我咨询。那个孩子在和我单独交谈时告诉我，他不喜欢父亲主要是因为父亲举止太粗俗，经常衣冠不整或者喝得醉醺醺地到学校去接他，弄得他在同学面前觉得很丢脸。

我认为，父母应该注意自己在孩子心目中的形象，如果太随便就会在孩子心目中失去威信，没有威信的父母是无法指导孩子的。这并不是说父母应该在孩子面前板着脸，过于严厉只能让孩子紧张不安，并不能产生真正的威信。真正的威信绝不是装出来的，而是通过以身作则树立起来的。孩子们尽管很弱小，必须在生活上依靠父母，但没有一个孩子喜欢听人发号施令。因此，我和玛格丽特在教育威廉时，很少用严厉的口气对他说话。通常，我们希望他做什么的时候，不会向他下达命令，而是采取一种巧妙的方式，不用说出来就让他明白该做什么，不该做什么。

就拿学习来说，我认为，强迫的方式是没有用的，这种做

法的结果往往会适得其反。因此，与其命令孩子学习，不如通过引导，让他自觉自愿地热爱学习。在我和霍耶斯特教授的研究对象中，有一个叫布伦迪亚的孩子。布伦迪亚6岁，是个很聪明的小家伙，但他的父母一度为他的学习感到担忧，因为他喜欢把很多时间花在游戏上，常常到了晚上才发现未能完成当天的学习计划。这样一来，免不了受到父母的责备，结果不是赌气不学，就是用晚上睡觉的时间来补白天的功课。由于不能按时睡觉，早晨起床就成了一个大问题。常常在父母的威逼和利诱下才万分不情愿地起来。

　　布伦迪亚的父母为此感到很伤脑筋，经常在儿子耳边数落，并为他规定了游戏时间。起先布伦迪亚不肯配合，和父母较量了多次之后，慢慢学会了控制自己。有一天，布伦迪亚的父母有事要出门，离开前他们交待儿子不要出去玩，给他安排了一些学习内容并许诺给他买一盒巧克力。布伦迪亚答应不出去玩，一定在家做功课。

　　父母从外面回来时，发现儿子不在房间里，于是就到外面去找。绕着住处找了一圈，仍然不见儿子的踪影。这时他们有点慌了，生怕顽皮的儿子出什么事。到吃饭的时候，布伦迪亚回来了。刚一进门，他的父亲就朝他吼道："我看你是老毛病又犯了，你说，为什么不做功课就出去玩？"

　　布伦迪亚不服气地说："你怎么知道我没做功课？"说着到房间里拿出练习本给父亲看。

卡尔·威特教育圣经

父亲仔细检查了一遍，发现儿子把作业全都做完了，这实在有些出乎他的意料，看来刚才说他没做功课是冤枉他了。这位父亲觉得既然已经摆出了一副严厉的架势，再改变态度不免下不了台，于是继续用严厉的口吻说："那么你出去玩总是事实吧？"

儿子说："我的作业做完了还不能玩玩吗？"

"当然，"父亲说，"如果是平时，做完了作业你可以出去玩一会儿，但今天你答应了不出去的。"

其实，父亲要儿子不出去玩，是因为按照以前的经验，顽皮的儿子不可能在他们回来之前把作业做完，并不是出去玩一会儿有什么不好。

"那么你呢？"儿子发现父亲两手空空，"巧克力呢，你不也答应过给我买巧克力的吗？"

这时父亲已经完全无话可说了。

据我了解，这类事情每天都要在无数的家庭里发生。父母是孩子最亲近的人，也是他们最早的学习对象，可想而知，布伦迪亚的父亲冤枉了儿子又不肯认错，儿子就会学会为自己的错误找借口；父亲对儿子不讲信用，儿子就会学会敷衍。

如果父母要在家里制定规则，他们自己首先就要遵守规则，否则，当父母对孩子提出要求时，孩子只需说"你自己不也一样吗？"就能把父母顶得哑口无言。因此，我认为父母能否成功地教育孩子，关键在他们自身的言行。文化程度高的父母也许还能找出理由为自己辩护，劝孩子接受自己的教育，如果是脾气暴躁的父母，可能会因为被孩子揭了短而恼羞成怒，做出极不理智的事来，最后使矛盾激化到难以解决的地步。

别伤孩子的自尊心

在和孩子相处的岁月里，每一位家长都有犯错误的时候，

卡尔·威特教育圣经

也许是错怪了孩子；也许是事业上遇到挫折，回家把火发在孩子身上；也许是对孩子关心不够。在家长们常犯的错误中，最让孩子耿耿于怀的莫过于伤害孩子的自尊心。一个孩子长大后也许会忘掉父母的一切过错，但惟独难以忘记父母对他自尊心的伤害。

我认为，任何有责任心的父母都应该注意这一点。在家庭生活中，如果父母能够注意维护孩子的自尊心，就可以避免许多不必要的麻烦。有些父母自己的自尊心就特别强，当孩子有点叛逆举动时，就会大发脾气，可是当他们伤了孩子的自尊心时，就会认为那么小的孩子哪有什么自尊。更有甚者，有的父母还有意去伤害孩子的自尊心，作为一种惩罚手段。这种做法也许是家长所能犯的错误中最不可原谅的一种，因为这不仅起不到惩戒的作用，还会对孩子的心灵造成不可挽回的伤害。

可惜的是，我们周围有许多家长从来不考虑孩子的自尊心。有的家长喜欢拿自己的孩子和别的孩子比较，拿自己孩子的短处去比其它孩子的长处，于是对自己的孩子越看越不顺眼，甚至大加讥讽。

我的同事怀特先生对自己的儿子哈里森要求很严，不管哈里森怎么做，他总能挑出儿子的不足并加以批评。在怀特先生的严格管教下，哈里森确实取得了一些成绩，还在学校举行的数学竞赛中得过奖。怀特嘴上不夸儿子，心里却十分高兴。有一天，怀特先生参观了霍耶斯特教授负责的孤儿院之后，又开始对儿子不满意了。因为孤儿院里接受早期教育的孩子们表现出了极大的灵活性和创造性，有一个年仅 6 岁的男孩居然学完了小学的全部课程。

怀特先生回到家对儿子说："你知道我今天看到什么了吗？"

"看到了什么？"哈里森小心地问，他从父亲的语气中感到了事情不妙。

"我看到一个 6 岁的孩子，还是个没有父母的孤儿，已经学完了小学的全部课程。而你呢，你几岁了？回答我，哈里森！"

'哈里森很不情愿地回答说："9 岁。"

"是啊，9 岁了。"怀特先生挖苦说，"连二年级的课程都没学好。"

"我怎么没学好？"哈里森不服气地说。

"好不好要看跟谁比，跟白痴比你是学得够好的了。可是跟那个 6 岁的没爹没妈的孩子比，我看你倒像个白痴。"

事实上，哈里森的学习成绩在他那个年龄的孩子中已经算中上了，数学成绩在全年级排在前几名。听到父亲的一番挖苦，哈里森感到非常不舒服，立即产生了逆反心理。

"好吧！我是个白痴？你以后别管我好了！"

"你还嘴硬，我从来没见过像你这样没出息的孩子。"

"我就是没出息，我愿意！"

于是父子之间开始了激烈的争吵，最后哈里森气急之下离家出走了。

怀特先生看到别的孩子比自己的儿子强，希望用激将法促使儿子更加努力，用意本来是好的，没想到适得其反。孩子最在乎的就是父母的评价，如果被自己父母当成了一个没出息的孩子，那么激励他奋发向上的精神支柱就没有了，他会觉得不管自己怎么努力都改变不了在父母心中的形象。结果不仅不会继续努力，反而会破罐子破摔。

威廉是个懂事的孩子，5 岁就开始主动帮我们做家务了。有

卡尔·威特教育圣经

第二十二章 良好的成长环境

一天，家里来了客人，玛格丽特在厨房里忙碌着，威廉很积极地过去帮妈妈递这递那。玛格丽特做好几样菜之后，威廉抢着去橱柜里拿盘子，由于橱柜很高，威廉踮着脚尖才勉强能够着。

"威廉，让我来，你会把盘子打碎的！"玛格丽特对儿子喊道。

"放心吧，妈妈，我没问题。"

当他好不容易取下一个盘子时，却把好几个盘子弄到地板上摔碎了。

我听到响声，就到厨房去看个究竟，发现玛格丽特正在指责儿子不听话。我急忙用眼色示意她停一下，然后对威廉说："行啊，威廉能帮妈妈干活了。"

威廉不好意思地说："我真笨，把盘子打碎了。"

"不是笨，"我说，"我看你是不够高。等你再长高一点就行了。"

玛格丽特这时也意识到自己刚才责备威廉有些不冷静，就说："威廉今天帮我做了很多事，要不是他帮忙，我还真忙不过来呢。"

这时，威廉已经摆脱了尴尬处境，自己收拾好了地上的碎片，又高高兴兴地给妈妈当起了助手。试想一下，如果当时玛格丽特继续责备威廉，可能就会伤害他的自尊心，从此不再帮妈妈干活，甚至还会和父母产生对立情绪。在家庭生活中，类似这样的小事还很多，如果大人懂得尊重孩子，就能在不伤害孩子自尊的情况下让他改正自己的错误，明白做事和做人的道理。

让孩子独立自主

在传统教育观念里，孩子应该学会守规矩，应该尽可能让大人过上宁静的生活，因此，培养孩子对大人的服从和恭顺是头等重要的事。但是这样一来，儿童的自由天性和创造力就被这种愚蠢的观念扼杀了。孩子们在摇篮里就学会了各种各样的规矩，结果被弄得毫无生气。那些把懂规矩看作头等大事的父母也许并没有意识到，他们的做法根本不可能培养出身心健康的人才，只能造就惟命是从的庸人。

霍耶斯特教授访问过几十位"天才"的家庭，发现大部分"天才"的父母对孩子的要求都很严格，总是不断督促他们努力，以取得更大的进步，尽管如此，但是这些家长并不专制，很少勉强孩子去做什么。他们往往很尊重孩子的意见，希望以此来培养孩子的独立精神，让他们学会自己作决定。有的父母认为只有敢于独自面对挑战的人才会成功，因此鼓励自己的孩子去冒险。可以说，大部分"天才"的父母有一个共同的特点，就是一方面对孩子要求很严格，一方面又鼓励孩子独立自主。

有的父母只知道严格要求孩子，要孩子做一个听话的人，却不知道如果只是要求孩子听话，而不注意培养孩子的独立精神，那么孩子一旦失去父母的鞭策就会无所适从。

那些为孩子树立了明确的目标，又鼓励他们独立自主的父母，对孩子不仅要求严格，还能够宽容孩子的错误。我和霍耶斯特教授通过调查发现，以这种方式教育孩子的家庭造就"天才"的可能性最大。而那些只知道一味限制孩子自由的父母，最容易引起孩子的不满和反抗。

生硬地限制孩子的自由，只能造就惟命是从、唯唯诺诺的庸人，这样的人过于看重别人的评价，一辈子都在努力使自己的举动合乎规矩。他们对传统观念总是毫不怀疑地接受，然后又把自己的惶恐和挫折感传给下一代。

在我们的调查对象中有一个名叫克鲁的孩子，他的父亲康普生是一位工程师。克鲁的一举一动都要受到父母的限制，他的母亲惟恐他着凉，总是给他穿上厚厚的衣服。克鲁从小就被一层又一层的衣服裹得透不过气来，手脚也不能轻松自如地活动。父母给他制定了各种各样的规矩，不许吮吸手指、不许用

手抓食物、不许哭闹、大人说话时不许插嘴、上楼时脚步要轻、每次出去玩不许超过半个小时，等等等等。刚开始，小克鲁不愿意接受如此烦琐的条条框框，比如吮吸手指，这是小克鲁不愿放弃的一大爱好。母亲为了让他养成讲卫生的习惯，一见到他吮吸手指，就把辣椒水涂在他的手指上。如果他坐在地板上玩，立刻就会听到父母的斥责。如果他蹲在地上玩泥巴弄脏了衣服，母亲就会上前去在他屁股上来一巴掌，然后把他揪进屋里。

小克鲁曾经用哭闹的方式来抵制规矩，但最终还是在父母的打骂下学乖了。他的父母最关心的是他是否听话。当家里来客人的时候，克鲁必须向客人表现出自己良好的教养。穿戴整齐，老老实实地坐在那里，有问必答，直到大人们开始聊天，父亲才会命令他离开。吃饭的时候，他必须注意自己的举止，不管有多饿也不能大口地吃。

可悲的是，康普生先生对自己的教育方法颇为自得，当我去他家访问时，他还向我介绍了自己的成功教子经验。可以想见，克鲁将来会上中学、大学，但他在学校时只能被填一肚子难以消化的学问，没有多少自己的见解。走入社会后，他也早就忘了自己真心想从事的事业是什么。也许他少年时也曾有过梦想，希望长大后当一名探险家、或者艺术家，但从他很小的时候起，这类理想总会遭到父母或其它大人的责难。他们会说："你太幼稚了，克鲁，你以为这种职业能让你过上好日子吗？当艺术家，你恐怕连自己都养不活。"长大以后，当克鲁面临选择职业的问题时，他多半会听从父亲的安排，而自己的理想，早就在长期循规蹈矩的生活中磨灭了。

我和玛格丽特对威廉实施的是完全相反的教育，小威廉从小就很少受到束缚。在婴儿时期，当他哭闹时，我们从不呵斥他，而总是耐心寻找他哭闹的原因，看看是饿了还是哪里不舒服。我们也从不给他裹上密密麻麻的衣服，而是让他自由地活动身体。

据我了解，克鲁把大部分时间用于学习，但成绩始终平平。而威廉的大部分的时间都在玩耍，却在 8 岁时就学完了小学的全部课程。更重要的是，威廉是个快乐的孩子，而可怜的克鲁总是郁郁寡欢。毫无生气。这就是两种不同的教育方法所产生的不同结果。

溺爱会毁了孩子的自信心

我相信所有的父母都明白，一个人能否在社会上立足，能否在事业上取得成功，起决定作用的主要有两个因素，一是实际的能力，还有就是自信。如果一个人缺乏自信，即使他有很强的能力也只能发挥出一小部分；如果一个人能力上有欠缺，但他有足够的自信，那么他的能力可能会超水平发挥。当然，这只是一种假设，一般来说，能力越强的人也就越自信。能力和自信可以说是互为因果，如果一个人缺乏自信，他也就缺乏发展能力的积极性，而这种积极性又对人能力的发挥起着决定性作用。

自信心能将人的一切潜能都调动起来，使人的身心各方面进入到最佳状态，进而使能力得到超水平的发挥，而超水平的发挥在不断积累之后，就会上升为人的本能，这样，人的能力就会产生质的飞跃。可以想见，如果一个人的成长能以这样积极的方式行进，将会收到多么神奇的效果。

卡尔·威特教育圣经

第二十二章　良好的成长环境

我和霍耶斯特教授通过调查发现，在孩子很小的时候就开始培养他的自信心是最有效的，帮助孩子树立自信心最好的办法就是鼓励他们自己的事自己做。

有的父母对孩子过于溺爱，总是帮孩子们做他们能做的事，结果这种爱却极大地损害了他们行动的积极性。由于父母的代劳使孩子失去在实践中增强能力的机会，最后的结果就是使孩子丧失自信和勇气，对外面的世界感到恐惧，对一切变化感到惶惶不可终日。父母的包办看上去是体现了一种无私的爱，实际上却是剥夺了孩子发展自身能力的机会，使孩子最终成了一个无能又怯懦的人。在日渐激烈的竞争中，这样的人是很难在社会上立足的。

在这个世界上，过分溺爱孩子的现象比比皆是，而且父母的这种自我牺牲精神也往往为人称道，但是，我们在赞美母亲的奉献精神的同时，有没有考虑过这样做对孩子的成长有什么危害呢？我和霍耶斯特教授在调查中发现，许多在这种环境下长大的孩子在成年后都很失意，往往沦落到了社会最底层，其原因就是父母对孩子的溺爱向孩子传递了一个错误的信息。由于孩子没有机会去学习生活技能，因而对自己缺乏自信，遇到任何事情都无法自己处理，只能依赖父母。父母过分地关怀使孩子觉得自己在父母心中的位置牢不可破，这当然让他感到满足、有安全感；但是，一旦父母无法再照顾他，他就会茫然不知所措，甚至怨恨父母，而这一天迟早会来的。

溺爱孩子无疑是一种不负责任的做法，因为这样的父母没有为了孩子的前途而克制自己的感情，他们的爱反而成了孩子健康成长的障碍。一个真正懂得爱孩子的家长，应该关心孩子将来是否能独立应付外面的世界。把一个在百般呵护下长大、毫无生存能力的青年推人社会是一件残忍的事。要想使孩子成功地走向社会，必须从小培养他的自信心和独立精神。如果父母包办孩子的一切，就不可能达到这个目的。因此，父母们必须让孩子们做自己能做的事。可以说，这是孩子能否成才的关键。

其实，每个家长都明白这个道理。可悲的是，许多家长明明知道溺爱孩子没有好处，但由于对孩子怀着太深的爱，情感往往压倒了理智，不顾一切地要包办孩子能做的各种事情。

我的邻居巴尔逊太太是个寡妇。由于她的儿子汤姆从小没有父亲，巴尔逊太太就把全部的爱都倾注到儿子身上。汤姆4岁时还要妈妈喂饭，穿衣穿鞋这样的小事也离不开妈妈。巴尔逊太太寸步都不肯离开汤姆，到哪里去都要带着他。为了怕儿子出意外，她还禁止他到外面去玩。因此汤姆非常孤独，几乎没有什么朋友。

巴尔逊太太过分地疼爱使汤姆成了一个无能又孤僻的孩子。有一次我和玛格丽特到他家拜访，他甚至连话都不敢跟我说。我劝巴尔逊太太让汤姆接触一下外面的世界，最好把他送到幼儿园去。我想如果汤姆离开妈妈到一个比较正常的环境中去，一定会有所改变的。在我和玛格丽特的力劝之下，巴尔逊太太总算答应了，但是去了还没两天，幼儿园的老师就把她叫去谈话，老师对她说，汤姆不会自己吃饭，不会自己穿衣。而比他小的孩子都能把这些事做得很好。老师向巴尔逊太太提出了一个简单的要求，就是从今以后不要再替汤姆做这些事，否则她们的努力就会白费。没想到巴尔逊太太拒绝了这个要求，她说："汤姆就是我的生命，我不论为他做什么都心甘情愿。"

由于汤姆吵着不肯再去幼儿园，巴尔逊太太就把他接回了家，继续过以前那样的生活。

第二十二章　良好的成长环境

　　我再一次告诉巴尔逊太太溺爱孩子的危害，为了使她有更为直观的认识，我还邀请她到我和霍耶斯特教授负责的孤儿院去参观。当巴尔逊太太看到那些比汤姆还小的孩子都能料理自己的生活时，感到无比地惊讶。而当她看到一些孩子自己在厨房里做饭时，甚至责备我说："你们怎么能让这么小的孩子下厨房，万一受伤了怎么办？"但是很快她就发现那些孩子干活时不仅动作娴熟，而且情绪高亢，十分快活。再拿他们的自信与汤姆的畏缩一对比，终于明白自己的教育方法完全错了。

　　为了让巴尔逊太太彻底改变观念，我们还建议她带着汤姆参加孤儿院的一次野营活动。这是孩子们最喜爱的活动。到了野外，孤儿院的孩子们情不自禁地唱起歌来，而汤姆却落落寡欢，始终快活不起来。孤儿院的孩子个个玩得特别高兴，有的到树林里观察植物和小鸟，有的到小河边嬉戏，有的主动捡柴火，为中午的野炊作准备。而汤姆根本不敢离开妈妈一步。

　　这一切巴尔逊太太都看在眼里，她决心立刻开始改变自己的错误教育方式。晚上，我们几个大人在一个大帐篷里聊天，孩子们由于玩了一天都早早钻进集体帐篷睡觉去了，只有汤姆还在妈妈身边磨蹭着，我们的谈话稍一停顿，他立刻小声对妈妈说："妈妈，我想要你和我一起睡觉。"

　　换了平时，巴尔逊太太一定会立即满足儿子的要求。但是这一次她决心已定，只是平静地对汤姆说："妈妈还要和大人们谈一谈，你自己去孩子们的帐篷睡吧。"

　　"不，"汤姆央求说，"我害怕，我要你陪我睡。"

　　"和那么多小朋友一起睡，你怕什么呢？"巴尔逊太太不为所动。

　　汤姆开始撒娇："我不敢自己睡。妈妈，答应我吧，我自己睡，妖怪会把我抓走的。"

　　我们用目光鼓励着巴尔逊太太，于是她耐心而温柔地说："根本没有什么妖怪。你已经是个大孩子了，以后不能再和妈妈睡了。自己去睡吧，上帝会保佑你的。"

汤姆跺着脚大哭起来，哭了一会儿不见效，索性在地上打滚。巴尔逊太太不再说话。汤姆闹了一会儿，发现没有人管他，他也确实非常困了，只好爬起来自己去集体帐篷睡觉。

巴尔逊太太终于改变了态度，她要尽量让汤姆学会独立。很快，汤姆就发现了妈妈的变化，他已经不能用哭闹的方式指挥妈妈了。妈妈每一次都坚决而亲切地拒绝了他。最后，汤姆自己在独立之路上迈出了第一步，巴尔逊太太采用了正确的教育方法，终于帮儿子学会了独立。

后来巴尔逊太太搬到了莱比锡，5年后我到莱比锡讲学，顺便探访了巴尔逊太太。汤姆已经长成了一个小男子汉，不仅能照顾自己，还能帮母亲做家务。巴尔逊太太欣喜地告诉我，汤姆现在变得很开朗了，交了不少好朋友，学习也很自觉，什么事都不用她操心。她对儿子的未来充满了信心。

孩子最需要的帮助

有的父母出于对孩子的爱，喜欢帮孩子做这做那，他们总是说孩子太小，什么也不会做，需要大人的帮助，这似乎成了父母包办孩子一切的理由。

卡尔·威特教育圣经

295

父亲历来主张父母不要帮孩子做他们力所能及的事，这是他的一个教育原则，他认为父母包办孩子的一切实际上是剥夺了孩子学习的权利。在教育我的过程中，父亲特别注重培养我勤劳的品质。他告诉我勤劳是幸福的源泉，而懒惰最终只能带来不幸。他曾经说过："孩子的精力是如此旺盛，只要不向有益的方向引导，立刻就会成为破坏的力量；但只要使他们养成勤劳的习惯，恶魔就无机可乘了。"

我的同事克拉多教授是一位享有盛誉的学者，作为学者，我一直很佩服他的学养，不过作为一位父亲，他的教育方法却值得商榷。克拉多的妻子已经去世，留下一个8岁的女儿和一个5岁的儿子，儿子名叫皮德罗。有一次我去拜访克拉多教授，由于我小时候曾被称为"神童"，于是话题就转到了教育上。

克拉多告诉我，他非常赞同我父亲的教育方法，表示有机会一定专门去向我父亲请教。他说假如他也能把儿子培养成我这样的"天才"，那将是他最大的幸福。他特别强调，父母应该尽全力帮助孩子，使他们能把全部精力投入到学习上。

然而，听了克拉多的话，我认为他完全没有理解"帮助孩子"的真正含义，也误解了父亲的一些教育观点。克拉多教授的女儿在上小学二年级，虽然他没有谈到女儿的具体情况，但我还是可以从他的言谈中了解到女儿的学习成绩并不理想。克拉多告诉我，他现在已经把希望全都寄托在小儿子身上。他说以前由于自己忙于工作而对女儿帮助不够。现在，他决心尽自己所能帮助儿子，希望能使他将来成为一个杰出的学者。

我问克拉多是怎样帮助儿子的，他的回答让我感到吃惊。

克拉多说："现在我的学术研究要告一段落了，我要拿出足够的时间来亲自教育儿子，还为他请了一个女佣，以便照料儿子的生活，使他能够全身心投入到学习中去。"

我问他："克拉多先生，你让皮德罗全身心投入到学习中去，是不是说不让他做任何家务呢?"

"可以这么说，威特先生，虽然很多人认为让孩子干点家务有好处，但我认为如果为了那点好处耽误了他的学习是得不偿失的事。"

但是一年以后，我了解到皮德罗在学习上并没有什么进步，他不仅学习成绩一般，还缺乏起码的自理能力。我在他家里见到他时，他正坐在书桌前埋头读书。尽管他把大部分时间都花在了书本上，却没有任何迹象表明他有可能成为一个他父亲想像中的那种天才。

在我的小的时候，我父亲也给予了我很多帮助，不过那是与克拉多截然不同的帮助。比如说，父亲总是鼓励我从事各种我力所能及的劳动，但我的学习不仅没有因此蒙受损害，反而从中得到了调剂，可以说受益颇多。

父亲从来不帮我做我能做的事，但他的每一次帮助都是那么及时，他每一次帮助都使我获得了新的进步。当我遇到困难、感到失意的时候，父亲的帮助就是给予我的鼓励和支持。

很多人都坚持认为我是个天生的"神童"，认为我无论学什么都很轻松。但事实并非如此，我也和别的孩子一样，在成长的过程中也有很多烦恼。我也曾在学习上感到自己无能为力，甚至差点丧失信心。但幸运的是，每当我缺乏信心和勇气时，总会及时得到父亲的鼓励。父亲对我说得最多的一句话就是："卡尔，你一定做得到，爸爸相信你是最优秀的孩子。"

我认为，当一个人遇到挫折时，物质上的帮助远不如精神

卡尔·威特教育圣经

上的安慰和鼓励。物质的帮助是有限而短暂的，而帮助一个人恢复信心却是使他终生受益的事。对于孩子来说，鼓励不仅能让他恢复信心和勇气，更能使他树立起正确的人生观。在他长大后，这种正确的人生观将会帮助他实现自己的理想。

回忆起来，父亲对我最大的帮助就是从小鼓励我学会自立，这种自立并不是空洞的口号，而是从生活中的每一件小事做起的。我刚满两岁，父亲就在家里郑重宣布，只要是我自己能做的事情，任何人都不要帮我做。刚开始，母亲并不同意父亲的主张，她说："小威特才两岁，他自己能做什么呢？"

"他能做很多事情，比如说自己穿衣服，自己吃饭，看完图画书自己收起来。"

"自己吃饭？难道热汤也要他自己喝，他会烫着自己的！"

"不会的，我们可以把汤放凉一点再让他喝。"

据母亲回忆说，我果然在喝汤的时候出了麻烦，经常弄得一身汤水。但父亲坚持让我自己吃饭，他说这样可以让我从小养成凡事自己动手的好习惯，至于我把自己身上弄得一片狼藉，父亲并不当回事，用他的说法是"把一个浑身汤水的孩子洗干净要比将来纠正他懒惰的毛病容易得多。"

母亲告诉我，尽管她不同意父亲的做法，但父亲在这个问题上十分坚决，有一次，我在客厅里蹒跚地走动着，东摸摸，西看看，对一切都有很大的兴趣。我走到父亲的书架旁，伸手想取一本书，结果把一排书都弄到了地上。我看了一眼，没有再理会，自顾往前走。

父亲走过来要我把书捡起来放好。我似乎没弄明白父亲的意思，好奇地看着他。于是父亲明确地对我说："卡尔，把掉在地上的书放回去。"

我还是一动不动，这时母亲插话说："算了，他什么都不懂，我来收拾吧。"

父亲挡住了她说："不，让卡尔自己来！"

我向前挪了挪身子，似乎想试一试忽视父亲的要求会有什么结果。

"卡尔，"父亲在我面前蹲了下来，"书是你弄到地上的，你应该自己拾起来，对吗？好孩子应该做自己该做的事！"

父亲温和又坚定的态度让我无法忽视，我终于妥协了，慢慢蹲下去，捡起那几本书插进了书架。尽管插得东倒西歪，但父亲立刻把我抱起来表扬了我。

在父亲的不断鼓励下，我3岁的时候已经能帮助母亲做一些简单的家务了，比如擦桌子，帮着把餐具摆好等等。当然，由于人有好逸恶劳的天性，我的劳动积极性并不总是那么高。当我慢慢学会做许多事情后，家务事就没有了当初的新鲜感，我不再像以前那样主动帮妈妈干活了。

面对这种情况，父亲并没有简单地命令我去做，他有的是好办法重新唤起我的劳动热情。我记得他曾经用讲故事的方式使我认识到劳动的重要性。

有一次我把自己的房间弄得很乱，父亲临出门时吩咐我把房间收拾好。我当时正玩得高兴，随口答应了，但我并不想整理房间。结果父亲回家时房间还是乱糟糟的，而我正躺在床上看故事书。

"卡尔，你不是答应收拾房间的吗？"

"是啊，等一会儿就收拾。"我嘴里答应着，并不行动。

"你可是中午答应的，宝贝，一个下午都过去了，你这一会儿好长啊。"

"知道了！"我不耐烦地说，"你没看见我正忙着吗？再等一会儿我会收拾的。"

父亲不再催促我干活，他说："卡尔，你愿意听一个故事吗？"

"愿意，愿意。"我一听他要讲故事，立刻来了精神，一骨碌从床上坐了起来。

"从前有一位父亲，他有两个儿子，他非常爱他们，从来不让他们做任何事，总是担心他们会累着。"

听到这里，我立刻打断说："你看，别人的爸爸多疼自己的孩子，哪像你，总是要我干活。"

"别急，先听我说完。两个儿子中，哥哥什么事都不做，整天躺在床上睡大觉，养得白白胖胖的，而弟弟呢，却不愿意整天那么呆着，他总是抢着做家务。慢慢的，他学会了很多本领，做饭、洗衣、种地、挤牛奶，样样都会。后来，爸爸去世了。两个孩子也已经长大成人，于是兄弟俩就分开过，弟弟每天在外面辛勤地劳动，挣了很多钱，娶了个美丽的妻子，过上了幸福的生活。而哥哥呢，还和小时候一样，天天在家里睡大觉，越睡越没力气，最后连床也下不了了。

有一天，弟弟去看望哥哥，发现他住的房子还是那么破旧，而且老远就闻到一股臭气。当弟弟推开门的时候，你猜他看到了什么。"

"我知道，"父亲话音未落我就抢着回答，"那个哥哥一定是死在床上了。"

"真聪明，你是怎么猜出来的？"

"因为他太懒，什么活也干不了，只好饿死喽。"

"那么，你是想做那个哥哥还是想做那个弟弟呢？"

"当然是弟弟啦！"我一下子从床上跳了起来，立即开始收拾房间。

"哎，我说卡尔，你不再等一会儿啦？躺着多舒服呀。"父亲笑道。

"爸爸，不能再等了，我可不想饿死在床上。"

不随便拿孩子和别人比

　　威廉 5 岁那年夏天，我带他去拜访我的老朋友弗纳托先生。弗纳托很喜欢威廉，因为威廉懂礼貌又不失天真活泼。弗纳托和威廉聊天的时候了解到他门门功课都是 A。而威廉的谈吐更是让他惊讶，他表示从未见过一个 5 岁的孩子有这么广的知识面。说到学习成绩，弗纳托突然想到了自己的儿子大卫。

　　"大卫！"弗纳托朝楼上喊道，"你过来，你的成绩单呢?"

　　在威廉和弗纳托聊天的时候，大卫已经感到事情有些不妙。

听到父亲叫他，磨蹭了好久才不情愿地走了出来。

　　"大卫，你这次考得怎么样?"弗纳托高声问道。

　　大卫吱唔着没有回答。

　　"你的成绩单呢?"弗纳托追问道。

　　"在我房里。"

　　看到儿子胆怯的样子，弗纳托不满地说："磨蹭什么！拿来让我看看，又是坏消息，是不是?"

第二十二章　良好的成长环境

弗纳托看完大卫的成绩单，立即大声呵斥起来："你难道从来就不感到惭愧吗，大卫？为什么你的成绩总是这么糟？你知道威廉的成绩是什么吗？门门得 A！你的条件比他还要好，你为什么就不能像他一样？说到底，你就是太懒。我真为你感到害羞！"

当着客人的面挨训，大卫羞得无地自容，面红耳赤地跑回了自己的房间。

看到这种情形，我决定跟弗纳托好好谈一谈。我告诉他，这种态度对孩子的教育十分不利。首先，弗纳托还没看到成绩单，就断定大卫的成绩一定很差，表明他对大卫完全没有一点信心；接下来，他又把大卫贬得一文不值，还说为他感到害羞，使大卫觉得自己是一个不可救药的孩子，在父母心目中毫无可爱之处；最后，弗纳托又拿大卫与威廉作比较，使大卫完全失去了信心。

弗纳托向我解释说，他并不是不爱大卫，他只是想用激将法使大卫振作起来。另外，他认为把大卫和威廉作比较可以激发儿子的好胜心。我告诉弗纳托，作为父母，我们不仅要爱孩子，还要以一种客观的态度来看待孩子。所谓的激将法对一个从小缺少鼓励的孩子来说，只能使他变得更加不自信。他应该做的是关注大卫的每一点进步，并及时给予鼓励，让孩子明白，无论他的学习成绩怎样，只要他努力了，就是好孩子。而随便拿孩子与别人比较是有害的，因为每一个孩子都有自己的特性，每一个孩子都应该根据自己的实际情况去发展，而不是做别人的复制品，这样才能以独立的自我和充分的自信去面对生活。

我向弗纳托介绍了威廉的情况，告诉他威廉并不是一个十全十美的孩子，虽然他很聪明，在很多方面走到了同龄孩子的前面，但也有不如别人的地方。我和玛格丽特从来不拿他的短处和别人的长处比，我们总是以委婉的方式提醒他看到自己的不足。

有一次，威廉从外面回来，一副闷闷不乐的样子。我感到很奇怪，威廉的性格一向开朗，难得见到他副模样。我估计他遇到了什么不顺心的事，于是就走过去问他："你怎么啦，威廉？"

威廉说："我没想到我这么笨！"

"你不笨呀，谁说你笨了？"

"今天米格尔考我们历史知识，我有很多问题答不上来，可是托尼全都答对了。"

"米格尔先生问的是什么问题？"

"各个历史事件的时间，还有国王们的生日。"

威廉说到这里，我完全明白了事情的原委。其实威廉的历史知识是比较丰富的，只是在学习历史的过程中，我从来不要求他去死记那些枯燥的历史年表，国王的生日更不是一个孩子必须掌握的知识。而那个全答对了的托尼记性好是出了名的，他的父母一天到晚给他填塞各种名词、概念、历史年表等枯燥的成人知识，和他比这种知识，威廉自然会败下阵来。

"你有没有想过托尼为什么能全答对呢？"我问道。

威廉困惑地摇摇头。

"威廉，"我笑着说，"就算你永远记不住那些国王的生日，我也不认为你笨。因为那种知识对你来说不重要，除非你将来要做一个研究历史文献的专家。学习历史，你只要对整个人类历史的发展有一个大致的了解就行了，国王的生日不是你这个年龄的孩子必须掌握的，也许你一辈子都不必记住它。你的头脑并不比托尼差，只不过你们学习的东西不一样，有的方面我看你要比他强得多。比如说数学，还有外国语。另外，头脑是否聪明不在于记住了多少知识，而在于能不能灵活地运用那些知识。从这方面讲，你要比托尼强得多，你要知道，能把书背下来并不等于掌握了知识。"

听了我的话，威廉又恢复了往日的自信，并且学会了以客观的态度来看待自己和他人，不以自己的长处自傲，也不以自己的短处自卑。

卡尔·威特教育圣经

用沟通代替惩罚

在一次家长座谈会上，我和一些孩子的家长讨论教育方式的问题，有些家长的观点令我大吃一惊。他们认为要教育好孩子，就要运用奖赏和惩罚的手段。有的甚至认为必要的时候应该使用武力来解决问题。我发现，很多父母都把惩罚当成管教孩子的最好方法。有些家长对孩子总是没完没了地指责，几乎从不表扬。他们认为只有严格要求，孩子才会有出息，而他们理解的严格要求居然就是打骂和指责。

其实，一味地指责，不要说孩子，就连大人也会对自己失去信心。这样下去，孩子就会逐渐产生反抗心理，进而发展到凡事都和父母对着干。

有人说叛逆是孩子的天性，也许这话说得有道理，但这并不意味着孩子必然不肯和父母合作。我和霍耶斯特教授的教育实践完全可以证明，只要父母以正确的方式去引导孩子，就可以把他们"叛逆的天性"转化为积极进取的力量。其实，孩子的叛逆心理并不是天生的，而恰恰是在父母粗暴的管教方式下产生的。如果父母只知道一味地指责孩子，

任何孩子都会产生反抗心理的，与其说叛逆是孩子的天性，不如说反抗压迫是人类的天性。

在座谈会上有人问我："难道孩子做错了也不能指责他们吗？"

"也许可以指责。"我反问道，"但是，指责孩子的目的是什么呢，难道仅仅是为了惩罚他们，让他们知道自己是罪有应得吗？"

如果冷静地想一想，我相信每一位家长都不会说惩罚孩子的目的就是为了惩罚。每一位爱孩子的家长都会承认，惩罚孩子的目的是为了帮助他们改正错误，取得进步。因此，与其让孩子知道他犯了多大的罪过，不如以平和的态度帮助他认识自己错在那里，并用鼓励的方式使他树立起改正错误的信心和决心。

不可否认，父母指责孩子的动机也是出于对孩子的爱，但父母在责备孩子时的样子往往严厉得令人害怕。我们要知道，过于严厉的态度会使孩子产生恐惧心理，如果孩子在这种情况下有所收敛，完全是出于对父母的畏惧，而不是从心里认识到了自己的错误。父母在指责孩子时，很少能保持冷静，甚至会越说越气愤，这样就不可能客观地看待问题，往往会夸大孩子的错误，使孩子感到委屈和不平。因此，父母应该时时提醒自己以宽大的胸怀和平和的态度来对待孩子的错误。

我们在家庭或学校里经常能听到这样的话："你太笨了。""你这个懒骨头！""我看你什么也干不了。""你怎么这么没用？"等等。许多家长和老师不假思索地说出这些不该说的话，甚至认为这些话能激发孩子的好胜心，使他们振作起来。但事实上，孩子并不能理解家长的用意，他们只会因此受到伤害，产生挫败感。对孩子来说，父母的话是千真万确的，如果父母随便否定孩子的价值，孩子就会信以为真，认为自己真是不可救药。

在咨询会上，一个叫阿尔伯特的学生家长向我诉苦，说他的儿子查尔斯顿太不听话了，打了好几次都不肯改，他简直拿儿子毫无办法。

查尔斯顿今年 8 岁，特别贪玩，而且经常逃学。老师找阿尔伯特谈过好几次，每次和老师谈过之后，阿尔伯特都要把儿子揍一顿，但却一点效果都没有，儿子还是经常逃学。听完阿尔伯特介绍的情况，我对他说：

"为什么查尔斯顿挨了那么多次打还是不肯改呢？是因为他年龄太小，不明白你为什么打他吗？我想肯定不是，8 岁的孩子已经知道很多事情了。查尔斯顿完全知道自己在做什么，而且是故意那样做的。他要用行动告诉你，他偏不听你的，也不怕你揍他，你越揍他就越觉得自己勇敢。他这样做是因为对你过分使用家长的权力感到不满，他要反抗。我认为，用惩罚来表明父母的权力，把自己的意志强加在孩子身上，只能使孩子产生厌恶之情，甚至和父母对抗。"

"你的孩子和你对抗过吗？"阿尔伯特问道。

"当然，我的儿子威廉有时候也不肯和我们合作。"

"那么你是怎么处理的呢？"

"我的原则是用尊重和沟通来取代惩罚。我几乎从不对威廉使用惩罚的手段，因为孩子毕竟是孩子，他没有经验，自制力差，做错事总是难免的。假如孩子意识到父母尊重他，他就很愿意接受父母的指导。孩子一天天在长大，懂得的事越来越多，自主意识也越来越强，所以这时候父母就需要更有说服力的道理，而不是以权威姿态来压制和惩罚他。"

"你说得也许有道理，但是孩子不懂事，贪玩，那么父母总得管管他吧，既然要管，就应该有规则，如果孩子触犯规则，就只有惩罚他。我并不愿意打儿子，可是不惩罚，规则又靠什么维持呢？"

阿尔伯特的困惑在于不能正确地区分约束和惩罚，要想把这两者区分开来的确不是件容易的事，因为有时候这两者之间的差别是非常微妙的。我认为可以这样来区分约束和惩罚，约束主要针对的是孩子的错误行为；而惩罚针对的却是孩子本身。约束孩子就是通过讲道理，并用一定的行为规范来教育孩子。我们应该让孩子知道，不管是大人还是孩子，每个人的行为都要受一定的行为规范的限制。假如人人都可以为所欲为的话，那么我们每个人都可能随时受到别人的侵犯。当孩子明白了这个道理后，往往会乐于接受约束。让孩子在理解的基础上接受，要远胜于用惩罚的手段强迫孩子接受。

有一次，我正在书房里写一篇论文，小威廉走进来要我带他出去玩。我对他说："抱歉，威廉，我正在工作，你自己到花园里玩吧。"

但威廉拉住我的衣服不放，一定要我带他出去玩。

我说："威廉，我现在没有时间陪你玩，如果你一定要和我在一起，你可以在书房里待着，自己翻翻书，但是不要吵闹。"

威廉在书房里待了一会儿，见我还在没完没了地写论文，就走过来再次拉住我的衣服，要我带他出去。

这时我不再说话，把他轻轻抱起，带到他的房间。房间里有一座积木搭建的教堂模型，那是威廉花了很长时间搭起来的，已经完成了一大半，只要再搭上屋顶就算成功了。我指着即将竣工的教堂模型说："威廉，你愿意我把它推倒吗？"

"不！"威廉大喊一声，挡在模型前面。

我蹲下来，摸摸他的头说："是啊，这是你好不容易才搭起来的，如果你不同意，我当然不能推倒它喽。可是你呢？我的论文还没有完成，你就过去打搅我，不是和别人要推倒你的教堂一样吗？"

"好吧，"威廉不好意思地说，"我不打搅你了。"

"好孩子，你看，你的教堂只差一个屋顶就要完工了，你就继续盖房子吧。等你把屋顶搭好，我的论文也许就写好了，那时候我就带你去花园里玩。"

威廉愉快地接受了我的建议。他的屋顶搭好以后，我的论文还没有完成，不过他再也没有过去打搅我。

卡尔·威特教育圣经

试想一下，如果当时我板起面孔喝令他不许胡闹，也许能使他服从，但这样做肯定会使他心里不痛快，他会觉得我这个做父亲的不爱他，于是就在别的事情上和父母对抗，或者不肯合作。而我用平静的态度让他明白了"己所不欲，勿施于人"的道理后，他自然会心甘情愿地接受我的建议。

给争吵降温

在家庭生活中，一些父母经常对孩子说这样的话："少废话，按我说的去做。""听你的，还是听我的?""想挨揍了，是不是?"面对父母的这种态度，孩子通常有两种选择，一是带着满腹委屈老老实实地按大人说的去做，二是索性和父母对抗起来。

父母和孩子之间出现矛盾是常有的事，一开始是有不同意见，然后是发生争论，争论激烈的时候就会说出过激的话，于是争论就升级为争吵，最后甚至导致父母动用武力或者孩子离家出走。事后，父母常常后悔莫及："我当时不那么说就好了。"

父母和孩子论理，经常会激动起来，如果孩子顶嘴，有些父母会更加失去理智，说出如

"闭嘴!""滚!"之类的话来。有的父母说了过激的话之后，心里后悔，却又碍于面子不好收回来，只好坚持到底。我认为，和孩子讨论的目的本来是为了教育孩子，如果说了不该说的话，完全可以向孩子承认自己的错误，这样做其实并不会损害父母的威信，相反，明明错了还要坚持到底才会在孩子心中丧失威信。

威廉懂一点事之后，有一段时间喜欢和我争论，有时候这种争论也会变成争吵。通常，当争论越来越激烈，有可能爆发冲突的时候，我会采取"给争吵降温"的办法，也就是让争执突然停下来，争执双方都回自己的房间里冷静地想一想。这个办法十分有效，一般来说，10 分钟之后，双方的情绪都会有所缓和，争执又变成了讲理。

有一次，威廉和小伙伴玩到天黑还没有回家，我和玛格丽特出去找了一次也没找到，直到过了晚餐时间他才回来。一看到他，玛格丽特顿时来了气。

"威廉，你怎么这么晚才回来?"玛格丽特高声问道，"你最近越来越贪玩了!"

威廉自知理亏，没有说话。

"说话呀!"玛格丽特越来越激动。

威廉转身想到自己的房间里去，玛格丽特又加了一句："你要再这么贪玩，干脆不要回来了!"

这时威廉忍不住说，"不回就不回!"说着就要往外走。

我一看这情况，立即平静地对威廉说："威廉，先回你的房间去待 10 分钟再出来。"

这时玛格丽特也意识到了自己的失态，于是也对威廉说："好吧，就按你父亲说的，过 10 分钟我们再谈。现在你先去吃饭。"

就这样，问题先被搁置起来。玛格丽特开始履行一个母亲的职责，为威廉重新热了晚餐。等威廉吃过晚餐，她温和地对威廉说："刚才是我太激动了，说的是气话。我当然不希望你不

卡尔·威特教育圣经

会来，事实上我和你父亲见你天黑了还没回来，都在为你担心，我真怕你出什么事。"

这时威廉的情绪也缓和了下来，他对妈妈说："对不起，妈妈。我以后会早点回来的。"

一场风波就这样化解了，假如玛格丽特和威廉各不相让，说出的话都碍于面子不愿意收回来，最后的结果可能就是威廉赌气出走。而玛格丽特承认自己说了不该说的话，不仅缓和了气氛，也给威廉树立了一个榜样，让他明白，一个人应该有承认错误的勇气，应该用理智的态度来处理问题。

一场可能爆发的争吵经过 10 分钟的冷场处理后，玛格丽特不再抱着指责的目的和威廉谈话，而是向他表达了自己的关心和感受。让他知道他的晚归使我们不安。这样的交谈，让威廉学会了理解和尊重别人的感受。我认为，父母完全有理由让孩子知道自己的烦恼，这样做往往会收到意想不到的效果。一向只顾自己的孩子往往会突然变得很理智，开始懂得照顾别人的情绪了。因此，当父母和孩子发生冲突时，与其指责孩子，不如向孩子表达自己的感受，让双方在爱和理解的气氛中重新进行交流。

卡尔·威特教育圣经

走进孩子的内心

每一位家长都希望了解自己的孩子，但要想真正地了解孩子，并不是件容易的事。如同成人一样，孩子的性格也是千差万别，有的生性内向，有的活泼开朗；有的羞怯，有的生来就无所畏惧；有的喜欢运动，成天不知疲倦地跑跑跳跳，有的则像一只温顺的猫，喜欢静静地呆着。因此，父母要想了解自己的孩子，除了注意从细小的方面观察自己的孩子，还应该以平等、坦诚的态度来对待孩子。

有的父母在与孩子沟通时，总喜欢隐瞒自己的真实想法。

比如当孩子有了进步时，父母明明心里很高兴，但为了防止孩子骄傲自满，就故意作出无动于衷的样子；有时候大人在事业上遇到了挫折，回到家里阴沉着脸，如果孩子问他："爸爸，你不高兴吗?"爸爸就会面无表情地说："没有，大人的事小孩不要多嘴。"然而，孩子有着十分敏感的直觉，他们很快就能感觉到大人的真正意思。如果父母经常对孩子言不由衷，孩子就会觉得父母不可信，并产生戒备心理。一旦大人给孩子留下了这种印象，就很难与孩子进行良好的沟通。

大多数人口头上都认为孩子应该受到尊重，应该消除大人和孩子之间的沟通障碍，但事实上，很少有人能够做到与孩子真正坦诚地交流，这是因为很多父母不能用平等的态度来对待孩子。他们总是用教训、哄骗、利诱的方式和孩子交流。人与人之间总是相互作用的，如果大人不对孩子说真话，就不可能让孩子说出自己的心里话。

父母得不到孩子的信任，孩子固然不会对父母袒露心声，但有时候孩子也会因为别的原因隐瞒自己的真实想法。比如说，每个孩子都知道勇敢是一种值得赞许的品质，而胆小则会遭人耻笑，因此很多孩子会掩饰自己内心的恐惧和不安。这就需要父母平时注意观察孩子的言行。

孩子的性格各不相同，对他们采取的教育方式也应该有所

卡尔·威特教育圣经

不同。父母在教育上不必依循什么权威标准，而应该在充分了解自己的孩子的基础上，对孩子进行符合其特性的教育。对孩子有了深入的了解，才可能掌握他们的心理，消除大人和孩子之间的沟通障碍。

许多父母自以为了解自己的孩子，但事实上并不真正洞悉孩子的内心世界。他们不肯在这方面多花时间和精力，只是从主观的角度出发，想当然地去判断孩子的意图。如果父母经常误解孩子的意图，就会产生很多不必要的矛盾。尤其是在孩子犯了错误的时候，及时纠正孩子的错误固然重要，但如果对孩子没有一个正确的认识，不了解他们的内心世界，那么这种教育也就无法有效地进行下去。

有一次，威廉的朋友汤姆到家里来玩，两个孩子在威廉的房间里画画。汤姆在绘画上很有天赋，那天他画了一幅风景画，画中有一片蓝色的湖水。他竟然画出了不同深度的湖水在颜色上的细微变化，这让我感到很惊讶，于是我热情地夸奖了他，鼓励他继续发挥自己的特长，说他将来一定能成为一个杰出的艺术家。

汤姆走后，我发现威廉的情绪很不好，故意把画板和画笔扔到地上。我走过去问他："威廉，你怎么了，干嘛乱扔东西？"

威廉气冲冲地说："我不用你管！"

我见他突然变得这么蛮不讲理，顿时也火了。

"我不管谁管？把画板捡起来！"

"不捡，我用不着了！"

"用不着了？"他的话让我无法理解，因为那段时间绘画是他最喜欢做的一件事，"为什么用不着了，你不是很喜欢画画吗？"

"那是以前，现在不喜欢了！"

这时我意识到他说的是气话，一定是另有原因，我在他面前蹲下来，摸摸他的头，温和地说："威廉，告诉我，有什么不高兴的事吗？"

威廉嘟囔着说："没什么，我画不好就不想再画了。"

我突然明白了他生气的原因，原来我刚才只顾夸汤姆，而对他的画没作任何评价，他感到自己受了冷落，因此愤愤不平。找到了原因就好办了，我笑着对他说："威廉，其实我一直认为你的画不错，有想像力，敢于创新，在这方面我看汤姆也比不上你，不过汤姆观察得比你仔细，在有些地方画得比你更逼真。你俩各有长处，总的来说你不比他差，如果你在细部多加注意就更好了。"

"真的吗，爸爸？"

"当然是真的，虽然我没有夸你，但你的每一张画我和你妈妈都非常喜欢。"

听我这么一说，威廉的心情好了很多，主动把画板和画笔捡了起来，还把桌子收拾得整整齐齐。

在这件事上，我通过观察找到了威廉生气的真正原因，然后对症下药。我并没有采取哄骗的方式泛泛地夸他，而是让他知道自己的优点和缺点在哪儿，使他认识到了自己的价值，使问题得到了很好的解决。我认为，父母只有以平等的、对待朋友的方式来对待孩子，才能顺利地与孩子进行交流。

孩子对于自己不能理解的道理会本能地进行抵制。有的父母总是希望孩子听话，对孩子提出各种要求，却不告诉孩子为什么要这样，这种生硬的大道理必定会引起孩子的反感。

鼓励是进步的动力

在孩子的成长过程中，促使他们进步的最有效的方式就是鼓励。父母的鼓励能使孩子以积极的态度去对待学习和生活。如果孩子经常得到大人的鼓励，做起事来就会劲头十足。我和霍耶斯特教授曾经对50名学习成绩很差的孩子运用过以鼓励为主的教育方法，在试验过程中，我们尽量找出每个孩子的优点

卡尔·威特教育圣经

卡尔·威特教育圣经

并经常加以表扬，即使是学习成绩十分糟糕的孩子，我们也会说："你的表现不错！虽然还有些缺点，但我相信你完全能够克服！"

6个月之后，奇迹出现了，这50个孩子的平均学习成绩达到了同龄孩子的中上水平，少数孩子的成绩甚至跃居全校的前几名。这个试验的结果表明，只要不失时机地对孩子进行鼓励，就能极大地调动他们的积极性。

有的家长把"严格要求"理解为"对孩子要严厉"，总是板着脸，让孩子望而生畏，一旦孩子有什么不对的地方，立即加以指责，而当孩子表现好的时候却连声"不错"都不肯说。这种所谓的"严格要求"并没有造就几个杰出人物，相反，每年都要造就一些离家出走的少年。

我的朋友亚当斯是一个严厉的父亲。他的儿子杰瑞自幼喜爱音乐，而且颇有音乐天赋。亚当斯决定把儿子培养成一个音乐家，他为杰瑞买了价格昂贵的钢琴，请了最好的钢琴教师，还为儿子制定了严格的训练时间表。

老实说，杰瑞确实很有音乐天赋。在他4岁的时候我曾经听过他的演奏，无论是演奏技巧和对音乐的理解都让我吃惊。但是，一年以后我再听他的演奏时却有了完全不同的感受。那是亚当斯在家里举办的一次小规模的聚会。5岁的杰瑞在父亲的催促下无精打采地坐到钢琴前为客人们表演。本来我以为按杰瑞的天赋，一年不见他的琴艺应该有很大的进步才对，结果完全相反，他的演奏磕磕绊绊，中间错了好几次。杰瑞在父亲严厉的注视下显得很紧张，头上直冒汗，他越紧张越出错，最后简直弹不下去了。

我见杰瑞下不了台，就走过去对他说："停下来吧，杰瑞。我看你今天有点不舒服。"

杰瑞面红耳赤地下去了。晚会结束后，我和亚当斯谈起了儿童教育的问题，这才了解到他从不表扬儿子，甚至当杰瑞在技艺上有了进步时，他不但不表扬，反而要挑出儿子的毛病来。亚当斯告诉我，他之所以不表扬儿子，是为了防止儿子骄傲自满；而用严厉的态度来对待儿子，能够防止儿子松懈。

然而，结果却不像亚当斯想像的那样。杰瑞在父亲的高压教育下，不仅痛恨钢琴，而且人也变得越来越呆板，简直成了执行父亲命令的机器。

我告诉亚当斯，其实严格要求和轻松的气氛并不矛盾，家长采取幽默轻松的方法来指出孩子的错误，孩子会更乐于接受。而对孩子来说，如果父母能够经常对他们的进步给予表扬，就犹如在他们心中注入了强劲的动力，他们会以积极的态度来对待任何事情。只要有了这种心态，他们就敢于向任何困难挑战。

如果父母总是命令孩子做事，孩子就会认为这是在"要求他做"；同样的事情，假如父母鼓励孩子去做，就变成了"让他喜欢做"。命令使孩子有被强迫的感觉，时间长了就会对所做的事情产生抵触情绪；而鼓励则会让孩子变得高兴起来，对任务充满了自信和热情。在这两种不同的心态下，学习的效果是截然不同的。

当小威廉有什么进步时，我总会予以充分肯定，告诉他我和他母亲有多么高兴。

有的家长从不表扬孩子，理由是表扬会让孩子变得狂妄自大，但我认为，只有不恰当的表扬才会产生这样的结果。而通

卡尔·威特教育圣经

常情况下，当孩子有进步时父母给予及时的表扬，不但不会让孩子变得骄傲自满，还会使他们更加谦虚，因为孩子非常看重父母的肯定，要想经常得到父母的肯定，孩子就必须注意保持他的进步。更重要的是，在肯定和表扬之下，孩子会有成就感，这会促使他下决心为取得更大的成就作出努力。

我记得在我刚刚学会加减法时，父亲专门为我举办了一个小小的庆祝会。父母为这个宴会作了精心的安排，父亲还亲自下厨为我做了我最爱吃的菜。虽然那是一个平常的日子，但我家就像过节一样热闹。当客人们都准备用餐时，父亲郑重地向他们宣布我学会了加减法的消息。餐厅里顿时响起了热烈的掌声。接下来，在座的客人纷纷出题考我，结果每一道题我都答对了。那天晚上，所有的人都很开心，但最开心的人还是我，因为我平生第一次体会到了成就感的滋味。正是由于父亲的不断鼓励，我很快又学会了更难的运算，后来又学会了代数和几何。

鼓励和表扬固然能调动起孩子的积极性，但也不宜过多过滥，否则就会失去应有的作用。父母应该在孩子做好了某件事或者取得了进步时及时给予表扬，关键在于不失时机。

一般来说，大人夸孩子总是夸他们与生俱来的一些素质。比如夸这个孩子真聪明之类。却不太重视孩子的后天努力。

玛格丽特的表妹多莉告诉我们，有一次，她看见儿子的房间非常凌乱，就对儿子喊道："约翰，你怎么又把房间搞得乱七八糟？我跟你说过多少次了，你就是不听。"

约翰正玩得高兴，就随口应付说："知道了，我一会儿再整理。"

"约翰，你过来。"多莉见儿子对自己的话心不在焉，就想再强调一下。

"干什么？"约翰很不情愿地走了过去。

"把床铺整理一下，还有地板上那些书，收起来。"

约翰按照妈妈的要求做了。第二天，他又主动把房间收拾整齐，但母亲什么也没说。后来，约翰的房间又乱了起来。

"约翰，你为什么又把房间弄得这么乱，我说的话你全忘了吗？"当多莉再一次发现约翰没有收拾房间时，就把儿子叫了过去。

"我以为你不会再注意我的房间了。"约翰说。

"你的房间乱成这样，难道我看不到吗？"

"前几天我的房间总是很整齐，你怎么就看不到呢？"

多莉这才意识到，原来儿子对自己只批评不表扬的做法产生了不满。

孩子是非常需要父母的鼓励和表扬的，当孩子做错事时，我们应该提醒和纠正他们，但是，当他们改正了错误，养成了好习惯后，同样应该及时给予表扬，使他们有热情去做好下一件事。我和玛格丽特在教育威廉的过程中深切地体会到，同样的事，如果孩子受到了父母的鼓励而心情愉快地去做，比受到责备后带着坏心情去做要容易得多。

任何人在受到别人的责备时都会感到不愉快、沮丧甚至愤怒，不仅是孩子，大人也是如此。尽管大多数孩子承认大人的权威，但过多的指责还是会招致他们的反感。这种反感会自然产生一种副作用，降低教育的效果。

小威廉小时候很不爱惜食物，吃饭的时候经常把食物洒得到处都是。为此我说了他好几次，但都没有纠正他的坏毛病。但是有一天，这个问题却在不经意中解决了。那天，玛格丽特给威廉讲了一个故事。故事的主人公是一位善良的公主，当她父亲的王国遇到旱灾颗粒无收时，她宁愿自己挨饿也要把食物省下来给那些快饿死的人吃。结果她的善举感动了天神，天神为这个王国调来了雨水，让万物得以继续生长。

听了这个故事以后，威廉不再乱扔食物了，还要我们把他省下来的食物送给街上的乞丐。

"好孩子！"我对儿子的变化感到不可思议，就问他，"你以前不是喜欢把饭菜洒得到处都是吗？现在怎么不那样做了？"

卡尔·威特教育圣经

"我想像那个公主一样，把自己的食物省下来给没有饭吃的人。"

"太好了！"我夸奖道，"假如每个人都能像你一样，那就再也没有人挨饿了。"

从此，威廉不仅自己不浪费食物，还常常提醒他认识的小朋友也不要糟蹋食物。这就是鼓励的作用，当孩子发现自己的好行为引起了大人注意时，就会形成自己的价值观，使好行为一直延续下去。因此，父母应该懂得恰当、及时地表扬和鼓励自己的孩子，那些错把"严厉"当成"严格"的父母更应该如此。

用信任来消除隔阂

父母出于对孩子的爱，往往会对孩子采取偏激的态度，这种态度会给孩子带来一种冷漠的感觉。如果父母经常对孩子发火，就会让孩子感觉不到一点家的温暖，还会觉得父母不信任自己，对自己充满了敌意。长此以往，家长与孩子之间的隔阂就会越来越深，矛盾也就越来越难以化解。

我的同事埃德森对儿子总是不放心，担心他和街上的小流氓混在一起，因此经常检查儿子的房间。有一次他在儿子的抽屉里发现了一把匕首，是街上的流氓斗殴时常用的那种康提斯短刀。儿子放学回来，埃德森立即进行盘问。

"这是什么?"埃德森拿着那把短刀走到儿子亨利面前,用严厉的口气问道。

"小刀啊。"亨利看了父亲一眼,感觉事情不妙,但还是老老实实地回答。

"哪儿来的?"埃德森的脸色更加阴沉了。

"路上捡的。"亨利说。

"路上,哪条路?"

"就是我上学的路上,博拉姆先生的杂货店旁边。"

"得了,"埃德森以极不信任的口吻说,"别跟我耍花招了,快告诉我刀子从哪儿来的?是不是那些流氓给你的?告诉我,谁给你的,波比还是杰克?"

"不是他们给的,我和那些人根本就不认识。"

"是吗?"埃德森说,"你真的不认识他们?可我上星期亲眼见过你和杰克打招呼,你怎么解释?"

"那是因为杰克是克莱斯顿的表哥,而克莱斯顿是我的同学,我在他家见过杰克,所以路上遇见了就互相点点头。其实我们一点都不熟,我敢说杰克连我的名字都想不起来了。"

"嚯,还有鼻子有眼,你真是个表演天才,如果我不了解你的话还真能让你骗过去。"埃德森挖苦道,"你以为我真的相信了?"

"随你信不信!"亨利生气了,顶了父亲一句,转身跑进了自己的房间。

埃德森大怒,立即跟到亨利的房间里,要儿子把事情说清楚,于是一场激烈的争吵爆发了。最后以父亲的一记耳光作为结束。第二天,亨利离家出走了。很快,他真的和杰克那帮人混在一起,学会了抽烟、喝酒、打架、偷东西。

埃德森在没有搞清事情的原委之前,就武断地认为刀子是亨利从流氓那里得到的,这种不信任的态度使亨利很难过,加上埃德森的说话方式和语气没有表现出对儿子的关心,而只表现出了愤怒,使得亨利的出走几乎成了不可避免的事。

卡尔·威特教育圣经

第二十二章　良好的成长环境

　　埃德森去找过儿子几次，但亨利说什么也不肯回家，一见他就躲得远远的。直到有一天，亨利因为偷窃被警察局扣押了，埃德森才终于得以再次见到儿子。这时候他才醒悟到儿子离家出走完全是自己不信任的态度造成的。

　　把亨利领回家以后，埃德森决定心平气和地和儿子谈一谈。

　　"我很抱歉，亨利。"首先，埃德森承认自己当时的做法的确太武断，然后他表达了自己对儿子的担忧，"我总觉得你太小，怕你分不清是非，和那些流氓搅在一起。所以有时候会做出一些不理智的事来。你能原谅我吗，亨利？"

　　由于埃德森的态度十分真诚，儿子的情绪也缓和了下来。埃德森继续说："我那天不该向你发那么大的火，我真的很抱歉。"

　　"我早就不怪你了，爸爸。我不回家是因为不想再受到冤枉。那把短刀确实是我在路上捡到的，当时克莱斯顿和我在一起，不信你可以问他。"亨利说。

　　"你早告诉我该多好啊！"

　　"可是你还没有听我解释就发火了。"亨利委屈地哭了起来。

　　"我很抱歉。"埃德森再次向儿子表达了歉意，"现在我不用去问克莱斯顿，我相信你。有时候我做出不理智的事来，是因为我太爱你了。相信我，以后我不会那样做了，让我们重新开始好吗？"

　　由于埃德森坦诚地向儿子表达了自己的爱和信任，父子间的关系有了根本的好转，这次谈话使亨利明白了父亲以前之所以不信任他是出于对他的爱，而不是要故意侮辱他。埃德森也认识到父母应该信任自己的孩子。有了相互的信任，才有可能做到坦诚的沟通。

　　解决家庭矛盾最有效的办法就是坦诚沟通，但是，坦诚沟通的前提就是互相信任，如果父母不能以一颗宽容的心来对待孩子，就不可能消除孩子的戒备心理。孩子只有在认为父母信任他的情况下，才会完全向父母袒露心声。家庭中有了相互信任的气氛，即使孩子真的有了什么不良习惯，也容易得到纠正。

　　信任自己的孩子，这是教育的前提条件。我们在教育孩子之前，就应该提醒自己要相信孩子的能力和品质，只有这样，对孩子的教育才能有一个良好的开端。

卡尔·威特教育圣经

第二十三章
孩子最重要的素质

自信心的培养

我发现很多人对儿童教育认识不足，总以为孩子最需要的是知识和技能，而忽略了对孩子健全人格的培养。他们以为只要孩子具有了足够的知识和技能，自然就会有足够的自信。然而事实却并非如此，我们稍加留意就可以发现，有的孩子学习成绩不错，但一遇到实际问题时，总是畏首畏尾，所学的知识和技能难以发挥出来。其中的主要原因就是缺乏自信。

我认为，孩子缺乏自信，父母有着不可推卸的责任。我和玛格丽特在培养威廉自信心的问题上，也曾有过一些波折。威廉3岁的时候，有一次主动提出要帮妈妈洗碗。

"不，威廉，你还太小，洗碗可不是你能做的事。"玛格丽特想也没想就拒绝了他的要求。的确，对于3岁的孩子来说，洗碗不是一件容易的事。

我从外面回来，发现威廉闷闷不乐。我问清了事情的原委后对玛格丽特说："你错过了一个锻炼孩子的好机会，你这样做会打击威廉的自信的，他会觉得自己很无能。其实3岁的孩子也是可以洗碗的，就算把衣服弄湿了又有什么关系呢？孩子如果能够通过干家务认识到自己的能力，他会感到很自豪，以后就会积极主动地做他力所能及的事情，这对提高他的能力可是大有好处啊。再说洗碗对孩子不会有什么伤害，我们应该给他这个机会。"

　　玛格丽特认同了我的观点，下一次洗碗的时候主动叫威廉过去帮忙。说实话，威廉洗得并不干净，他洗过之后，玛格丽特悄悄地再洗了一遍。我们知道，儿子第一次可能洗不干净，但多做几次后就会洗得又快又好，到时候再表扬他一番，他就会觉得自己又学会了一种技能，这对提高他的自信心大有好处。

　　很多父母不肯采取正确的方法来处理类似的问题，当孩子主动要干点什么时，他们总是断然拒绝。这实际上等于告诉孩子，他不能干，没有经验，不可能赶得上大人。所有的父母都非常希望自己的孩子成为出色的人，但又不允许孩子去发现自己的能力，而是用怀疑的态度限制他们的发展。比如，当孩子要帮妈妈洗碗，妈妈往往会夺过盘子说："亲爱的，你会把盘子打碎的。"这样一来，盘子固然是保全了，孩子的自信心却受到了伤害。

　　孩子虽然还处于学习摸索阶段，但他们都愿意努力去发展自己的能力。他们什么都想试试，好奇心驱使他们一次又一次地挑战困难。他们总爱跟在大人身后，学大人的样子做事。然而，很多父母却总是用自己的行动使他们觉得自己是个无能的孩子。当孩子要自己吃饭时，有的父母就会说："你看你，汤都喝到衣服上去了。"然后抢过勺子喂他们。这些父母没有意识到自己的做法会打击孩子的积极性。很多孩子由于被父母剥夺了自己动手的权利，就会故意跟父母捣乱。当父母喂饭时，他们紧闭着嘴，甚至把喂进去的食物吐出来。如果遇到这种情况，父母不必生气，应该想一想自己是否打击过孩子自信心。

每一个家长都应该知道，培养孩子自信心最有效的办法就是鼓励他们大胆尝试。在孩子的成长过程中需要父母不断的鼓励，鼓励是培养孩子健全人格的最重要的方式。关于鼓励，我的父亲有一句名言："孩子离开了鼓励就像花儿离开了阳光。"可见鼓励对孩子自信心的形成有多么重要。

那些阻挠孩子自己动手的父母对孩子有一些成见，他们认为孩子必须到了一定的年龄才能做事。他们常常不经意地指出孩子的无能。比如"你怎么把地板搞得这么脏？""你看你，又把鞋子穿反了。"诸如此类的话都是在打击孩子的自信心。天长日久，就会使孩子逐渐失去信心，失去自己去探索的主动性。

事实上，孩子有着极强的学习能力，有些事情刚开始他们可能做得不好，但只要鼓励他们大胆探索，他们很快就会以令人吃惊的速度掌握那些技能。而有些父母却人为地推迟了他们学本领的进度，并使孩子对自己的能力产生怀疑。这种做法将会对孩子的一生产生消极的影响。

大人拒绝孩子自己动手做事有一个常用的理由，就是认为孩子会把事情做砸。的确，孩子犯错误的几率要比大人高得多，但是，他们却没有看到，任何成功都是建立在一次次失败之上的。什么也不做的孩子永远不会犯错误，但这样的孩子将来注定是一个无能的人，等到他被社会淘汰的时候才会幡然醒悟，他一生最大的错误就是不敢犯错误。我们应该鼓励孩子要敢于犯错误，敢于面对失败，同时还要维护他们的自尊心和自信心。和成人一样，孩子也应该有犯错误的权利。当孩子因为积极行动而犯错误时，父母首先不能失去信心，而应该安慰孩子，帮他们重新找回自信。

如果孩子对自己的能力缺乏自信，那么表现出来就是做事效率低，缺乏行动的积极性，他不会通过积极参与和奉献来实现自己的价值。要帮孩子建立起自信，关键是要抓住鼓励的时机。所有的父母的都应该研究怎样鼓励孩子。

威廉很小的时候，不会自己穿衣服，对他来说，最难的是扣扣子。有一次他把扣子扣错了，费了好大的劲也没能把扣子退出来，最后不耐烦了，就坐在那里等妈妈过去帮忙。玛格丽特帮他扣了几次，后来他干脆不自己动手了，只要遇到这种情况就大声喊妈妈。有的母亲遇到这种情况，不是耐心地一次又一次为孩子穿衣服，就是训斥孩子，说孩子太笨。这时孩子就会觉得自己的确太笨了，而妈妈真是无所不能，那么难穿的衣服也能很快就穿好。他会认为自己永远也比不上妈妈，干脆放弃了任何努力，以后不仅要妈妈帮着穿衣服，别的事情也让她来做。如果这样的话，等于无形中培养了孩子的惰性。

不过玛格丽特并没有这样做，她总是耐心地鼓励威廉自己学着穿衣服。只要儿子稍有进步，她就表扬他。这样一来，儿子没用几天就学会了自己穿衣服。其实，帮孩子树立信心并不难，关键是要深入地了解自己的孩子。每一个孩子都有自己的特点，因此每位家长都应该摸索出自己的方法。只有这样，才能更有效地鼓励孩子，帮孩子树立自信心，使孩子对自己有一个正确的认识，而不是经常怀疑自己的能力与价值。

鼓励孩子积极行动固然能有效地提高孩子的信心，但也必须讲究方法。有的父母往往在孩子似懂非懂的情况下，勉强他们学习复杂的技能，结果反而导致了孩子的退步。正确的做法是，如果孩子不会做，就把学习的内容分解成若干步骤，让他们一点一点地掌握，直到会做为止。有的家长也许会觉得这样太浪费时间。但事实上，让孩子循序渐进地学习，恰恰是最节省时间的做法。

每一位家长都应该了解孩子成长的规律，帮助孩子树立起"办得到"的自信，只有办得到的事情才会让孩子体会到其中的乐趣，如果一开始就教孩子做难度太大的事情，就会使他们丧失信心。如果孩子没有进步，父母就要在自己身上找原因，看

卡尔·威特教育圣经

看自己的方法有什么不对，是不是太急于求成了。

我相信，不管多么困难的事情，只要从简单的会做的事做起，在点滴之中让孩子体会到成功的快乐，孩子就会以令人惊讶的速度进步，这不仅是技能的训练，而且是自信心的培养。

达·芬奇的标准

认识威廉的人都说威廉是个非常要强的孩子。无论做什么，他总是要求自己尽力做到最好。一般来说，孩子都很贪玩，只要能把任务完成就已经很不错了，很少有孩子主动要求把事情做到超出自己的能力所及的。在这一点上威廉和大多数孩子不一样，他不仅能按父母的要求去做好一件事，而且还喜欢自己想办法把事情做得比父母想像的还要好。

当然，威廉也不是生来如此，这种精益求精的做事风格是在一次次的锻炼中形成的。起初，威廉也不能以高标准来要求自己，和大多数孩子一样，他也是满足于已有的成绩，有时侯还对棘手的事情应付了事。直到有一天，他的生活中发生了一件事，他才改变了这种散漫的态度，真正明白了严格要求自己的重要性。

有一天黄昏，我和威廉在郊外欣赏壮丽的晚霞。

"威廉，你注意到了吗？桔红色在向深红过渡。"那段时间威廉正在学习色彩的运用，我不失时机地提醒他注意观察云彩颜色的奇妙变化。

"多美啊，爸爸，如果我能把这种变化画出来就好了。"威廉感叹道。

"我相信你能做到，只要你注意观察，耐心地调颜色，一定能画好。"我鼓励他说。

第二天，威廉饶有兴致地在花园里描绘落日下的壮丽云彩，但怎么也画不好。天色渐渐暗了下来，威廉的心情有些急躁了，他想迅速地把画画完，但却事与愿违，越急越画不好。太阳完全落了下去，壮丽的云霞很快就消失了，威廉只好凭最后的印象在画板上随便涂了几笔，算是完成了一幅画。这一切我都看在眼里，当时我没说什么，晚餐后，我问威廉："你的晚霞画得怎么样了？"

威廉淡淡地说："我已经画完了。"看来他不想再谈什么晚霞的事，那种绚丽的色彩对一个孩子来说的确太难画了。

"威廉，你画的是云彩吗？"我故意问他。

"是啊。"

"那怎么没有我们看到的那种感觉呢？你想要的就是这种效果吗？"

"当然不是，"威廉说，"可是天黑得太快了，没等我看清楚它就消失了。唉，没办法，只能画成这样了。"

我不再说什么，而是把他带到我的书房，让他看我收藏的画册。

"你仔细看看，威廉。"我把画册翻到风景部分，"真的没办法把晚霞画好吗？"

其实这些画册威廉早已看过很多遍了，但他还是不得不承认那些艺术大师高超的技艺。

"可是这些画家都是大师啊，我怎么能和他们比呢？"威廉说。

"为什么不能比，他们能做到的你为什么就不能做到呢？"我见威廉低着头不说话，就温和地说，"当然，他们能做到是因为他们在绘画上下了很多年的功夫，也许你的理想并不是当一

卡尔·威特教育圣经

327

个艺术家，不需要把那么多的时间花在这上面，但是既然画了，就应该以更高的标准来要求自己，就算达不到大师的水平，也至少要向那个方向努力才对啊。其实你和那些大师最大的区别并不是技术，而是做事的态度。你是个非常聪明的孩子，我相信只要你有一个认真的态度，肯定能画出自己理想中的云彩来。"

威廉说："刚开始我是很认真的，可是我怎么画也画不好。"

"也许你认真过，但没有坚持下去，你知道吗，达·芬奇画《蒙娜丽莎》整整画了4年，贝多芬创作《欢乐颂》的时候，对每一个小节都作了认真的构思，你听《欢乐颂》的时候觉得它那么流畅，可能不会想到这么短的乐曲花费了贝多芬多少心血。要想做好一件事，就应该拿高标准来要求自己，如果你仅仅满足于比周围的小朋友强，就不可能获得真正的进步。"

第二天清晨天刚亮，威廉就起来到外面去观察朝霞，仔细琢磨应该怎样去描绘它。黄昏时，他又去观察晚霞。几天之后，他对云彩的变化已经非常熟悉了，当他正式动笔画的时候，并没有在傍晚或清晨去跟太阳比速度，他在自己的房间里就把那幅画完成了。当我看到那幅画的时候，心里有说不出的激动，我从来没有想到一个孩子能把晚霞的壮丽表现得如此淋漓尽致。威廉并不是简单地把晚霞的颜色变化表现出来就算完成，实际上在这幅名为《晚霞》的画中，晚霞所占的比例并不大，相反，整个画面充斥着朦胧的夜色和夜幕降临前昏暗的原野。晚霞只有狭窄的一抹，但这一抹晚霞却在夜色的衬托下显得更加绚丽。这一抹晚霞由桔红转向深红，再由深红变为深紫，最后不留痕迹地消失在铅灰色的夜色之中。

我亲吻了威廉，并告诉他我为他感到骄傲，他所做的事情完全超出了我的意料。

"也超出了我的意料。"威廉调皮地说。

"是吗，你是怎么做到的呢？"

"我对自己说，耐心些，耐心些，你可不是一个小孩，你是

卡尔·威特教育圣经

达·芬奇!"

鼓励孩子勇于探索

这个世界对于孩子来说是陌生和新奇的，他们用好奇的眼睛打量着这个世界，那些在大人看来极为普通的事物也能引起孩子极大的兴趣。他们急于想知道鸟儿为什么会飞、闹钟里面的结构是怎样的、蚂蚁到底在忙些什么、男孩和女孩有什么区别等等，他们对探索这个世界有一种发自本能的热情，他们的无知和莽撞也给父母带来了很多烦恼。他们不停地问这问那，甚至干脆大胆尝试。没完没了的问题固然让父母们应接不暇，而那些莽撞地动起手来更让父母提心吊胆，他们不是毁坏东西，就是把自己弄伤。

很多父母都不喜欢孩子太好奇，如果孩子没完没了地问问题，父母烦了就喝令孩子闭嘴。但是他们没有想到，这种做法虽然能换来暂时的安静，却在不知不觉中伤害了孩子的求知欲，更糟糕的是伤害了孩子可贵的探索精神。而孩子的探索精神一旦受到损害，就会变得胆小怕事，什么事都依赖父母，不敢自己去尝试。

出于这样的理由，

第二十三章　孩子最重要的素质

我和玛格丽特总是耐心地回答儿子的任何问题，不会嫌他烦人，更不会因此而呵斥他。有一天，我的同事葛奇里先生来家里做客，和我谈到了教育问题。葛奇里先生告诉我他那 5 岁的儿子一天到晚不肯安静下来，一旦对什么产生兴趣，就会打破砂锅问到底，常常问得他招架不住。儿子不但喜欢问，还颇有动手的热情，就在前几天还把家里的自鸣钟拆开了，结果各种零件摆了一桌子，却再也装不上了。葛奇里先生教训了他好几次，但一点用都没有。正说着，小威廉进来了，一见我就问："爸爸，书上说老虎是猫变的，这是真的吗？"

"有这种观点，也许还没有完全被证实，但我认为有一定的道理。"我回答说。

"既然老虎是猫变的，那为什么还有那么多猫没变呢？"威廉说，"都变成老虎，那多威风呀！"

"是这样的，有一部分猫为了适应环境，比如说要捕捉大的食草动物或者和其它的野兽争斗，就需要在体力上压倒对手，所以就越长越大，逐渐演化成了现在的老虎。而另一些猫靠捕捉比自己小的动物为生，不需要很大的力气，只要动作敏捷就行了，所以就没有再长大。"

威廉想了想说："既然有些猫愿意变成老虎，就说明做老虎能够吃的更好，我觉要变就应该都变，谁都知道老虎比猫厉害。"

"哈哈，"我忍不住笑了，"是这样的，威廉，动物的演化并不是为了证明自己厉害，它们主要是为了获得更多的食物。"

"对呀，老虎获得的食物就比猫多，猫只能抓老鼠，而老虎能够抓到鹿。难道有些猫不愿意吃鹿肉而愿意吃老鼠吗？"

这时，我发现葛奇里先生饶有兴趣地看着我们，我知道他想看看我怎么对付这个难缠的孩子。

我对威廉说："你也要想到，老虎抓到的猎物虽然大，但它自己的体型也很大呀，体型大，消耗也就相应更大。另外，老虎抓一头鹿要比猫抓一只老鼠要困难得多，因为鹿的数量要比老鼠的数量少得多。所以，猫既有演化成老虎的理由，也有继续做猫的理由。"

"如果换了我，我就愿意做老虎。"

"是做猫还是做老虎，关键要看这些猫所处的具体环境。比如说有些猫生活的地方没有凶猛的野兽和它们竞争，而小动物的数量又足够它们维持生存，那么就没有必要长得太大。而另一些地方的猫由于要抵御其它猛兽的侵扰，或者要捕捉体型大的食草动物，就必须使自己的体型发展得更大一些，这样经过无数代的演化，它们就成了老虎、狮子和豹子。"

"那么，"威廉还不罢休，"它们是用什么办法长大的呢，难道心里想着我要长高些，我要长大些，就真的变大吗？"

"当然，首先要有这样的愿望，它们才会朝这个方向去努力，就像你学习，首先要有取得好成绩的愿望，你才会认真去学。那些猫一旦有了变大的愿望，就会挑选体型大的猫做配偶，而体型瘦小的猫就失去了繁殖的机会。由于父母的遗传，那些猫的体型就一代比一代大，直到变成今天这个样子。"

"那么，"威廉的问题又来了，"你说是人厉害还是老虎厉害？"

"当然是人厉害喽。"

"可我觉得还是老虎厉害，人的力气不是没有老虎大吗？"

"赤手空拳当然打不过老虎，不过人会利用工具，古人用弓箭和长矛就可以打败老虎，今天我们已经有了枪炮，老虎就更不是对手了。胜败不是光凭力气来决定的，关键要看大脑是否聪明，人类就是因为大脑比动物发达，才能创造出今天的文明。"

"什么是文明？"威廉的问题没完没了，他的很多观点在成年人看来是幼稚可笑的，但我仍然毫不厌烦，尽量详细地向他解释。

将近一个小时过去了，威廉才心满意足地离开。这时葛奇里先生对我说："卡尔，你的耐心真让我佩服，我更佩服的是你

卡尔·威特教育圣经

的态度，你不仅没有不耐烦，看起来你好像还挺愿意孩子来问你。"

我说："这是因为我知道认真解答孩子的问题是非常重要的，因为他的探索精神就是这样一点一点培养起来的。另外，你说得对，我的确喜欢孩子来问我，也许在别人看来孩子的问题太幼稚，不值得浪费那么多时间，但我却从孩子的童真和天马行空的想像中得到了无穷的快乐。"

威廉对世界的探索不仅仅停留在提问上，他也和别的孩子一样，喜欢自己动手鼓捣点什么，他的这一爱好往往会给大人带来不少麻烦。

有一年夏天，我要到法国参加一个学术会议，而玛格丽特则要去意大利处理点事。威廉的姨妈艾丽斯素来喜爱威廉，就提出接他去住一段时间。艾丽斯对威廉非常疼爱，为了让他过得开心，专门为他腾出一间房来供他玩耍。艾丽斯对威廉的生活安排得极为仔细，为了不让威廉摔倒时受伤，就在那个房间铺了厚厚的地毯，连墙上也挂上了壁毯。屋里的玩具都是柔软干净的布娃娃之类的东西。刚开始，威廉非常喜欢这个属于自己的小天地。但是时间长了，就对这里失去了兴趣，他在房间里待着时总是烦躁不安。

在那个布置考究的娱乐室里待久了，威廉感到非常无聊，总想到外面去玩。后来，威廉大部分时间都在其它的房间跑来跑去，还常常跑到外面去。有一天，威廉趁姨妈午睡的时候爬到了屋子后面的核桃树上。艾丽斯发现了这一情况后，顿时紧张起来，赶紧冲过去朝威廉大喊："哦，上帝！你怎么敢爬树，这太危险了！快下来！"

威廉先是被姨妈的态度吓了一跳，他恢复过来之后，反而得意起来，因为和艾丽斯的紧张相比，他觉得自己的行为很勇敢。艾丽斯越要他下来，他就越得意。不仅不下来，还故意在树上晃来晃去，哈哈大笑。终于乐极生悲，从树上掉了下来。不过威廉还算机灵，在落地之前在一根树枝上抓了一把，摔倒

卡尔·威特教育圣经

在地上时并没有受多大的伤，只是把手擦破了。

"哦，上帝！"艾丽斯尖叫一声，急忙跑过去察看威廉的伤势。

也许是受了姨妈紧张情绪的影响，也许是受伤的手真的很疼，威廉大哭起来。艾丽斯又心疼，又气恼，察看了威廉的伤口之后，不由分说，把威廉拖进屋里数落了一顿。从此对威廉严加防范，不许他独自到外面玩。

威廉并没有因此变老实，还故意和姨妈对着干，一不顺心就摔东西，大声叫嚷。

艾丽斯拿威廉毫无办法，于是写信向我诉苦，说威廉性子越来越野，胆子越来越大。我从法国回来后，立即去接威廉回家。我发现威廉看起来正如艾丽斯所说，短短一个月时间就变成了一个叛逆的孩子。但仔细一观察，才发现实际情况正好相反，威廉的胆子不是越来越大，而是越来越小了。威廉在姨妈家里动不动就暴跳如雷，可是到了外面，却变得小心谨慎，完全没有他那个年龄的孩子应有的活泼，倒像个本分老实的小职员，什么也不敢碰。

艾丽斯对我说："不让威廉出去玩，他就发脾气；让他出去吧，又怕他伤着自己。唉，我真不知道怎么办才好！"

其实这是很多父母都遇到的难题，一方面不想阻止孩子去探索，去发现。一方面又怕孩子受伤或弄坏东西。我认为，由于孩子不容易控制自己的行为，因此有必要让他知道什么可以

卡尔·威特教育圣经

玩，什么不可以玩。比如说不让他玩锋利的刀具，不让他随便玩火，这都是必要的。但是在告诉他这些禁忌的时候，决不能表现得过于紧张，让他觉得仿佛到了世界末日。父母有责任让孩子认识到某些事情的危险性，但完全不必夸大危险，使孩子紧张不安。孩子的内心一旦有了这种畏惧的阴影，就会逐渐失去自信和探索的勇气。

　　我把威廉接回家后，由于没有了在姨妈家时的种种限制，威廉的胆子又渐渐大了起来。有一次我发现他翻出二楼阳台的栏杆，把身子探出去在看什么。这当然是一种危险举动，我克制住自己的担心，尽量用平静的口气对他说："嗨，威廉，你在干什么？"

　　"爸爸，你快看哪。"威廉兴奋地喊道，"这儿有一只奇怪的虫子，真是太奇怪了，我打赌，如果我不说，你根本不知道这是一只虫子。"说着他的身子又往外探了探，完全没有意识到这样做的危险。

　　"是吗，威廉，"我仍然用平静的口气说，"你先别动，别惊动了它，等我上来看看。"

　　我快步跑上二楼阳台，轻轻地把他抱了进来。

　　"威廉，那虫子在哪儿？"

　　威廉指给我看。那的确是只奇怪的虫子，能够随着环境的变化改变身体的颜色，而它的身体更是让人叫绝，居然长得和树枝一模一样，如果它不动，确实很难被发现。

　　"爸爸，这是什么虫子？"威廉把全部注意力集中到了虫子身上，完全没有在意我把他抱了进来。

　　"这种昆虫叫做斯肽莱丁，最善于伪装自己，你看，它现在呆在树上，就和树枝一个颜色，如果它到了别的地方，又会随着环境的变化而改变颜色。"

　　那个下午，我向威廉讲了很多关于昆虫的知识。当他一连串的问题都得到了满意的回答之后，我才对他说：

　　"威廉，你观察昆虫是可以的，但一定要注意安全。你刚才爬到了栏杆外面，这是很危险的。你知道吗？栏杆并不像你想像的那样结实，有几根木头已经松动了。你以后做事一定要先考虑一下，看看是不是有危险。不过你今天倒是提醒了我，阳台的栏杆确实该修修了。"

这件事以后，威廉鲁莽的毛病大有改观，慢慢知道为什么有些事情不能做了。可以试想一下，如果在那种情况下，我惊恐不安地朝威廉大喊，命令他立即回到屋里去，很可能会激起他的逆反心理，反而会对危险的事情产生更强的好奇心。

平时威廉玩什么东西，我不会对他加以限制，除非那种玩法有害他的身体。我认为，如果把孩子限制在狭小的空间里，什么也不让他碰，会使他渐渐丧失信心和勇气。有的孩子喜欢拆卸家里的物品，并煞有介事地加以研究。我认为，这对渴望了解这个世界的孩子来说也无可非议。我并不是说要鼓励孩子把家里变成一个钟表修理店或者木工作坊，我认为，在我们告诉孩子那些东西不可以随便动的同时，不妨教他做一些小手工，或者给他一些废弃的物件让他去研究。这样就可以在保全家里的物品的同时，又培养了孩子的探索精神。

以积极的态度面对失败

孩子在成长的过程中，不仅是身体在慢慢长大，他的精神世界也在一天天发生变化。很多父母对孩子身体的发育十分关注，却忽略了孩子的心理成长。当孩子心里感到悲伤、失意的时候，最先想到的就是向自己的父母倾诉，但有的父母总是不当回事。他们觉得孩子那么小，不可能有什么失意感受。但是，他们却没有想过，孩子看问题的角度和成年人有很大的差异，在成年人看来不值一提的小事，可能会让孩子耿耿于怀。孩子也是人，不管他们的烦恼在大人看来多么幼稚可笑，但那也是真实的烦恼，必须引起父母足够的重视。成年人在失意的时候

卡尔·威特教育圣经

需要别人的安慰和帮助，孩子也需要。

我在教育威廉的时候，很注意培养他对失败的承受能力。我尽力不让他去依赖别人，不靠别人的怜悯生活，如果做不到这一点，那么他将来就不可能成为一个幸福的人。当孩子遭遇失败的时候，如果父母能够以平静的态度来鼓励孩子，就会使他更容易地接受失败，并很快从失意中振作起来。当孩子学会了以积极的态度来面对失败，他将来才会真正体会到生活的欢乐，而不会只看到这个世界阴暗的一面。威廉在一次由学校组织的赛跑中得了倒数第一名，他把这件事看得很重，一连好几天都闷闷不乐。见他这样，我觉得有必要帮他摆脱失意的情绪。

"威廉，你还在为赛跑的事难过吗？"我问他。

"唉，我没想到自己这么无能，我是全校最差的！"威廉叹道。

"得倒数第一的感觉确实不好，可你有没有想过其中的原因？"

"我知道，是我身体不如他们。"

"不，威廉，你的身体不比他们差。真正的原因是你的年龄比他们小，你要知道你跳了两级，上学又比别的孩子早，所以你是班上最小的孩子。我听说这次比赛是按年级分组的，你只能和那些比你大3岁的孩子比，你当然跑不过人家喽。不是无能，这是没办法的事，因为你比他们小，个子比他们矮，不过你的学习成绩是全班最好的，这说明你智力比那些大孩子还要高。我相信，如果你和同样大的孩子赛跑，肯定能取得好成绩。"

威廉脸上终于有了笑容，不再为那个倒数第一难过了。

在人的一生中，失败是经常遇到的事，很多孩子总是遇到挫折，其中的原因也许在父母那里，因为如果父母对孩子的要求太高，并且经常批评孩子，就会给孩子带来很大的压力，并损害孩子的自信心，使孩子长期处于紧张状态。这样一来，孩子就会接连不断地品尝失败的苦果，直到他们的自信心完全崩溃。每一个父母都应该好好思考一下，看看自己对孩子的期望是否太高了，是否给孩子带来了太大的压力，如果是，就应该及时调整自己的态度，帮助孩子尽早摆脱失意、沮丧的心情。

勇气的培养

人的一生要面临很多挑战，这些挑战具体地说就是事业上的挫折、突如其来的灾难和危险、疾病、日益激烈的社会竞争等等。当一个人面对严重的挑战时，除了需要有足够的能力外，还需要有非凡的勇气才能战胜外来的种种威胁。父亲认为，如果一个人没有勇气去应对各种挑战，那么他的能力再强也发挥不了作用。

我们经常可以听到有人说某个孩子"生性胆小"，好像一个人是否勇敢完全是天生的，其实每一个人的天性里都同时具有两方面的因素，既有探险和挑战困难的一面，又有逃避和怯懦的一面。一个孩子能否成为一个勇敢的人，主要取决于他所接受的教育。善于引导孩子的父母能够最大程度地发展孩子勇敢的一面，而把怯懦的一面减到最低。

有的父母总是担心孩子会受到意外伤害，什么也不敢让孩子去做，而父亲却认为，如果父母过分地夸大行动的危险性，牺牲孩子受锻炼的机会，那么孩子的勇气也就无从培养了。

父亲说过，真正的勇敢就是要随时准备着遭受各种各样的危险，不管遇到了什么困难和危险，都要有应对的勇气和运用理智解决问题的心态。

小时候，父亲为了培养我的勇气，首先是在我年幼的时候尽量避免使我受到惊吓，不让我听恐怖的故事，让我远离各种可怕的事物。因为一个人在幼年时对世界的印象将会保留终生。

我们村里有一个叫埃德加的孩子，平时他的叔叔喜欢讲恐怖故事吓唬他。一到晚上，稍有风吹草动他就大喊有鬼，飞快地跑到父母的卧室里赖着不走。如今他已长大成人，但每到夜里，如果没有人陪伴仍然会心惊胆战。这种小时候受了惊吓，导致一生怯懦的例子还有很多。因此父亲在我小的时候要求我的亲戚和家里的女佣不给我讲幽灵、妖怪之类的恐怖故事。当我哭闹时，他也绝不用狼或魔鬼之类的东西来吓唬我。有的父母一见孩子哭闹就说"再哭让魔鬼把你抓了去"之类的话，这样做虽然能把孩子吓住，获得了暂时的安静，却在他们心里留下了一生的阴影。

我4岁时听小伙伴说起过魔鬼，有一次我问父亲世界上到底有没有魔鬼。父亲说："可以说有，也可以说没有。"

平时我问父亲什么问题时，他总会给我一个明确的回答，如果他回答不了，就会和我一起查阅图书，直到获得确切的知识为止。然而这一次的回答却如此模棱两可，真让我无法理解。

卡尔·威特教育圣经

父亲见我迷惑不解，就反问我："你认为有魔鬼吗？"

"我觉得有。"

"那么你见过吗？"

"没有见过，可是大家都这么说。"

"既然没有见过，就不要过早地下结论。"

"如果没有的话，为什么大家都说有呢？也许有人见过吧。"

"也许是有人见过，其实将来你也会见到魔鬼的。"

父亲的回答吓了我一跳。

"你说什么，我也会见到魔鬼？"我不由得紧张起来。

"卡尔，"父亲安慰道，"其实魔鬼只在人的心里，善良的人心里是没有魔鬼的；而那些邪恶的人，心中就一定有魔鬼。那些恶人不就像魔鬼一样吗？你长大之后就要接触各式各样的人，这中间有好人，也有坏人，所以我说你将来也会见到魔鬼。"

啊，原来是这样，难怪父亲说魔鬼这东西可以说有，也可以说没有。

"你说的这个魔鬼不是别人说的魔鬼嘛。"

"当然不是，他们说的那个魔鬼是没有的，真正的魔鬼就是人内心里邪恶的那一面。卡尔，你要知道，如果一个人的内心光明磊落，以行善为乐事，那么他就是天使；如果一个人总是为自己打算，为了自己的利益去干损人利己的坏事，那么他就是魔鬼。你明白了吗？"

"明白了，爸爸。"我大声回答，"我一定不会做一个魔鬼的。"

每当我心中有什么疑虑和恐惧，父亲就用这样的办法使我心中充满了光明和勇气。父亲对我勇气的锻炼远不止此。他认为孩子需要不断磨炼才能获得勇气。而磨炼的最好办法就是让他们学会承受痛苦，因为使我们失去勇气的最大原因就是对痛苦的恐惧，如果一个人对痛苦和磨难有很强的承受能力，那么他自然就会变得十分勇敢。

在我蹒跚学步的时候，如果摔倒了，父亲从不表现出怜惜的样子，他总是鼓励我自己爬起来。我5岁的时候，有一次我跟父亲去爬山。当我们登上一个陡峭的山坡时，我不禁害怕起来，不敢再往上爬，我回头望着父亲，希望他把我抱上去。可父亲却装作没看见我的暗示，只顾自己向上攀爬。我终于忍不住了，向父大喊："爸爸，我再也不敢往上爬了，你背我上去吧。"

"不行！我们不是说好要自己爬的吗？"没想到一向慈爱的父亲立即拒绝我的要求。

"我爬不动了，我的腿酸得一步也动不了了！"我知道以害怕为理由打动不了父亲，就以腿酸为借口，他总不能不管我吧。

"好吧，卡尔，如果你爬不动，就先趴在那儿休息一下，等腿不酸了再往上爬吧。"父亲在上面朝我喊道，"不过你最好快一点，因为在陡坡上待得越久就越危险，我看你还是一鼓作气爬上来吧。"

腿酸的借口已经被父亲识破，我无法可想，只好奋力往上爬，当我快到坡顶时，父亲向我伸出了他温暖的大手，一把把我提了上去。我回头看看脚下，真不敢相信自己居然能爬上这么高的陡坡。这时我已经完全忘记了刚才所受的惊吓，心中充满了胜利后的自豪和喜悦，忍不住朝山下大声喊叫起来。

"卡尔，"父亲见我快活的样子，就问我，"如果刚才我把你抱上来会怎么样呢？"

我认真地想了想说："那样的话就不好玩了。"

父亲放手让我体验危险的做法在很多人看来简直难以理喻，但实际上，父亲并不是要拿我的生命去冒险，现在回想起来，我当时是完全有能力保护自己的，陡坡看起来很险峻，其实每一步都能够踩到实处，只要我克服内心的恐惧，就可以像登楼梯一样爬上去。这次爬山虽然使我受了一点惊吓，但也让我明白了一个道理：不敢接受挑战的人永远也享受不到成功的喜悦。

卡尔·威特教育圣经

张开想像的翅膀

　　记得在我小的时候，父亲经常对我说，不管一个人多么失败，只要他还有想像力，他就有希望。我稍懂事之后，父亲就给我讲历史上那些伟大人物的故事，告诉我伟人们之所以在各自的领域取得那么大的成绩，其中一个主要原因就是他们有着过人的想像力。一个人没有想像力的人是不可能成为杰出人物的，因为想像是创造的前提。

　　和父亲一样，我常常向我的儿子强调想像力的重要性。有一天，威廉去他的朋友拉法埃特家玩，回来后闷闷不乐。原来威廉和拉法埃特一起画画的时候，拉法埃特的父亲阿蒙先生回来了，他对两个孩子的画作了一番评价。

　　"你画的什么，威廉？"阿蒙先生拿起威廉的画问。

　　"条顿骑士在战斗。"威廉回答说。

　　"一点也不像嘛。"阿蒙摇摇头说。

　　"哪儿不像呢？"威廉问。

　　"他的矛太长了，在实际战斗中根本不可能使用这么长的矛。还有条顿骑士战斗的时候应该是骑马的，可是你把他画得在天上飞。他又没长翅膀，怎么可能飞起来呢？"

　　"也许他是飞不起来，但我可以想像他飞起来，我觉得这样很好。"威廉辩解道。

　　"想像？孩子，做事可不能凭想像，应该以事实为依据才对啊。"

　　"可是，"威廉说，"我爸爸说画画的时候应该想像。"

　　"也许我不应该在这里评价你的父亲。"阿蒙先生说，"但是，我还是要说做事绝对不能靠想像，只有脚踏实地才能做好事情。"

　　"可我觉得没有想像就画不好画，我的每一张画都加上了想

卡尔·威特教育圣经

第二十三章　孩子最重要的素质

像，想像会使人快乐。"

"不，不，孩子，你这样想是错误的，喜欢空想的人是没有实际能力的，也许暂时会获得一些虚妄的快乐，但是将来肯定是一事无成。想像不会给人带来任何的实际好处，比如说，你想像自己能在天上飞，可是你真的能飞吗？不，你永远也不能飞，那么你的想像就是在浪费时间。"

威廉心里不同意阿蒙先生的说法，可是又找不出反驳的理由。只好闷闷不乐地回了家。

听了威廉的陈述，我真为阿蒙先生的死板感到悲哀，我告诉威廉，想像并不等于空想，人类的一切发明创造都是以想像为前提的。不仅艺术家需要想像，科学家、作家、军事家、工程师，甚至商人都需要想像，如果没有想像就不可能取得好的成绩。

"可是阿蒙先生说想像不能带来任何的实际好处。"威廉说。

我知道威廉还不明白想像力和实际之间的关系，于是就耐心地告诉他："从实际出发，这当然没有错，但是，想像并不意味着不现实。牛顿由苹果的落地发现万有引力，靠的就是想像，如果他光看实际不去想像，那么苹果掉下来也就仅仅意味着它熟透了，决不会想到地心的引力。没有想像力的人做什么事都要以实际为准，总是受到条条框框的限制。这样的人，没有能力和勇气去创造新事物，做什么都循规蹈矩，不可能取得什么成就，只能平庸地度过一辈子。我要你去想像，并不是说什么都靠想像来得到，而是要在实际的基础上敢于想像，并进

卡尔·威特教育圣经

342

行创新。"

"我知道了，"威廉脸上又有了笑容，"如果没有想像力，我们就不可能有进步，也许现在还住在山洞里呢。"

其实，想像之中有着无穷的乐趣。如果一个人善于想像，即使遇到不幸，也能从不幸中找到幸福，因为想像快乐的事情可以使人忘掉不幸，想像美好的未来可以给人一个奋斗目标，有了目标就能振作起来。而那些缺乏想像力的人，没有乐观向上的精神，一遇到挫折，就会变得沮丧、悲观，既不能从自己的内心里找到快乐，也无法尽快从痛苦中走出来，而沮丧的心情又会使人遭遇更大的失败。

生活中有很多阿蒙那样的人，他们毫无生活情趣，什么事都用理性的态度去对待，既没有想像力，更没有创造力。不仅如此，他们还把自己那种呆板、枯燥的人生观传给孩子。他们只会用清规戒律来教训子女，总是说"不能这样""不能那样""别乱来，这不合规矩"。他们从来不会对孩子说"这个想法真有趣"或者"你是这么想的吗？那么就试试看吧"。这种死板的教育方法，不仅不能提高孩子的能力，还会剥夺孩子的生活乐趣。

最重要的是快乐

我在研究早期教育的过程中，接触了大量的家长。现在越来越多的家长认识到了早期教育的重要性，很多家长满怀希望地为孩子制定了详细的学习计划，但是我发现他们在做这些努力的时候，却很少认真想过教育孩子的目的是什么。也许很多父母会告诉我，他们教育孩子的目的是为了让孩子成才。我认为对教育的认识只达到这一步是不够的，成才并不是教育孩子的最终目的，最终的目的是使孩子有一个快乐的人生，而成才换个角度看就是具有追求快乐的能力。一些父母在不辞辛劳地

卡尔·威特教育圣经

为安排孩子生活的同时，却忽略了对孩子健康成长最重要 的 因 素——快乐，以至于他们的辛劳不仅收效甚微，还剥夺了孩子童年的快乐，给孩子的一生蒙上忧郁的阴影。

　　我们的邻居福吐纳托太太是一位勤勉负责的母亲，她非常重视对女儿劳拉的教育，总是不停地督促女儿学习。玛格丽特劝她放松一点，不要把家里的气氛搞得太紧张。福吐纳托太太说："我怎么能放松呢，不是说早期教育决定孩子的一生吗？劳拉一天天在长大，最好的学习时机一错过就后悔莫及了，我必须尽到做母亲的责任。"

　　劳拉在妈妈的督促下，时刻不忘自己的学习任务。她很用功，不过她觉得特别累。她对威廉的生活十分羡慕，私下告诉我，她真渴望能像威廉一样痛痛快快地玩，但是妈妈总在不停地鞭策着她，她一刻也不敢放松。

　　福吐纳托太太听说学习音乐对开发孩子的智力有好处，于是又给女儿买了一架钢琴，还请了有名的老师来训练她。有一天夜里，劳拉超过了做功课的时间还没有完成学习计划。福吐纳托太太不停地看表，离睡觉还有一个小时，照这样下去，如果劳拉还按原计划练琴，势必就要影响睡眠。

　　"劳拉，你的作业做完了吗？钢琴还没练呢。"

　　"我知道，可是我的功课还没做完，我总不能不完成功课就练琴吧。"

　　"那你为什么不快点呢，功课又不多。"

　　"可是我一直在做呀。"

卡尔·威特教育圣经

福吐纳托太太无话可说，只能焦急地等着女儿把功课做完。等她终于做完了功课，离睡觉时间不到半个小时了。劳拉似乎并不理会母亲的焦急，仍然不紧不慢地收拾书本，一副满不在乎的样子。

"你就不能快点吗？再磨蹭就没时间练琴了。"福吐纳托太太催促道。

"知道了。"劳拉坐到钢琴前，没精打采地弹了起来。

福吐纳托太太终于按捺不住，数落起女儿来："你这是在练琴吗？你这是在应付！"

"我练琴不需要你在旁边看着。"劳拉也终于忍不住了，"我是按老师的要求练的，你别来影响我。"

福吐纳托太太见睡觉时间马上就要到了，而女儿又不肯好好练，如果让她马上停下来，练习就没有任何效果，如果继续练，又会影响睡眠。想到这里，福吐纳托太太再也控制不住自己，对女儿吼道："让你练琴是为了你好，要是你不想练就别练。"

"那就不练！我本来就不想练。"劳拉也是一肚子不满，站起身就走。

"把乐谱收好再走！"福吐纳托太太命令道。

劳拉很不耐烦地整理那些乐谱。

"好好收拾！你怎么越收拾越乱？"

"我不是在整理吗？你还要我怎么样？"劳拉尖叫道。

"你怎么能用这种态度和我说话？"

于是两个人争吵起来，越吵越激动，最后福吐纳托太太喝令女儿闭嘴，立即回卧室睡觉。劳拉委屈地回到自己的房间，抽泣着上了床。福吐纳托太太一看钟，已经超过了睡觉时间20分钟，她的心里非常难过，想到女儿既没练好琴，又没睡好觉，还发生了一场争吵，越想心中越懊恼。

很多家长不知道教育孩子的真正目的是什么，福吐纳托太太就是一个典型。她教育女儿只是为了使女儿成才，却不知道

卡尔·威特教育圣经

第二十三章　孩子最重要的素质

成才本身并不能作为人生的目的。我认为，人生的目的是快乐，而成才只是追求快乐的手段。显然，福吐纳托太太错把手段当成了目的，我认为，这样培养孩子的还不如不培养，培养孩子的目的正是为了让孩子在成长中获得乐趣，而福吐纳托太太的做法，根本不可能让女儿获得快乐，相反，还会使她对学习深恶痛绝。

父母在督促孩子学习的时候，如果过于急切，就会使孩子感到压抑，并厌恶学习，使孩子无法健康快乐地成长。如果知识需要牺牲童年的欢乐来获得，这是得不偿失的事。我认为对孩子来说，最重要的是积极乐观的生活态度和健康的体魄，这两点是培养所有其它能力的基础。如果父母们连这一点都不明白的话，不仅不能教育好孩子，还会给孩子的身心健康带来极大的负面影响。

我有了威廉之后，也和所有的父母一样，对自己的孩子满怀期望，但我从不给儿子施加压力，我最在乎的还是他的一生能否过得幸福快乐，无论他将来成为什么人，从事什么工作，这一点都不会改变。我认为，要做一个幸福快乐的人，首先就必须懂得追求幸福和快乐。也许我们不能保证孩子一生都幸福，但至少可以帮助孩子认识真正的幸福，并使他们获得追求幸福的信心和能力。

许多父母认为，要体现父母的责任心，最好的办法就是时刻鞭策孩子努力学习，使他们获得过人的能力，以便将来在激烈的社会竞争中成为胜利者。我认为，努力学习固然更是通往成功不可缺少的条件，但也不能完全排斥轻松的享受。否则孩子就会只看到生活单调乏味的一面，这样的人生是无趣和不幸的。

心理学研究表明，如果一个孩子从小被剥夺了享受生活的权利，他的人格就不会得到健康的发展。一个不懂得享受生活的人，绝不会是一个幸福的人。很多父母只看重孩子的学习成绩，而忘了给予孩子幸福快乐的感觉。一个心灵完全被责任和理智占领的人，即便有一天在事业上获得了成功，也不会有什么幸福可言。

我和玛格丽特非常注意维护威廉快乐的心态。有一天，我发现威廉在书房里坐立不安，显得非常焦躁。我马上走过去问他："威廉，你怎么了？"

"遇到难题了。"威廉说。

我说："你为什么不来问我呢？"

"你不是要我独立思考吗？"

"当然要独立思考，但并不是说不需要别人的帮助，我不告诉你答案，但可以给你一些提示嘛。对了，你遇到什么难题了？"

"我怎么也不明白拉丁语的语法规则。"

"威廉，我并没有要求你学拉丁语的语法呀。"

"你是没有要求，但我说拉丁语的时候总是有病句，我想，如果我掌握了它的语法规则不就行了吗？"

"但是你还是个孩子，那些语法对你来说太难了。"

"你不是经常告诉我不能害怕困难吗？"威廉好胜心强，遇到困难时不解决总是心有不甘。

"当然不能怕困难，但是并不等于故意给自己出难题。就拿学拉丁语来说吧，我认为先学习词汇并在生活中使用它们，比学习枯燥的语法要有效得多。一种语言，你使用得多了，自然就会合乎语法，你看我们身边有一些没有上过学的人，他们并不懂得语法，但却能正确地使用语言。"

"这么说语法不重要喽？"

"当然重要，但更重要的是不能太为难自己，我希望你做一个快乐的人，假如拉丁语让你感到痛苦，我宁可你不去学它。实际上，你先学会在生活中使用拉丁语，等你上了学再学语法就容易多了。在我小时候，我的父亲也是这样教我的。我上了学以后，语法的问题很容易就解决了。"

听了我的话，威廉放弃了过早地学习拉丁语的语法，又恢

卡尔·威特教育圣经

复了往日的快乐。

幸福之旅

由于我小时候体质比较弱，父母特别重视我的健康，十分注意我的饮食和作息规律，他们除了在生活上给予我无微不至的照顾，还鼓励我进行体育锻炼。小时候，父亲为我设计的各种游戏并不单纯是游戏，同时也是很好的体育运动，父亲对那些有趣的游戏进行了精心编排，以便使我身体的各个部位都能得到锻炼。

父亲认为，运动能使人的身体充满活力，孩子每天拿出足够的时间来进行身体锻炼，不仅不会耽误学习，反而会使学习效率大为提高。受父亲的影响，我从小就对崇尚运动的古希腊时代十分神往，并尝试着像古希腊人一样，通过运动获得身体与大自然融为一体的美妙感觉。

除了游戏和散步，我的运动方式还包括旅行，尤其是徒步旅行，不仅能使身体得到锻炼，还能磨炼意志、增长见识，旅行中获得的知识是对书本知识的补充，当这种知识与书本知识结合起来时，就成了一种特别鲜活的知识，使人终生难忘。

我在意大利留学的第一年，父亲来信问我假期有何打算，我说我准备利用这段时间写几篇论文。很快，父亲的下一封信又到了，他在信中说："我亲爱的卡尔，你已经有两年没有徒步旅行了吧？以前都是由我带你出门旅行，现在你长大了，应该自己去旅行了。这是你坚持了多年的好习惯，你千万不能把它丢掉。虽然你现在忙于学业，时间很紧，但仍然可以利用假期出去走走，哪怕只是几天的短途旅行，也会使你的生命充满活力。

"我徒步旅行的习惯是在上大学的时候养成的，几十年过去了，我还清楚地记得我第一次和几个朋友徒步翻越圣布鲁斯山脉的情景。当我们到达山口时，那里正下着大雪。山下修道院的修士告诉我们，我们将要经过的山谷每年都要摔死一些登山者，过了山谷，还会有大片的荒野，那里经常有熊出没。我和同伴当时都是血气方刚的年轻人，所以都不愿意回头，决心一直向前走，直到翻过雪山。

"上了山以后，我们才知道自己面临的困难和危险有多大。那天风特别大，山路不仅陡峭，而且到处是积雪。有好几次，我们差点滑下悬崖。但是这一切艰辛和我们后来体会到的巨大幸福相比，实在是微不足道。当我们登上山顶之后，才发现世界是如此广阔。感谢仁慈的上帝，这时本来十分凛冽的山风居然平息了，我们脚下是白雪皑皑的群山，云彩在阳光的照射下呈现出无比绚烂的色彩。这壮丽的景色既富于动感，又极为庄严肃穆。那一刻，我仿佛感到这是上帝在向我们展示他的两种表情，我的心灵受到了前所未有的巨大震撼，情不自禁地朝着太阳跪下来，那一刻，我感到自己和上帝是如此接近，我仿佛已经听到了他的呼吸。那一刻，我决心将自己的一生献给这仁慈的造物主。

"这就是徒步旅行的魅力，在旅途中你会遇到很多有趣的事，结识许多诚实善良的朋友，当然，也会看到我们这个世界令人遗憾的一面，这一切都在提醒你，要对这个世界付出你的爱，承担起你的责任。至于那种无法用语言描绘的神奇景象，也只有勇于探索的人才能看到。

卡尔·威特教育圣经

第二十三章　孩子最重要的素质

"我们周围有很多人惧怕旅行的艰苦，即使出去旅行，也只是坐在车里走马观花地看一看，最后一无所获。我希望你成为一个真正的旅行者，不要畏惧艰苦的旅途，只有这样，你才能体会到大自然的神奇和美丽，才能从不同的角度去体会这个世界上千姿百态的生活。

"你的学业当然是重要的，但你要知道，适当的旅行并不影响学习，这一点我想你是有体会的。如果你整天学习书本知识，不去游历，不去探索未知的世界，你的感觉就会变得迟钝，你的世界也会变得狭小。你看看你的周围就会发现那些学究有着怎样一副呆板的神态，如果你长期过这种一成不变的舒适生活，有一天你会发现自己已经变得和他们一样，年轻时的梦想和活力都将一去不返。因此，我建议你利用假期出去游历一番，这无论对你的身体还是学业都是有利无害的。"

我听从了父亲的劝告，在意大利沿海作了为期半个月的徒步旅行。和父亲当年的旅行一样，这也是一次改变了我一生的幸福之旅。我一路上考察了多处古迹，获得了宝贵的第一手资料，这无疑对我研究但丁大有裨益，更为重要的是，我在这次旅行中认识了玛格丽特，也就是我现在的妻子。

卡尔·威特教育圣经

第二十四章
不可忽视的品德教育

品德教育从父母开始

父母在教育孩子时不仅要培养他们的能力，还要培养他们的品德。优秀的品德对孩子一生的发展是至关重要的，对此父亲曾有过精辟的论述："孩子的心灵是一块神奇的土地，撒下思想的种子，就会收获行为；撒下行为的种子，就会收获习惯；撒下习惯的种子，就会收获品德；如果撒下品德的种子，最后收获的就是命运。孩子的命运其实就掌握在父母的手里。如果父母能以身作则，重视孩子的品德教育，就为孩子未来的前程打下了坚实的基础，因此，就像智力的培养要从孩子一出生就开始一样，优秀品德的培养也必须从摇篮时期开始。"

在培养孩子优秀品德的过程中，父母的作用很关键的。因为父母是最早陪伴孩子的人，也是孩子最早的模仿对象，父母的言行举止会对孩子的一生产生深远的影响。有些父母经常埋怨孩子不听话、贪玩、调皮、自私。我认为这些父母应该多在自己身上找原因，而不应该总是埋怨孩子，因为孩子不管有什么样的行为，都和父母的影响分不开。柏拉图说过，任何坏人都不是自愿成为坏人的。有的人之所以变坏，主要是父母教育不当的结果。

我和玛格丽特在教育威廉时始终坚信，要想使儿子树立正确的价值观和人生观，我们自己首先就要有正确的观念与标准。

否则把道理讲得天衣无缝也起不了多大的作用。

　　我的朋友哥斯泰考姆对我说，他的儿子皮普太贪玩了，一玩起来总是忘了学习。哥斯泰考姆为此教训过儿子，也和他讲过道理，可他总是不肯改。我问哥斯泰考姆是怎么和儿子讲道理的，他就给我举了下面这个例子：

　　有一天，皮普又玩到天黑以后才回家。哥斯泰考姆对儿子说："皮普，你不是答应过我早点回来的吗，怎么又玩到这么晚？你保证过多少次了，从来就不兑现，你难道不觉得羞耻吗？"

　　儿子满不在乎地回答说："不就是回来晚点吗。我觉得也没什么大不了的。"

　　哥斯泰考姆生气地说："没什么大不了？你答应的事从来就不做到，谁还会相信你呢？从小养成这种坏习惯，将来你会吃苦头的。"

　　皮普说："可是我看你也没遇到什么麻烦呀！"

　　"什么意思？"哥斯泰考姆不解地问。

　　皮普："你已经忘了吧，你说带我去爬山，说了好几次了，可是一次也没有兑现过。"

　　"不是我不带你去，我这段时间实在太忙了。"但是哥斯泰考姆说到这里却再也说不下去了，显然这些理由都无法掩盖他不守约的事实。

卡尔·威特教育圣经

　　哥斯泰考姆要求儿子说话算数，可自己却没有做到，结果儿子不仅不为自己的贪玩感到惭愧，反而因为抓到了父亲的把柄，心安理得地不兑现自己的承诺。这只是一件小事，父亲由于工作忙，无法抽出时间带儿子出去玩，这本来也很正常，但他事先向儿子许了诺，这就不好办了。儿子会想，爸爸说话不算数，也没遇到什么麻烦，看来不守约也没什么大不了的。

　　很多父母抱怨孩子不听话，不肯接受正确的道理，可就是不去想想问题出在哪儿。他们在向孩子讲道理的时候，却用行为推翻了自己讲的道理，使孩子认为对于父母的话不必认真对待。这样一来，再好的道理也不起作用了。

　　我还听到有的父母经常抱怨孩子太自私，一心只想着自己，从来不为父母着想。其实自私是孩子的天性，但是只要用正确的方式加以引导，他们就不会成为自私自利的人。在威廉小的时候，我也常常发现他性格中的种种缺陷，但我从来不把责任推到他身上，而是尽力用自己的行为去影响他，帮他改正缺点。比如说从威廉小时候起，我就鼓励他帮助那些生活状况不如他的人。他经常把自己的玩具送给家境困难的孩子，有时会把自己的零花钱捐给慈善机构。刚开始他并不愿意这样做，我和玛格丽特很少用大道理来劝他行善，而总是自己先做出表率，逐渐用行动来影响他。当我们去慈善机构捐款，或者去孤儿院照顾那些没有父母的孩子时，总会带上威廉，让他体会到行善的快乐。

　　有一段时间，威廉从别的孩子那里学会了说脏话，而且举止也变得很粗鲁，据说孩子们都觉得这样才像个英雄人物。我和玛格丽特对此感到很担忧，但我们知道，要使孩子养成讲礼貌的习惯，还是要依靠父母的榜样来起作用，因为不管外面对孩子有什么样的负面影响，孩子的行为主要还是在学自己的父母，因为父母是他们最爱戴和最信任的人。有时候威廉在外面学会了一些粗鲁的俏皮话，觉得很有趣，回到家里就说给我们听，我和玛格丽特并不严令禁止他说粗话，我们知道，如果禁

卡尔·威特教育圣经

353

止孩子做什么，那么孩子就会去做什么，因为对孩子来说，最有趣的事就是被禁止的事。我和玛格丽特从来不说粗话，对威廉说的那些自以为俏皮的粗话我们总是报以冷漠的表情，每个孩子都不愿意做父母不喜欢的事情，当威廉发现那些粗话在家里完全不受欢迎后，自然就不会再说了。

善于引导孩子的父母想要孩子干什么时，不必下达命令孩子就会自觉地去做；不想让孩子做什么，不禁止他们，他们也能自觉地不去做。用命令的方式去教育孩子是不会见效的，无论是孩子还是大人，对于命令都有一种本能的反感，因此与其强迫他们听话，不如用自己的言行去影响他们。

巧妙地唤起孩子的责任心

如果一个孩子缺乏应有的责任心，无论他具有多高的能力，也不可能成为一个身心健康的人，事实上，没有责任心的人也不可能具有很高的能力，因为责任是一种良性的压力，能使孩子体会到自己存在的价值，并为了加强这种价值而加倍努力。

那些在艰苦的环境中长大的孩子，由于知道父母谋生不易，往往会积极地参与家庭生活，主动为父母分忧解难。他们看到父母为了一家的生活而辛勤工作，就会感到自己肩上的责任，希望有一天能为父母分忧解难。责任心会使孩子从小看到生活的意义和自己的作用，从而产生强烈的自豪感，并对未来充满自信。

对自己的家庭有责任心的孩子一旦接触社会，就会将自己的责任心扩展到整个社会。如果一个孩子没有在家庭中培养出这种责任心，那么对社会和人类的责任感就无从谈起。

没有责任心，也就没有促使他们进步的良性压力，这样的孩子将来是不可能取得很大成就的。

为了使威廉从小具有责任心，无论他在家里还是在外面，

卡尔·威特教育圣经

我会经常让他充当一些有意义的角色，使他意识到自己对他人是有价值的，这样既培养了他的责任心，又培养了他的自信心。

威廉小时候十分调皮，经常和邻居家的孩子毁坏花圃。我耐心地和他们讲道理，但收效不大，往往是说过之后有所收敛，但几天之后又开始在花园里胡闹。有一天，我把威廉和邻家的几个孩子叫到花园里，对他们说：

"花园里还有一些空地，我想种些花草，你们说种什么好呢？"

"玫瑰！玫瑰又好闻又好看。"托尼首先喊道。

"不，玫瑰已经有了。我看不如种草莓，好看又好吃。"威廉发表了不同意见。

"种樱桃吧，樱桃也很好吃的。"汤姆也说道。

"樱桃长得太慢了，什么时候才吃得上啊？"

孩子们七嘴八舌，好不热闹。后来，我和他们一起用了几天时间，在空地上种了草莓、樱桃、郁金香等植物。我给每个孩子都分派了任务，轮流在花园里松土、浇水和施肥。孩子们积极性很高，为了争取多一点任务还差点吵了起来。自从我把小花园交给他们管理后，他们再也不践踏花园了，而且我还多了几个热心的小帮手。

这就是责任心的魔力，当孩子们感到自己有责任管理花园

卡尔·威特教育圣经

355

之后，他们过剩的精力就被引向了正途，而不再是一种令人烦恼的破坏力量。孩子们通过劳动，体会到了收获的喜悦，同时也为自己日渐增长的能力感到自豪。

教孩子正确对待金钱

　　社会上有一种貌似高雅的观点，就是不和孩子谈钱的问题。父亲是一位神职人员，有着坚定的信仰，在一般人看来，像父亲这样的人应该是不会和孩子谈论金钱的，然而事实却正好相反，父亲从我懂事时起就经常和我讨论金钱问题，或者不如说是对我进行金钱教育。父亲认为每一个孩子早晚都要面对金钱的问题，既然不可避免，还不如早一点教他们以正确的态度对待金钱。

　　父亲在《卡尔·威特的教育》一书中记录过这样一件事：

　　有一次，父亲向他的同事埃尔牧师谈到自己的金钱教育理论，埃尔牧师很不以为然，他认为，金钱是罪恶的根源，由于孩子心智尚未成熟，经不起物质的诱惑，所以应该尽量让孩子远离金钱，以维护他们心灵的纯洁。而父亲则认为，金钱本身并不具有善与恶的性质，更不是罪恶的根源，真正使人堕落的是人对金钱过度的欲望。正因为如此，才需要尽早对孩子进行金钱教育。

　　"在我看来，所谓的金钱教育只能把孩子教得自私和贪婪。"埃尔牧师说。

　　"不！"父亲说，"只有错误的教育才会造成您所说的那种后果。我认为，只要方法正确，金钱其实是一种极好教材，不仅可以让孩子学会更好地生存，还能提升他们的精神。赚钱、谋生是每一个孩子都将面对的问题，一个孩子这方面能力如何，直接关系到他的生活质量。对孩子进行正确的金钱教育，可以使孩子明白这样一个道理：金钱是日常生活不可缺少的要素，

我们既不能因为贪欲而丧失做人的原则，也不要故作清高地蔑视金钱。"

"你的话有道理，"埃尔牧师说，"那么你的金钱教育的具体内容是什么呢？"

"首先是以正确的态度对待金钱，其次是正确地使用金钱。如果不能做到这两点，就会为金钱所累，要么变成惟利是图的小人或守财奴，要么变成败家子。我们身边有多少人拥有了财富却沦为金钱的奴隶，多少人因为挥霍无度而破产。我相信，只要有正确的金钱教育，这种悲剧就会少得多。我们要让孩子明白父母谋生养家的辛苦，使他们养成节俭的美德。

如果父母不让孩子了解和金钱有关的知识，孩子就不会珍惜父母的劳动成果，也不知道自己的幸福生活是父母通过辛勤工作换来的，对金钱没有概念的孩子不会关心家里的经济状况，只关心能从父母那里得到多少零花钱。这样就会使孩子变得自私，把自己的幸福建立在金钱的基础上。这样的孩子一旦失去金钱的支撑，他的整个世界就会崩溃。"

我和玛格丽特都有一份不菲的薪金，生活条件比起父亲当年已经好了很多。我们有了威廉之后，父亲在来信中提醒我说："金钱具有扭曲人心的力量，多少人因为贪欲而丧失了善良、正直的品质，因此你一定要让威廉学会以正确的态度对待金钱，既要培养他赚钱的能力，又要培养他抵制金钱诱惑的能力，只有这样，他才能成为一个身心健康的人。"

父亲的来信让我想起了一件往事，我9岁的时候考入了莱比锡大学，在解决上大学的费用时，我结识了教育大臣劳斯特爵士。

第二十四章　不可忽视的品德教育

爵士很欣赏我的学识，曾经邀请我去他的夏季别墅度假。在这之前我一直过着简朴的生活，这是生平第一次领略上层社会的奢华。爵士的别墅是一座城堡式建筑，里面的装饰富丽堂皇，这里经常举行盛大的舞会，每当这时候，总是极尽奢华。

爵士有个与我年龄相仿的儿子，名叫保罗。让我惊讶的是，这个不到 10 岁的孩子竟然有一艘属于自己的小游艇。在爵士府上度假的那段日子，我尽情地享受到了人世间的奢华，参加晚宴、和保罗乘游艇出海、狩猎，全是我见所未见的贵族生活方式。

从爵士家回来后，我的话题全都和夏季别墅里的事有关，我喜欢给家里人讲别墅里豪华的生活，讲精美的陈设、可口的食物，讲保罗的小游艇，一说起来就没个完。有一天，我在讲完爵士家的别墅之后对父亲说："爸爸，如果我们也有一座海滨别墅该多好啊！"

我话音刚落，父亲就发起火来："够了，卡尔！我们都听够了你的贵族生活，你的梦该醒了！我告诉你，我买不起什么别墅，就算买得起，也永远不会买。现在我不想看到你，回你的房间去！"

父亲从未对我发这么大的火，我不敢顶嘴，满腹委屈地进了自己的房间。吃晚餐的时候，父亲走进我的房间，他看起来已经平静了。

"卡尔，你真的向往那种生活吗？"

"是的，"我老老实实地回答说，"我从未享受过那么丰富的生活，爸爸，请你不要生气，我知道我不应该向往那种生活，但我确实从中得到了快乐。"

"好，你至少说了实话。"父亲平静地说，"现在我已经不生气了。也许我的态度太粗暴了。的确，很少有人能经得住物质的诱惑，何况你还是个孩子。但你要知道，如果一个人经不起金钱的诱惑，就容易失去自己的尊严和自由，成为物质的奴隶。一个有理想、有抱负的人即使在贫困中也能找到快乐，因为他的幸福不是建立在金钱之上的；如果一个人把幸福和价值建立在金钱之上，那么一旦失去金钱，他的幸福和价值也就丧失了。你明白这个道理吗？"

"是的，爸爸，我真的很惭愧。"

"卡尔，每个人都有迷失的时候，追求享乐本来就是人的本性，但你要知道，追求美和正义也是人的本性，人一生下来，本性里就具有了善与恶两个方面，最后他是成为好人还是恶人，就在于他怎么选择。你还记得《伊索寓言》里的那个故事吗？一个樵夫在河边砍柴，不小心把斧子掉进水里。他很难过，坐在河边哭了起来。河神麦丘利从河底拿出一把金斧子，问樵夫是不是他掉的。樵夫说不是。麦丘利又拿出一把银斧子，他又说不是。第三次，麦丘利拿出了樵夫丢失的那把斧子。樵夫高兴地说，就是这把。麦丘利喜欢他的诚实，就把金斧子和银斧子都送给了他。你知道樵夫最值得你学习的是什么吗？"

"是他的诚实。"

"当然，诚实是一种可贵的品质，不过你并不缺乏诚实，刚才你就很诚实地说出了自己的感受，就你而言，目前最缺乏的是在金钱面前的平常心，这就是那个樵夫最值得你学习的地方。如果一个人面对金钱的诱惑时能保持自己的尊严，不丧失自己的原则，他就会得到别人发自内心的尊敬。这样的人，甚至连金钱也会尊敬他，使他在事业上获得更大的成功。"

"爸爸，你是这样的人吗？"我问。

"我一直在这样要求自己。卡尔，我是个穷牧师，买不起那些奢侈品，也从来没想过要去拥有那些东西。对于目前这样的生活，我已经很满足了。你要知道，奢侈是对上帝的亵渎，只要这个世界上还有穷人，我们就没有理由奢侈。我希望你也能成为这样的人，而不是一个贪图享乐的人。"

那天，父亲的循循诱导使我明白了许多人生的真谛，我明白了简朴的生活给人带来的是自由而不是窘迫，明白了爱与美的价值。那天，我从父亲那里得到了无穷的力量，这种力量使

卡尔·威特教育圣经

我在往后的岁月中经受住了金钱的考验，去追求一种比享受奢华生活更为巨大的幸福。

威特家的节俭传统

　　从我记事起，父亲就要求我养成节俭的习惯。他自己也是这么做的。母亲告诉我，父亲的那件常穿的外套已经有十几年历史了，领口和袖口磨破了他就让母亲缝补一下又继续穿。这件事在村里出了名，村里人形容一样东西非常陈旧时往往会说"像威特牧师的外套一样"。不过人们说起父亲的节俭的故事时，丝毫没有嘲笑的意思，事实上，父亲在村里很受尊敬，因为父亲虽然节俭，但在帮助别人的时候却十分慷慨。在我的印象中，他向穷人施舍已经是家常便饭了。

　　我小时候不懂事，曾经把父亲的节俭当成了吝啬。父亲告诉我："不舍得花钱未必就是吝啬，关键要看你怎么花钱。"父亲的话让我对吝啬与慷慨有了新的认识，的确，父亲对自己从来就不舍得花钱，但对于需要他帮助的人，他从来不曾吝啬过。父亲的收入虽然不高，但维持家用是足够的。可是在我的记忆中，家里从来没有富足过，只是维持着基本的生活需求。我上大学时，如果不是得到了捐助，恐怕是难以把学业继续下去的。

　　受父亲的影响，我从小养成了节俭的习惯。父亲给我的零花钱我几乎从不随便动用，我很少花钱买玩具，我的玩具基本上都是自己动手制作的。有人问我："你存钱不花有什么用呢？"

　　我说："不是不花，而是要在该花的时候花。"

　　我把父亲给我的零花钱存起来，是为了将来上大学时为父亲减少一些负担。当我上大学获得国王的资助后，我就把存了多年的零花钱全都捐赠给了隆达镇的孤儿院。

　　我长大成人后，更深切地体会到人的物质欲望是没有止境的，成年人迫于现实，大多能用理性来控制过分的物质欲望，但孩子却不容易考虑客观条件，总希望父母满足自己的物质欲望。其中的原因固然和孩子的年龄有关，但一些父母的有求必应也在很大程度上纵容了孩子的物欲。

我们经常可以在商店里看到这样的情景：孩子缠着父母买这买那，父母如果不答应，孩子就当场哭闹，弄得父母无法可想，只好照办。我认为，这种情况完全是父母的教育不当造成的，其实，孩子也是可以明白事理的，关键在于父母怎样教育孩子，如果父母认为孩子这样做很正常，那么就会使孩子以哭闹来要挟父母的习惯，同时还会认为凡是自己想要的，父母都有责任予以满足。

我在教育威廉时，十分注意培养他勤俭节约的美德。有一次，我和威廉在街上散步，经过一个商店时，威廉被一套漂亮的木制玩偶吸引住了，看了又看，舍不得离开。终于，他忍不住对我说："爸爸，我想买那套小木偶。"

"你不是有一套小木偶了吗？"我提醒他说。

"可是这一套更好玩，你看那个士兵，手里还拿着矛呢。"

"你的木偶里边也有士兵啊，矛我们可以自己做，还可以安到他手上去。"

威廉每找出一条买的理由，我就找出一条不买的理由。最后他终于放弃了，但心里不怎么痛快，出了商店，他对我说："爸爸，你怎么这么小气。"

"不是小气，"我纠正说，"是节俭。"

回到家里，我给威廉讲了我的父亲是怎么节俭度日，又是怎么慷慨施舍的。我告诉威廉，节俭是一种美德，也是我们威特家的好传统，无论是在困难年代还是富裕年代，我们都应该节俭。这既是为了过日子，也是在为人类的后代节约资源。

讲完这些道理，我又和威廉一起用木片削出了几把小剑、小刀、长矛，把它们安在旧的木偶手中，威廉还用小贝壳给那些小木偶做了头盔。看到自己亲手制作的小玩具，威廉快活极了。

卡尔·威特教育圣经

做一个善良的人

父亲从小就教育我，拥有好的品德比拥有渊博的学问更重要。当我还是个不辨善恶的婴孩时，起初父亲主要考虑的是如何尽早开发我的智力。但我 8 个月时的一件小事使他开始考虑对我进行品德教育。据说有一天母亲不在家，由家里的女佣喂我吃饭，由于平时我习惯了母亲喂我，因此不愿意让女佣喂。女佣耐心地哄我吃饭，我却用手在她脸上乱挠，企图把她赶走。

这件小事使父亲受到了震动，他意识到即使是婴儿，天性中也包含了善与恶。要想发扬他的善，抑制他的恶，必须尽早进行品德教育才行。父亲认为善良是一切好品质的基础。为了培养我的善良的品质，父亲真是煞费苦心。在父亲给我讲的故事中，关于行善的故事是最多的，尤其是《圣经》中的故事，每天临睡前他都会给我讲。

有的人认为给这么小的孩子讲这些寓意深刻的故事没有必要，因为这些故事超出了小孩的理解范围。根据我自己的体验，我认为也许孩子无法理解圣经故事中的深刻哲理，但完全可以从这类故事中学会辨别善恶。

我至今还记得在我 3 岁时，父亲给我讲的《马太福音》中的一个故事。那个故事使我对什么是善有了更深的认识。故事是这样的：

耶稣坐在银库对面，看众人捐款。有些财主往里面投了很多钱，有一个贫穷的寡妇走过来，往里面投了两个小钱。耶稣就把门徒叫过来，对他们说："我实在告诉你们，这贫穷的寡妇投入库里的，比所有人投的还要多。因为别人都是把自己剩余的投在里面，而这个妇人却把自己所有的钱都投进去了。"

这个故事使我明白了善不在于形式上的多与少，而在于行善者的内心是否纯粹。威廉稍一懂事之后，我又把这个故事讲

给他听，威廉很快就把故事中的道理付诸了实践。

　　在威廉5岁生日那天，玛格丽特带他去街上挑选礼物，在服装店为他买了一件漂亮的呢绒披风，威廉高兴极了，立即把它穿在身上。在回家的路上，母子俩看见一个女人牵着一个小女孩在街上乞讨，衣裳十分单薄，那孩子在寒风中冷得瑟瑟发抖。

　　"妈妈，那个小姑娘在发抖。"威廉对玛格丽特说，"她是不是病了？"

　　"我看不是病了，是冷的。"玛格丽特停下了脚步，看着威廉说，"你没看见她只穿了一件单衣吗？"

　　这时威廉知道自己该做什么了，他看看自己身上的新披风，有点犹豫。

　　"你想帮她，是吗？"

　　"是的。"

　　"我看你还太小，没有能力帮她。"

　　威廉听母亲这么一说，不再犹豫，他走到那个小姑娘跟前，脱下那件披风递了过去。

　　"你愿意穿上它吗？"

　　小姑娘的母亲很吃惊，有些慌乱地说："好心的孩子，愿上帝保佑你，我们不能要，它太漂亮了，是妈妈刚给你买的吧？"

　　"是的。"威廉说，"不过我穿着好像有点小，我看她穿正合适。而且，"威廉看看玛格丽特，"我妈妈也希望你们能收下它。"

　　玛格丽特笑着点了点头说："是啊，如果你们收下，威廉会很高兴的。"

卡尔·威特教育圣经

那位母亲不再拒绝，于是威廉很高兴地把披风披在小姑娘的身上。

威廉把自己的生日礼物送给了别人，我发现他并没有因此感到遗憾，相反，他的这一次生日过得比任何一次都要愉快。威廉通过这件事，体会到了行善的乐趣。虽然他失去了一件漂亮的披风，但却得到了更大的喜悦。如果一个孩子发现自己能够帮助别人，他就会觉得自己是个有用的人，并从中获得对生活的热情和自信。

父亲曾经说过："学习为我们带来现世的幸福，善行则给我们带来上帝的赞许。"尽管每一个时代都有自己独特的价值观念，但是，无论过去还是今天，都有一些共有的价值标准。这些基本标准包括诚实守信、负责任、严以律己、宽以待人、忠诚等等，这些都是良好品德的构成要素。

让孩子懂得"诚信"

父亲经常教育我，我们所处的社会是以契约为基础的，只有诚实守信的人才能得到别人的信任，而那些撒谎、不讲信用的人虽然能暂时得到一些好处，但最终是不会得到幸福的。因此诚信是一个人处世的根本原则。父亲最不能容忍的就是不讲信用。

通常，人们总觉得讲信用是大人的事，因而在这方面对孩子要求不严。很多孩子也不把承诺当回事，尤其是年龄小的孩子，似乎完全不懂承诺意味着什么，常常凭一时的兴趣随口许诺，10分钟之后就把承诺忘得干干净净。我小时候也和大多数孩子一样，对信用没有一个起码的认识。尽管父亲经常对我说，信守承诺是一种高尚的品德，但我仍然对此毫不重视。直到有一天我尝到了失信给我带来的苦头，才真正认识到诚信对于一个人有多么重要。

那天，我和父亲约好下午3点去河边钓鱼。离我们村不远有一条小河，由于这条河中生长着各种鱼类，渐渐成了人们星期天消遣的地方。每到星期天，附近几个村庄的人们都会聚积在小河边，一边钓鱼一边聊天。

还有许多人在这里野餐。每个星期天，河边总是像过节一样，充满欢声笑语。

吃完午餐，离父亲带我去钓鱼的时间还早，我就先到一个朋友家去玩，临出门，父亲问我：

"卡尔，我们3点准时出发，你来得及吗？如果来不及，我看就下个星期天再去钓鱼吧。"

"来得及，爸爸，现在才一点，还有两个小时呢，我3点一定赶回来。"

到了朋友家后，我们玩起了捉迷藏。不知不觉就到了和父亲约定的时间，当我恋恋不舍地准备回家时，几个小伙伴劝我再玩一会儿。我经不起他们的劝说，就又玩了两盘。等我回到家时已经快4点了。我一进家门就看见父亲坐在院子里，身边放着早已准备好的渔具。

"卡尔，你知道现在几点了吗？"父亲一见我就问。

"3点50分。"我看一眼墙上的钟说。

"你和我约好3点出发的，怎么能不讲信用呢？"父亲不快地说，"你是不是觉得信用这东西并不重要？"我没有说话，但心里却不以为然，我总觉得信用是看不见摸不着的东西，比如说我迟到了，可父亲并没有损失什么呀。父亲似乎看出了我心里的想法，他没再多说什么，拿起渔具带着我一起出门了。

一路上，父亲不再提信用的事，而是给我讲了许多关于钓鱼的的知识。到了河边，父亲对我说："卡尔，今天我们来比一比看谁钓得多。我到上游去钓，你在这儿钓。6 点钟我们在这里汇合好不好？"

"好啊！"刚才听父亲说了不少钓鱼的方法，我正想一个人试试身手呢。

父亲走后，我找了个有树阴的地方，背靠着岸边的一块大石头，舒舒服服地钓起鱼来。父亲的方法果然不错，我很快就有了收获。不知不觉，时间很快过去了。渐渐地，我发现周围的人们已经开始在草地上准备野餐了。

我向上游望了望，不见父亲的影子。我继续等了一会儿，天色渐渐暗了下来，野餐的人们开始陆续离去。这时我肚子已经很饿了，向别人一打听，才知道已经快 7 点了。父亲和我约定 6 点汇合的，可现在已经快 7 点了，天色越来越暗，河边的人们已经快走光了，可是父亲还没有过来。

饥饿加上焦急，我再也没有兴趣钓鱼了，我不停地向上游张望，这样，又过了半小时，父亲的身影才终于出现在暮色中。

"爸爸！"我大喊着向父亲跑了过去。

父亲似乎根本没有注意到自己早已超过了约定的时间，只是不停地说："卡尔，看看我钓的鱼。上游的鱼真多啊，下一次我们换一换，让你去上游。"

我见父亲满不在乎的样子，就忍不住责怪起他来："爸爸，你说好 6 点回来，可现在天都黑了，我都快急死了！"

父亲放下手中的渔具，严肃地对我说："卡尔，现在你也知道不讲信用的害处了吧？我不讲信用会让你感到不愉快，那么你不讲信用又会让别人有什么感觉呢？"

"哦，原来你是在报复我呀！"我更生气了，转过脸去不理

卡尔·威特教育圣经

父亲。

父亲和蔼地对我说："卡尔，我并不是要报复你，我只是想让你亲身体验一下不守信用的害处。"

经过这件事以后，我开始重视起信用来。受父亲的影响，我也很重视培养小威廉诚信的品德。

有一次，我的同事送我两张俄罗斯大马戏团的戏票，这是在我们这个城市的最后一场演出。我回到家后告诉威廉，晚上要带他去看马戏。威廉高兴极了，马戏表演是他最爱看的节目。在去看表演的路上，我们遇到了罗尔斯先生。罗尔斯先生是威廉的朋友哈里森的父亲，一看见我们，他就热情地对威廉说："哈里森已经准备好了，我想你们会玩得很高兴的。"

罗尔斯的话让我有些莫名其妙，我看看威廉，发现他脸上很不自在。罗尔斯走后，我问威廉："哈里森准备好什么了？"

威廉吞吞吐吐地说："哈里森在家里举行的晚会，邀请了我。"

"你接受了邀请？"我问道。

"是的。"威廉很不情愿地说。

"既然这样你为什么还要跟我去看马戏？"

"我不想去哈里森家了，我想去看马戏。"

我严肃地说："你答应的事怎么能不守信用呢？"

"那样的聚会经常有，可是俄罗斯马戏错过了就不会再有了。"

"那么哈里森那儿怎么办？总不能又看马戏又参加聚会吧？"

"那我就去告诉哈里森，说我生病了，要回家睡觉。"

我一听这话顿时停住了脚步，严肃地对威廉说："为了看一场马戏，你就宁愿撒谎吗？宁愿做一个不守信用的人吗？"

"不是。"威廉有些慌乱地说，"可我真的想看马戏。"

"威廉。"我看着他的眼睛说，"道理我早就给你讲过了，现在你要作一个决定，是去看马戏，还是去参加聚会。"

"我——"威廉吱唔着说，"还是想看马戏。"

卡尔·威特教育圣经

卡尔·威特教育圣经

他的话让我非常失望，我一气之下拿出那两张戏票撕得粉碎，不由分说，拉起威廉就回了家。

"你准备一下，我送你去哈里森家。"我命令道。

"我哪儿都不去。"威廉哭了起来。

这时我突然意识到自己的态度过于生硬，于是温和地对威廉说："是啊，俄罗斯马戏的确很精彩，我知道你一直想去看，别说你，其实我也很想去看。错过这一次演出，以后也许还有机会，但是如果你不讲信用，以后就再也无法挽回了。"

威廉还在抽泣。我突然想起了我小时候父亲给我讲的一个故事。

"威廉，这样吧。我给你讲一个故事，听完以后去不去参加聚会由你自己决定。"

威廉安静了下来。于是我开始说："从前，有一条叫布哈亚的鳄鱼。有一天，它想到岸上去看一看，就从水里爬了出来，不知不觉走到一片沙漠上。由于天气特别热，布哈亚被晒得躺在那里动弹不得，想回到水里去，可是又没力气。这时，它看见一个小伙子走了过来，就对他说：'看得出来，你是个勇敢的人。不仅勇敢，还是个大力士。你能不能帮助我一下，把我背到水里去，我一定会报答你的。'

善良的小伙子同意了鳄鱼的请求，就背起布哈亚往河里走。快到河边的时候，布哈亚想：'这个人这么壮，他的肉一定很好吃，到了河里我就可以美餐一顿了。'

到了河边，小伙子把布哈亚放了下来。布哈亚一到水里，

立刻恢复了力气,它一把拖住小伙子的腿说:'年轻人啊,我还没吃饭呢,你不如好事做到底,把你的腿给我当晚餐。'

小伙子大吃一惊,他拼命挣扎,却怎么也脱不了身。

'你这个忘恩负义的家伙,'小伙子骂道,'你说我把你背到水里你就会报答我,可现在你却要吃我,难道这就是你的报答吗?'

'没错,年轻人,我是多么感激你啊,我当然要报答你的。'布哈亚眼里流出了一滴感激的眼泪,'你误会我了,若在平时,你落到我的手里,我早就把你整个儿吞下去了,可现在我只是要吃你的一条腿,这难道还不是报答吗?'

他们的吵闹声惊醒了正在睡觉的河马,河马问他们:'你们两个讨厌鬼吵什么呢?'

小伙子把刚才发生的事告诉了河马,河马说:'我才不信呢,鳄鱼这么重,你怎么可能把它从沙漠里背到河里来呢,你要我相信你的话、必须重新背一遍给我看看。'

鳄鱼布哈亚想,这个年轻人早就没力气了,他肯定背不动我。于是就答应让小伙子再试一次。小伙子没办法,只好把鳄鱼背到原来的地方。他把鳄鱼放下后,河马说:'小伙子,现在你告诉我你还想救鳄鱼吗?'

小伙子这才醒悟过来,原来河马是在帮他。他对鳄鱼说:'你这个恩将仇报的家伙,我再也不会背你回去了。'

小伙子和河马转身要走,布哈亚发现自己上了当,就对他们喊道:'说好再把我背回去的,你们怎么能不讲信用呢?'

河马回头对布哈亚说:"我们只对诚实的人讲信用,既然你不讲信用,我们当然也不必讲信用啦。'

就这样,鳄鱼留在炎热的沙漠里,被太阳晒死了。"

我的故事一讲完,威廉就明白了我真正要说的是什么,他不好意思地说:"爸爸,我们还是去参加晚会吧,我可不是布哈亚。"

卡尔·威特教育圣经

爱的教育

　　父亲对我进行教育的目的，并不是要造就一个天才，而是要把我培养成一个具有优良品德和出色才能的人。在父亲看来，这两个方面缺一不可，否则就不是一个真正优秀的人，如果一个人只具有过人的才能，他有可能是一个缺乏责任感和爱心的浑人；只有良好的品德，那么他有可能是一个有想法而没有实际能力的废物。

　　由于我在很小的时候就在知识领域有一些出众的表现，大多数人都把目光集中在父亲的智能教育上，纷纷向他讨教提高孩子能力的办法。但父亲总是告诉他们，要想使孩子长大后有一个高质量的人生，就不能仅仅培养孩子的能力，同时还要培养孩子的品德。在一定程度上，可以说父亲对我的品德教育就是爱的教育。

　　父亲认为如果一个人缺乏爱心，就很难获得幸福。爱的教育并不是讲一些空洞的大道理，父亲用他自己的行为教会了我怎样去爱。父亲很爱母亲，他告诉我："母亲为了孩子不惜牺牲自己的一切，母亲的工作是最辛苦，也是最光荣的。"在父亲眼里，所有的母亲都像圣母那样神圣。小时候，我总是看到父亲无微不至地关心和帮助母亲。他为了不让母亲过分操劳，经常主动帮母亲做家务。他始终用最温和的态度对待母亲，体察她那些微小的困难和需要。在我的记忆中，父亲很少与母亲发生争执，即使是在教育我的问题上有什么分歧，他也总是耐心地说服母亲。

　　从我记事起，父亲每天清晨总要到花园剪下一枝新开的花朵，拿到卧室插进母亲床头的花瓶里，让母亲醒来后一睁开眼就能看到美丽的鲜花。这种关爱的举动几十年来如一日，从未间断。我稍大一点后，也学着父亲每天起床后剪下一支鲜花送给母亲。

多年以后，母亲曾告诉我她当年的感受："我每天早晨醒来一睁开眼，就闻到一股扑鼻的芬芳。然后我总是重新闭上眼睛，细细地享受着这幸福的芳香。"

我8岁那年，母亲得了一场重病，那段时间，父亲日夜守候在母亲身边，对她的照料无微不至。有一次，天还没亮我就被母亲痛苦的呻吟惊醒了。我跑到母亲的卧室，发现父亲正

坐在床边，拉着母亲的手，眼里充满了悲伤。就在那一刻，我平生第一次学会了爱与忠诚。

父亲对母亲的爱令我深受感动，在他的影响下我也学着用行动来表达对母亲的爱。我从小就学会了帮母亲做家务。我还经常与母亲交谈，用心感受她的心情。我可以从母亲的眼神和动作中体察到她心里是平静还是焦躁，是快乐还是忧伤。不过，我也不是一开始就能做到这一点，是父亲的教育使我懂得了怎样去关心别人。

有一次父亲要到北方的塞契隆镇参加教会的一个重要仪式，就在父亲将要动身的前一天，我的叔叔来信说希望我跟他一家到波尼纳的野外去旅行，这样，父亲动身的时候正好可以顺道把我送过去。

那时我还从未参加过这种远距离的野外旅行，兴奋得连觉也睡不着。我和父亲出发的那天，母亲又病了。为了让我们安

心出行，她尽力掩饰自己的痛苦。而我一心想着这次旅行，丝毫没有察觉到母亲的不适，但父亲却敏锐地发现了母亲正在经受的痛苦。由于公事不能耽误，他就劝我放弃旅行，留下来照顾母亲。我好不容易盼来这个大开眼界的机会，自然不愿意轻易放弃。

"卡尔，"父亲以少有的严肃口气对我说，"你母亲病了，她身边不能一个亲人也没有。"

我很不高兴地说："妈妈根本没有生病，她叫我玩得开心点，还对我笑了呢，生病的人怎么会笑?"

"她真的病了，她不说出来只是怕影响你的旅行。你知道吗? 一个人病了的时候最需要的就是亲人的安慰，你也生过病，你想想，如果你病了没有妈妈在身边照顾，你会有什么感觉。"

我这才醒悟过来，想起早上我给母亲送花的时候她的脸色十分苍白。我愧疚地对父亲说："好的，爸爸，你放心走吧，我留在家里照顾妈妈。"

"这就对了，卡尔，"父亲温和地说，"你爱你的母亲，就要在行动上表现出来。你要学会观察，从她说话的语气和表情中体察她的心情，在她最需要你的时候及时地帮助她，这才算是真正爱她。你想想，你母亲不就是这样来关心你的吗?"

"是呀，我心里不高兴的时候，我不说她也能知道。我生病的时候有她照顾我就什么都不怕了。现在妈妈病了，我也要像她照顾我那样照顾她。我要为她请医生、喂她吃饭、给她讲故事，等你回来的时候，妈妈的病就好了!"

父亲被我的话逗乐了："好孩子，那我就把她交给你了。"

通过这样的生活小事，父亲使我学会了怎样去爱别人。我和玛格丽特结婚之前，父亲特地写信告诫我："你快要结婚了，在结婚之前，我希望你和玛格丽特互相再多一些了解，直到确信你们的爱情能够长久。我之所以再三强调这一点，是因为爱情在给我们带来幸福和愉悦的同时，也要求我们承担起维护它的责任。

婚姻是一生的大事，你们一定要慎重，尤其是你，绝不能辜负玛格丽特的爱，如果做不到这一点，还不如不娶她。伏尔泰曾经说过，婚姻带来的，要么是最大的幸福，要么是最大的灾难。只有懂得了结婚的同时也意味着承担责任，你们才会在日常生活中相互关爱，从而在婚姻生活中维持长久的爱情。这不仅关系到你们的幸福，在你们有了孩子之后，也关系到孩子将来是否能有一个健康的心态。

当你们有了自己的孩子之后，我希望你能使孩子在爱的氛围中成长，爱是人的一种美好的义务，它意味着用心灵去感知别人最微小的精神需要。这种用心灵去感受的能力，不是用语言可以传达给孩子的，只能通过父母长期的行为来影响孩子。你还记得吗，你在家的时候，我并没有要求你早上给你母亲采摘鲜花，但你从我的行为中了解到了其中的含义，你也希望给你母亲带来愉快的心情，所以不用我教，你自然就学会了。以后你有了孩子，你也要注意用自己的行为去影响他，因为爱的教育是不用说出来的。如果没有父母之间相互关爱的榜样，孩子就不可能真正明白爱的含义。"

我和玛格丽特都把父亲的教诲铭刻在心，由于有了这种爱的传统，威廉自小就是一个懂得关心别人的孩子，这也是别人欣赏和喜爱他的一个主要原因。在威廉很小的时候，我们就用自己的行为告诉他，一个没有爱心和同情心的人，永远也不会得到别人的尊敬和喜爱。我还让他明白，人与人的关系是相互作用的，如果一个人只关心自己，那么就不会得到别人的关心。威廉从懂事起就明白了这个道理，并认识到了爱心对一个人来说有多么重要。

但威廉也有十分顽劣的时候，有一次，我发现威廉和邻家的孩子托尼在戏弄一只流浪的小猫。他们在小猫的后腿上系上绳子，然后赶着它上树，等它爬上去之后又把它拽下来。两个孩子被小猫的狼狈相逗得乐不可支，全然不顾小猫惊恐不安的叫声。我赶紧走过去制止了他们。

第二十四章　不可忽视的品德教育

"你们为什么要这样对待小猫?"我质问道。

"好玩呀。"托尼满不在乎地说。

"我想,猫的动作那么灵巧,它是摔不坏的。"威廉说。

"也许是没摔坏,但它吓坏了,你们没看见它在发抖吗?"

"这不过是一只没人管的野猫嘛,它没有人要,我们是在花园里逮到的。"托尼说。

"是啊,它是只野猫,没有人关心它,你们不但不关心它,还要欺负它,难道不觉得害羞吗?如果你们没有父母,在外面受人欺负,会有什么感觉?"

两个孩子惭愧得说不出话来,解开了小猫腿上的绳子。托尼想把它放了,威廉对我说:"爸爸。我再也不欺负它了,它既然没有家,不如我来收养它吧。"

我同意了威廉的要求,我想,通过照顾这只小猫,也可以培养他的爱心。

威廉在我的指导下,用木板为小猫钉了一个小房子。他每天亲自给小猫喂食,有时候还为它洗澡。有一次小猫病了,威廉很着急地带小猫去看医生。到了医生的诊所,威廉向医生详细介绍了小猫的症状,直到医生告诉他小猫完全可以康复,他脸上才有了笑容。我看到威廉那关切的样子,心里感到十分欣慰,因为他懂得了关爱生命。